Buiten bereik

Andere boeken van Tim Parks bij De Arbeiderspers:

Fictie

Nieuwe kleren voor Massimina
De geest van Massimina
Europa
Bestemming
Rechter Savage

Non-fictie

Italiaanse buren
Italiaanse opvoeding
Een seizoen met Hellas-Verona

Tim Parks

Buiten bereik

Roman

Vertaald door C. M. L. Kisling

Uitgeverij De Arbeiderspers · Amsterdam · Antwerpen

Oorspronkelijke titel: *Cleaver*
Oorspronkelijke uitgave: Secker & Warburg, Londen

Omslagontwerp: Jan van Zomeren
Omslagillustratie: Zefa/Corbis

ISBN 90 295 6371 0 / NUR 302
www.arbeiderspers.nl

Deel een

1

In de herfst van 2004, kort na zijn geruchtmakende interview met de president van de Verenigde Staten en volgend op de publicatie van de geromantiseerde autobiografie van zijn oudste zoon, met de onbarmhartige titel *In zijn schaduw*, stapte de beroemde journalist, presentator en documentairemaker Harold Cleaver aan boord van een British Airwaystoestel waarmee hij van Londen Gatwick naar Milaan Malpensa vloog, om vervolgens met de Italiaanse spoorwegen tot Bruneck in Zuid-Tirol te reizen, en daarna per taxi verder noordwaarts naar Luttach, een dorp op enkele kilometers afstand van de Oostenrijkse grens, van waaruit hij op zoek zou gaan naar een afgelegen berghut om er de volgende, zo niet de laatste jaren van zijn leven door te brengen. Op de vlucht voor je verantwoordelijkheden, luidde Amanda's interpretatie. Zij is de moeder van zijn kinderen. De verantwoordelijkheden van een man van mijn leeftijd kunnen alleen maar van financiële aard zijn, had de beroemde en met een serieus overgewicht kampende Cleaver gezegd tegen de vrouw met wie hij zijn leven al dertig jaar deelde, en handelend naar een besluit dat hij pas een paar uur eerder had genomen, maakte hij haar een aanzienlijk bedrag over dat noch zij, noch hun drie in leven zijnde kinderen echt nodig hadden, met uitzondering wellicht van de jongste zoon Phillip, die altijd in geldnood zat, maar nooit iets wilde aannemen.

Toen hij de volgende ochtend op de trein naar Gatwick stapte, nog steeds verbaasd over zichzelf dat hij zo'n belangrijke stap nam, zette Cleaver zijn twee mobieltjes uit. Dit is niet zomaar een van je vele projecten, herhaalde hij tegen zichzelf. Hij zat tegenover een jongeman die geluidloos meezong met de cd-speler op zijn schoot. Je bent niet van plan om een boek te schrijven, of een documentaire te maken, zoals anders wanneer je op reis ging. De jongeman had een glazige blik in zijn ogen, merkte hij. Hij heeft me gelukkig niet herkend. De cd-speler snorde. De cultuur van Zuid-Tirol, wat die ook moge zijn, sprak Cleaver zichzelf streng toe, behoeft niet geanalyseerd, geïroniseerd, bekritiseerd of bezongen te worden. Een luidsprekerstem waarschuwde dat de deuren gingen sluiten. Er hoeft geen film of serie gemaakt te worden van het feit dat ik mijn intrek ga nemen in een afgelegen berghut. Er behoeft geen soort *Walden* van gemaakt te worden. De trein zette zich in beweging. De Theems lag plotseling onder, en daarna achter hem. De vertrouwde vorm van Zuid-Londen snelde weg.

En er kan evenmin sprake zijn van iemand ook maar iets toe te vertrouwen, of thuis verslag uit te brengen van eventueel opgedane wijsheid, zat Cleaver een uur later nog steeds te denken toen het busje hem naar Terminal 2 voerde. Hij had het geluk bijna meteen te kunnen vertrekken nadat hij zijn vliegticket had gekocht. Ik heb geen bagage, verklaarde hij. Niets. Niets, mompelde Cleaver ten slotte toen hij de veiligheidsgordel omgespte, er zal niets van deze reis mee terug worden gebracht om in het nationaal debat te worden opgenomen. Hij mocht dan vele jaren de publieke stem bij uitstek zijn geweest, nu zou hij dat alles achter zich laten. Dat is de uitzonderlijke gedachte die zich aan Harold Cleaver heeft opgedrongen tijdens deze paar laatste dagen van opmerkelijke publieke bekendheid en intense beroering in privé-sfeer: ik moet mijn grote mond houden.

In de trein van Milaan naar Verona deelde Cleaver de coupé met een jonge vrouw die volledig opging in een gekopieerd verslag van een marktanalyse. Er stonden grafieken in en hij las het onderkopje *Bacino di afflusso*. Haar ogen gleden over de pagina's en bleven soms ergens hangen waarna er een woord of zin met een snelle, roofzuchtige beweging van de pols werd onderstreept. Om de vijf minuten herschikte ze een witte sjaal die steeds weer afzakte over haar slanke armen, en soms glimlachte ze of fronste haar wenkbrauwen bij het nadenken, en draaide ze langzaam een lok donker haar tussen de behendige vingers van haar vrije hand. Eenmaal in Verona was Cleaver blij dat hij geen praatje had proberen aan te knopen. Pas toen hij opstond om de coupé te verlaten ontmoetten hun ogen elkaar in het stilzwijgende besef dat ze elkaar nooit zouden terugzien. Dit is een prima begin, dacht hij. Mijn moeder klaagde er voortdurend over, had zijn oudste zoon geschreven in de eerste zinnen van *In zijn schaduw*, dat mijn vader *absoluut niet in staat* was om een vrouw met rust te laten, net zomin als hij in staat was aangeboden voedsel of drank of sigaretten te weigeren, of, nog chronischer, een gelegenheid voorbij te laten gaan om in het openbaar te verschijnen, op welk moment van dag of nacht ook. Hij was de vleesgeworden eerzucht, vraatzucht en hebzucht – drie zuchten, zei hij – zowel vleselijk als vleesetend. Ik heb niets gegeten sinds mijn vroege ontbijt met thee en toast, realiseerde Cleaver zich plotseling toen hij het paneel met de vertrektijden bestudeerde op Verona Porta Nuova.

Vanuit Verona volgde een tweede trein de loop van de Adige in noordelijke richting door Valpolicella en de sombere bergen van Trentino. Er stonden hier maar weinig huizen op de berghelling. De kale vormeloze massa die de trein aan weerszijden insloot beloofde een solide barrière te vormen. Het was fascinerend hoe mensen hadden gereageerd op het boek van zijn zoon, dacht Cleaver, of liever gezegd op het boek van zijn zoon in combinatie met het beruchte interview met de president van de Verenigde Staten van Amerika. Hij was het beu aan dergelijke dingen te denken. Toen een groep tieners met rugzakken instapte in Rovereto, zocht Cleaver naar oordopjes in zijn zakken. Niet dat hij iets te lezen had meegebracht. Er wordt niet meer gelezen, had hij besloten. Hij wilde gewoon niets horen over hun gedeelde leven, hun luidruchtige collectieve identiteit, zelfs niet in een taal die hij niet kende. Als ik mijn mond moet houden, dacht hij, dan kan ik mijn oren ook dichtstoppen. Geen stemmen meer, van welke soort ook.

Toen hij zo goed als alleen op het perron te Franzensfest stond, net onder de Brennerpas, verbaasde Cleaver zich over de zoete geur van de lucht. Waar ruikt het naar? Naar gemaaid gras, koeienstront, gezaagd hout, smeltwater over steen. Hij stond daar bevreemd te luisteren naar het aanhoudende gerinkel van de stationsbel die de aankomst van zijn trein aankondigde. Hij keek op en zag van hoger gelegen berghellingen een waterval naar beneden storten. Ik ga geen brieven schrijven, dacht hij, in het besef dat het einde van zijn reis naderde. Hij had geen laptop meegenomen. Zelfs geen *notepad*. Of pen en papier. Wat er ook met mij of in mijn directe omgeving zal gebeuren, behoeft nooit verteld of verwoord te worden.

Tussen Franzensfest en Bruneck ligt maar één spoorlijn. Cleaver keek uit het raam terwijl de trein een grijze rivier kruiste en nog eens kruiste, die in de tegenovergestelde richting stroomde. Er zat maar één andere man in de coupé. In Ehrenburg stopten ze bijna twintig minuten om te wachten op de trein in westelijke richting. Het begon te schemeren in de diepe vallei. Het slaan van een deur maakte de lucht stiller en kouder. Een heel stuk voor Bruneck stond de andere passagier al ongeduldig te wachten, nam zijn aktetas dan in de ene, dan in de andere hand.

Luttach, zei Cleaver tegen de taxichauffeur. Het was het eerste woord dat hij sprak sinds hij zijn ticket op Gatwick had gekocht, sinds hij Amanda had gebeld vanaf Victoria om afscheid te nemen. Het was zijn plaats van bestemming. Zeg dan tenminste waar je naartoe gaat, had ze geëist. Iedereen probeert contact met je op te nemen. Luttach? vroeg de chauffeur ter bevestiging. Hij sprak het woord uit alsof hij zwaar verkouden was. Cleaver had geweigerd het haar te vertellen. Luttach, herhaalde hij in de taxi en veranderde zijn uitspraak om de chauffeur te plezieren. De man droeg een groene vilthoed boven een blozend gezicht met grote snor. Hij gelooft zijn oren niet, dacht Cleaver toen de meter begon te draaien. Dat is een Londense gedachte, corrigeerde hij zichzelf meteen, een oude gedachte. Als mijn vader, had zijn oudste zoon geschreven, een taxi zou kunnen nemen om naar de andere kant van de straat te gaan, dan zou hij dat doen, dan dééd hij dat. Al zijn onkosten werden toch steeds vergoed. Ik hou geen rekening met een onkostenrekening, was een van zijn standaardgrapjes aan tafel. Dit wordt mijn laatste taxi, besloot Cleaver. Hij betaalde met zijn eigen geld.

De auto reed pal naar het noorden het Ahrndal in. Weer kruisten ze twee keer een rivier die in tegengestelde richting stroomde. Het water was nu sneller, met witte vlekken. Ze klommen gestaag. Tegen de tijd dat ze het dorp Gais passeerden was de herfstavond gevallen. Hier en daar priemde een lichtje op de heuvels ver boven hen. Dit is wat Cleaver zich altijd herinnerde van zijn enige bezoek aan Zuid-Tirol: eenzame lichtjes hoog in de bergnacht. Hier is hij voor gekomen.

Toen de vallei boven Sand in Taufers versmalde tot een ravijn, vroeg de chauffeur: Wohin wollen Sie? Wat zegt u? Cleaver is het weinige Duits dat hij ooit heeft geleerd vergeten, en is niet van plan het weer boven te halen. Hij is hier juist naartoe gekomen *omdat* hij geen Duits kent. Adres, zei de man. Hotel, zei Cleaver. Hij kon zich de naam van het hotel waar hij met Giada had gelogeerd niet meer herinneren. Het deed er niet toe. Elk hotel is goed. De chauffeur schudde zijn hoofd, keek even snel over zijn schouder. Alles geschlossen. Hij sprak de woorden langzaam en nadrukkelijk uit. Sommer ist zu Ende. Der Winter ist noch nicht da. Alles geschlossen, herhaalde hij.

Cleaver wachtte. De man moet gezien hebben dat ik geen bagage heb, dacht hij. Op de hoogvlakte boven het ravijn passeerden ze moderne gebouwen rond de basis van de skilift. Het hele complex was in duisternis gehuld. Hotels, alles geschlossen, herhaalde de chauffeur. Maar hij blijft wel doorrijden, merkte Cleaver. Vijf minuten later reed de wagen de keurige hoofdstraat van Luttach in. De etalages waren donker. Alle luiken gesloten. Cleaver maakte geen aanstalten om uit te stappen. Hotel? vroeg hij. Een taxichauffeur weet altijd wel een bed te vinden voor de nacht. De meter loopt nog, tikt momenteel meer tijd dan ruimte weg. Zimmer? stelt de man voor. Ja, zei Cleaver. Misschien kent hij wel meer Duits dan hij dacht. Bescheiden eindexamenniveau. De auto reed verder door de hoofdstraat en sloeg linksaf heuvelopwaarts.

Kommen Sie doch. De chauffeur pakte Cleavers elleboog en duwde tegen een zware deur. Het is een café, een kale ruimte met houten vloer, houten banken en tafels, twee groepen luidruchtige kaarters met rode gezichten, een stuk of twaalf in totaal. Maar er loopt een vrouw rond die bedient. De chauffeur ging met haar praten. Het zijn oude bekenden. Cleaver stond bij de deur en proefde de exotiek van dit alles, het geroezemoes van woorden die je louter als lawaai zou kunnen waarnemen, de inrichting die anders was, de kleren van de mannen, de geur. Het is de geur van hout, dacht hij, en van rook en leer en bier. Spannend. Ook de muur was met hout betimmerd, boven de toog hingen gekruiste oude houten ski's, en er zaten stoffige porseleinen poppen op de schoorsteenmantel boven een smeulend houtvuur.

De vrouw kwam met hem praten. Het soort vrouw dat je nog knap kunt noemen, maar dat haar beste tijd gehad heeft. Wieviele Tage? Ze veegt haar handen af aan een blauw schort. Ze heeft een grijze wollen rok aan. Cleaver schudde zijn hoofd. Dan ergert het hem dat hij zichzelf voor de camera ziet. Hij speelt de rol van eminent man in een godverlaten gehucht voor een denkbeeldig publiek. Kijk eens waar Cleaver zijn show deze week opneemt! Let eens op dat bijzonder grote, houten kruisbeeld dat boven de bank in de hoek hangt, zou hij tegen zijn kijkers zeggen, let eens op de verwrongen ledematen van Christus, de sombere berusting van de ten hemel gerichte ogen. Armin! De vrouw liep naar een deur en riep iets een donkere gang in. Armin! Je moet hiermee stoppen, besloot Cleaver. Armin, kimm iatz! Je moet hier alleen maar zijn, zei hij tegen zichzelf, dat is alles. Geen commentaar geven. De mannen aan hun tafels toonden geen nieuwsgierigheid. Iemand wierp een kaart neer en begon ruw te lachen. Ze spreken niet eens Duits, beseft Cleaver, maar het een of andere ruige bergdialect. Des te beter.

Er verscheen een jongen van een jaar of vijftien, met duidelijke tegenzin. Lang haar dat gitzwart lijkt geverfd. Hij draagt een oorbel met een zilveren schedeltje. Hoeveel dagen wilt u de kamer? vraagt hij. Ik weet het nog niet, zei Cleaver. Hij corrigeerde zichzelf: ik weet het niet. De vrouw heeft gezien dat ik geen tas bij me heb, wist hij. Minstens drie of vier. Drai, zegt de jongen tegen zijn moeder en draait zich meteen weer om. De chauffeur tikt Cleaver tegen zijn elleboog. Vijftig euro, zegt hij in het Engels. Het bedrag lijkt buitensporig, maar hoe kan ik vragen of ik de meter mag zien? Een van de kaarters werpt de nieuwkomer een veelzeggende blik toe. Niet goed wetend wat hij moet doen, wil Cleaver een betaalbewijs vragen, maar zegt dan Nein, das macht nichts, en geeft de man vijftig euro. Tot op het moment dat hij het zei, wist hij niet dat hij de uitdrukking kende.

Langs drie houten trappen en krakende overlopen zijn er op richels en tafels nog meer porseleinen poppen neergezet, gekleed in de traditionele boerenklederdracht van minstens een eeuw geleden. Hun harde gezichtjes stralen, hun glazige blauwe ogen staan wijd open, terwijl een hijgende Cleaver naar boven ploetert, achter de knappe vrouw aan die haar beste tijd heeft gehad. Op nauwelijks een halve meter afstand van zijn gezicht bevinden zich haar lange, bruine kousen, groene slippers. Hij kan ze ruiken. Hij vindt de trap moeilijk lopen, steiler dan thuis. Op de overloop van de derde verdieping staat een enorm oud poppenhuis van zo'n anderhalf bij anderhalve meter. Witroze porseleinen gezichtjes stralen hem door alle ramen tegemoet. Het licht in het trappenhuis is zwak en geel en de frullerige kleren van de poppen zien er muf uit. De muur is betimmerd met verticale schrootjes van donker hout en tussen de dichtgetrokken gordijnen is een oude houten zeis opgehangen. Cleaver glimlachte. In meer dan één opzicht echt jammer dat er geen camera bij is.

Maar tot meneers niet geringe verbazing staat er een modern tv-toestel op zijn kamer met een indrukwekkende afstandsbediening. Zou het niet indrukwekkend zijn, denkt hij, om te zeggen nee, haal maar weg! Ik laat mij niet verleiden. Terwijl hij nog staat na te hijgen is de vrouw al snel tegen hem aan het praten. Ze gebaart naar links en naar rechts. Waarom doet ze dat als ze weet dat hij geen Duits spreekt? Ze wijst op een deur verderop in de gang, toont hem handdoeken, herhaalt dingen die ze al honderd keer heeft gezegd. Ze doet wat ze moet doen, of hij het nu begrijpt of niet. Maar nu herkent hij het woord Frühstück. Heißes Wasser, de vrouw schudt een vinger heen en weer. Noch nicht. Toen was ze verdwenen.

Daar ben ik dan. Cleaver ging op bed liggen. Hij draagt een leren jas, een colbert, een roze overhemd en citroengele das, donkere broek. Toen hij die ochtend het huis verliet, had hij evengoed naar de studio kunnen gaan en zijn ontslag intrekken. Had niet iedereen die maar een beetje van betekenis was hem gesmeekt om van gedachte te veranderen? En dat was pas gisteren. Denk er nog eens over na, had Michaels aangedrongen. In godsnaam! De kamer was vochtig. Niet verwarmd geweest. Niemand verwachtte gasten. Je bent een vet varken, verkondigde Cleaver met zijn handen over zijn buik gevouwen. Een man van jouw omvang, zei hij hardop, zou zijn eigen warmte moeten genereren. De kamer is vrij groot, maar grotendeels leeg en stoffig. Mijn vader vond het altijd uitermate grappig om de woorden buik en puik te laten rijmen, had zijn oudste zoon geschreven. Cleaver heeft geen reden om de kast en de laden te openen. Wat hebben we voor uitzicht? Hij staat op. Een smalle steeg, een blinde gevel. Wanneer hij zich omdraait ziet hij nog een grote pop in een hoop stoffige ruches op de ladekast zitten; het gezicht heeft dezelfde onveranderlijke uitdrukking van lege zelfgenoegzaamheid. De ogen zijn blauw en groot en kunnen niet knipperen.

Cleaver huivert. Daar ben ik dan, herhaalt hij en gaat weer op bed liggen. De enige deken is klam. Wanneer hij zich op zijn zij draait, voelt hij zijn mobieltjes zitten. Ik kan eindelijk vermageren, dacht hij. Ontspannen, loslaten, afnokken. Hij haalde de mobieltjes uit zijn zak en legde ze op het nachttafeltje. Een vurenhouten blad. Alle meubels in de kamer zijn van vurenhout. Of essenhout, of misschien berk. Cleaver weet niets van hout. Als ik consequent was geweest, had ik zelfs geen mobieltje moeten meenemen, denkt hij. Anderzijds word je geen heilige in één nacht. Is er eigenlijk ontvangst hier in de bergen? vroeg hij zich af. Hij glimlachte en schudde zijn hoofd, maar bezweek toen bewust voor een andere verleiding. Hij stond op, liep naar het televisietoestel, zette het aan en pakte de afstandsbediening.

Toen hij weer op bed ging zitten merkte hij dat hij koude voeten had. Hoe kan je zo dik zijn en koude voeten hebben? Een man met een microfoon liep naar een studiopubliek toe. Meteen voelde Cleaver zich ongerust. Hij keek op zijn horloge. Exact op dit moment werd er een van zijn stand-ins geschminkt. Ben ik echt weggegaan? Na de president van de Verenigde Staten in mootjes te hebben gehakt? Op het hoogtepunt van mijn carrière? Hij zag hoe de presentator de microfoon in de richting van een fraai pruilmondje duwde dat op een stoel langs het middenpad zat. Cleaver twijfelt er niet aan dat het meisje daar expres is neergezet. Ze begint te praten, heftig, vertrouwelijk, in het Duits. Ze hebben een camera achter in de studio staan, aan het einde van het gangpad, om de instemmende knikjes van de presentator in beeld te krijgen. Standaardprocedure. De kolossale man is het ermee eens. Cleaver heeft geen flauw idee waar ze het over hebben. Hij vermoedt iets serieus. Ineens begint iedereen te lachen. Een overheadcamera draait mee. Mensen lachen altijd samen. De belichting is een beetje hard, vindt Cleaver. Eén enkele lach is vervelend. De studio is ingericht met olijfgroene stoelen, oranje schermen, matzwarte armaturen. Erg Duitse kleuren. Hebben niet alle Duitse metrostations groene en oranje muurbekleding, vraagt Cleaver zich af. Hij zet een andere zender op. Een ernstige, sensuele vrouw leest het nieuws in het Italiaans. Cleaver luistert. Ze maakt gebruik van hetzelfde strakke ritme, merkt hij, dezelfde plotseling extreme beklemtoning, dezelfde routineuze dramatiek waar hij zelf zo'n meester in is. Maar dit is een oude gedachte. Hetzelfde is hem in het Frans opgevallen, een taal die hij verstaat, en in het Spaans, een taal die hij niet verstaat. Alles moet reuze belangrijk zijn, maar het moet wel routineus geruststellend gebracht worden.

Hij zapt naar het tiende kanaal, het twaalfde. Ineens is het Engels. BBC World. Ze hebben een satelliet! Dit is onverwacht. Misschien wordt er straks wel iets gezegd over zijn, Harold Cleavers, verrassende ontslag bij Engelands meest serieuze, meest succesvolle talkshow: *Spervuur*. Maar voorlopig interviewt Martin Clabburn, een oude bekende, een man met een tulband. U wilt toch niet beweren dat u niet wist dat u samenwerkte met een van de meest meedogenloze regeringen van tegenwoordig? Martin lijkt hoogst verontwaardigd, maar ook evenwichtig. De man met de tulband geeft een evenwichtig en strijdvaardig antwoord. Het zijn bondgenoten. De show gaat door. Cleaver zuigt op zijn tanden. Er is niets, begint een stem in zijn hoofd te herhalen, wat de juistheid van je beslissing er de brui aan te geven beter kan bevestigen dan dit opgevoerde toneelstukje van een totaal onechte confrontatie. Clabburn maakt weer een brave aanvallende opmerking, waarop de man met de tulband weer met aanvallende braafheid reageert. Wat saai. Maar zolang je hier naar de show ligt te kijken ben je niet echt vertrokken. De kijker is altijd medeplichtig. Een close-up suggereert dat Clabburns enige echte emotie is dat hij er plezier in heeft te denken dat hij het de man ongemakkelijk maakt. Cleaver hakt president in mootjes, had de *Guardian* geschreven over zijn beruchte interview. De kerel met tulband leek te smullen van het gevecht.

Dan moet Cleaver een paar minuten gemist hebben – misschien is hij even ingedut – omdat er nu geheel onverwacht wordt overgegaan op muziek; het scherm is een caleidoscoop van dramatische scènes en hightechvoorwerpen die door de ruimte lijken te wentelen tussen relletjes en bloedvergieten en triomferende atleten door. Televisie is overgenomen door dit soort clips, had Cleavers oudste zoon geschreven in de bespreking van zijn vaders vele controversiële tv-debatten en documentaires. Hoe de jongen kon beweren dat het boek een roman was ging Cleaver te boven. Een soort kruising tussen de luchtalarmsirene en een glinsterend nieuw speeltje, had zijn zoon geschreven: daar het de bedoeling was, zoals mijn vader me ooit eens heeft gezegd in een van zijn eindeloze pogingen om me te *coachen* als journalist, als schrijver, want je moet begrijpen dat mijn vader met niemand kon praten, met wie dan ook, zonder te proberen de persoon in kwestie te *verleiden* als het een vrouw was, of te *coachen* als het een man was – daar het de bedoeling was, zei mijn vader, om de kijker *tegelijkertijd* een gevoel van extreme angst én intense voldoening te geven. Heb ik echt zoiets intelligents gezegd? vroeg Cleaver zich af. Hij glimlachte. Zijn zoon was een echte kenner geworden. Ik heb hem goed gecoacht. Mijn oudste zoon. In het verglijdende rode licht van die belachelijk lange eindclip wierp Cleaver een blik op de pop op de ladekast. Ze kijkt; haar porseleinen ogen in vervoering, haar glimlach benijdenswaardig leeg. Cleaver pakte de afstandsbediening en knipte het beeld uit.

Meteen hoorde hij ergens zingen. De mannen beneden zingen iets. Er is een accordeondeuntje te horen. Ik heb honger, beseft Cleaver. Ik moet niet verwachten compos mentis te zijn op een dag als vandaag. Hou je gewoon maar aan je plan. Compost mentis. Dat was een oud grapje. Hij trok zijn schoenen aan en liep naar de overloop maar kon het lichtknopje niet vinden. Misschien had de knappe hospita hem iets verteld. Vanuit het donkere trappenhuis zwol het zingen aan. Cleaver liet een vinger blind over de muren glijden. Het waren ruwe mannenstemmen die in het Duits zongen. Hij riskeerde een splinter op te lopen. Hij ging terug naar zijn eigen kamer, deed het licht weer aan, liet de deur open en liep weer naar het begin van de trap. Toen hij naar beneden ging staarden hem vanaf elke duistere richel dom glimlachende poppen aan. Die poppen hebben iets luidruchtigs, besloot Cleaver. Een soort zangkoortje. Beneden werd het mannelijke gezang luider naarmate hij voorzichtig afdaalde langs de zwijgende meisjespoppen. Het ritme had nu iets militairs. Bijna alle politici die ik heb geïnterviewd waren mannen, dacht Cleaver, die even bleef staan om zijn ogen aan het donker te laten wennen, terwijl bijna alle kijkers en lezers die mij schreven vrouwen waren.

In de veronderstelling dat hij de begane grond al bereikt had, verstapte hij zich op de laatste trede en viel tegen een tafel waarop twee glanzende ogen blind voor zich uit staarden. Een deur knalde open en er was fel licht aan zijn rechterkant; de kaarters juichten en sloegen op tafel om zichzelf te feliciteren met het einde van het liedje. Een grote man met baard keurde Cleaver geen blik waardig toen hij door de gang stampte. Cleaver zette de pop weer overeind en liep de bar in.

Hij zat al vijf minuten aan een hoektafel te wachten voor de vrouw zichzelf losmaakte van de muur aan de overkant en naar hem toe kwam. Ze had een schort om en een wit sjaaltje over bijeengebonden haar. De meeste poppen hadden ook sjaaltjes om. Cleaver wilde niet alleen maar met zijn vinger op zijn mond wijzen. Hij glimlachte verontschuldigend. Hebt u, eh, iets te eten? Ze streek met haar tong over haar onderlip, keek hem strak aan. Ze weet natuurlijk niet dat Harold Cleaver gewend is tegen een publiek te praten van zo'n tien miljoen mensen. Brood? vroeg hij. De vrouw trok haar wenkbrauwen op en keek rond met duidelijk ongeduldige blik. Twee mannen zaten zacht te zingen, deden hun glazen klinken boven tafel. Bier? vroeg ze plotseling. Cleaver gaf het op en maakte het tijdloze gebaar: hij stak zijn rechterhand op en stak drie vingers in de richting van zijn grote mond, sperde zijn ogen open in een publieksvriendelijke charmante glimlach van zelfironie en smeekbede. Zu spät, zei de vrouw. Haar gezicht is aantrekkelijk – maar de zakkende lijn van haar wangen verraadt de vroege middelbare leeftijd. Trinkn, trinkn, trinkn! zingen de mannen nu. Ze bonzen hard met hun glas op tafel. De vrouw schoof de mouw van haar vest omhoog en tikte op haar horloge. Zu spät. Brot, herinnerde Cleaver zich, en toen ook: Speck? Ze tuitte haar lippen en draaide zich om.

Cleaver zat met gebogen hoofd boven een houten bord te eten. Het bier is ijskoud. Hij vraagt zich af of de mannen door zijn aanwezigheid zijn gestopt met zingen. Meer dan vijftig miljoen mensen hadden naar zijn interview met de president gekeken toen CBS het in Amerika overnam. Mag ik stellen, meneer de president – Cleaver besefte dat hij de Speck in kleinere stukjes zou moeten snijden – dat u uw agenda gewoon hebt laten leiden door een reeks actuele debatten en conflicten, het Midden-Oosten, terrorisme, de belastingdruk op kaderpersoneel – terwijl u de echte uitdagingen voor de toekomst – broeikaseffect, buitensporige consumptie, alternatieve energiebronnen, ruimschoots hebt genegeerd. Toen de president aarzelde, had Cleaver eraan toegevoegd: Of denkt u dat het in een democratie onvermijdelijk is dat een succesvol politicus alleen maar dirigent speelt voor het koor dat het hardst zingt? De zenige ham komt steeds tussen zijn tanden. Laat één ding duidelijk zijn, zei de knappe president op agressieve toon, ik sta in voor mijn daden. Toen glimlachte Cleaver zijn beruchte gevaarlijke glimlach. Hij doet het nu weer, terwijl hij op zijn eten kauwt: Meneer de president, u hebt zojuist twee clichés gebruikt, de een na de ander. Hij moest een tandenstoker hebben. Een geprogrammeerde robot zou betere antwoorden geven dan u.

Plotseling hadden de kaarters ruzie. Iemand werd beschuldigd van valsspelen. Of daar leek het toch op. De enige man die een jasje en stropdas droeg, smeet zijn kaarten op tafel en schoof zijn stoel terug met een gebaar van afkeer. Toen hij opstond, sprong een andere man op en duwde hem terug op zijn stoel. Hij droeg eigenaardig genoeg een leren cowboyhoed. De goedgeklede man struikelde en viel haast. Iedereen riep door elkaar of lachte. De waardin haastte zich naar de tafel. Een jonge man, nog bijna een knaap, met een groene corduroy broek en een geruit overhemd tilde een rode accordeon van de vloer en begon zachtjes een of ander volkswijsje te spelen. De perfecte achtergrondmuziek, vond Cleaver. Ineens was de ruzie over en werd er een nieuw dienblad bier aangedragen.

Het is koud op mijn kamer, zei hij tegen de vrouw. Hebt u een extra deken? Hij deed of hij onder de wol dook, iets over zijn hoofd trok. Ze was geconcentreerd geld aan het tellen uit een beurs rond haar middel. Een deken! Anders bevries ik. Brrr! Het was niet verstandig geweest om koud bier te bestellen. Plotseling kwam de man met de cowboyhoed naar hem toe. Een grote deken voor een grote man! bulderde hij. Hij zei iets tegen de vrouw. Ze knikte. Welkom in Südtirol! vervolgde hij hartelijk. Hij heeft een smal, bijna cilindervormig hoofd, een roofvogelachtige haakneus, twinkelende ogen. Als je paard wil rijden als je in Luttach bent, dan kom je maar naar Hermann! Naar de paardenstal van Onkel Hermann! Hij stopte een visitekaartje in Cleavers koude vingers. Een dikke knol voor een dikke kont! Hij klapte in zijn handen en lachte. Als je een vrouw wilt, vraag dan maar aan Frau Schleiermacher. Die kent iedereen. Ha, ha, ha! Hoe meer mans, hoe meer kans, grapte Cleaver. Mijn vaders grapjes waren even onvermijdelijk als ongewenst, had zijn zoon geschreven. Maar Hermann begreep het niet. Welkom in Südtirol, herhaalde hij knikkend en lachend en stak zijn hand uit. Hij voelde aan als staal.

Cleaver was vijf minuten terug op zijn kamer toen de jongen met het zwart geverfde haar de extra deken kwam brengen. Cleaver moest glimlachen om zijn satanische oorbel. Maar hij wist niet meer hoe de jongen heette. Was het echt Amen? Buitenlandse namen blijven niet hangen. Cleavers oudste dochter, Angela, had ook zo'n periode gehad waarin ze allerlei groteske doodssymbolen droeg. Het was beslist overdreven om die hele periode af te doen als een poging om haar onoplettende ouders te laten zien hoe ongelukkig ze was. Er zijn massa's mensen die satanische rommel dragen, zei Cleaver hardop. Vooral oorbellen en armbanden van zwart zilver, of donker staal, of zwarte T-shirts met oranje, vurige duivelsmotieven. Het hoort bij de hedendaagse parodie van alles wat ooit iets heeft betekend en ons angst inboezemde. Maar Cleaver had er geen moment aan gedacht zijn zoon hierop aan te spreken. Zodra hij was gaan liggen, realiseerde hij zich dat de extra deken niet genoeg was.

Zijn voeten zijn het probleem. De extra deken zou genoeg zijn, dacht Cleaver, als zijn voeten al warm waren. Hij knipte het lampje uit. Maar nu voelde hij ze niet eens meer. Hij stak zijn hand uit en knipte het lampje weer aan. De Tiroler pop zit nog steeds naar het lege tv-scherm te kijken. O, was hij maar zo gedachteloos als een pop! Net zo onverschillig voor hitte als voor kou! Cleaver stond op. Hij had zich uitgekleed op zijn onderbroek en hemd na. Hij liet de deur open en liep de overloop op – wat een dikke indruk moest hij nu maken – en probeerde de deur die de waardin had aangewezen als de badkamer. Als hij thuis koude voeten had, nam hij een heet bad. De tijd dat Amanda ze verwarmde tussen haar dijen was al lang geleden. Zeggen dat mijn ouders een stormachtige relatie hadden, had zijn oudste zoon geschreven, zou hetzelfde zijn als zeggen dat Arafat en Sharon af en toe ruzie hadden. Het water van de douche was koud. Cleaver wachtte, voelde af en toe met een vinger. Soms laten de analogieën van mijn zoon wel wat te wensen over, dacht hij. Hij lachte zelfs. Het water stroomde uit de douchekop maar bleef koud, koud als de beekjes die 's nachts de bergen af stromen. Heißes Wasser. Dat had ze beslist gezegd, hoewel Cleaver zich nu begon af te vragen of het op een of andere manier niet in verband had gestaan met Frühstück. Noch nicht. Toen hij terugliep naar zijn kamer, had hij voor het eerst het gevoel dat dit wel eens een serieus probleem kon worden.

Cleaver trok al zijn kleren weer aan, inclusief zijn leren jas en klom weer in bed. Toen ging hij er weer uit en spreidde de dekens zodat hij zich erin kon rollen. Rolletje bolletje, mompelde hij. Zijn gezicht en kale kruin zijn nu bedekt. Hij ademde zijn eigen warme adem in in het donker. De kamer stinkt, besefte hij. Dat had hij nog niet gemerkt. Mijn voeten worden helemaal niet warm. Ze leken gescheiden te zijn van de rest van zijn lichaam, alsof wat hij als koude waarnam in feite de beruchte fantoompijn was na amputatie. Verdomme! Ineens wil hij een sigaret. Cleaver knipte het licht aan. De passages uit *In zijn schaduw* waarin de verteller afrekent met zijn vaders chronische zwaarmoedigheid hoorden beslist bij de wreedste en de grappigste van het boek. Cleaver rolde uit de dekens, ging zitten, trok zijn voeten op en begon ze te masseren. Kloteboek. Zijn huid heeft een rare, grijze kleur. Het eigenaardige, had zijn oudste zoon geschreven, is dat mijn vaders *constante* overtuiging dat hij op de rand van een hartaanval stond hem er nooit van heeft weerhouden om te blijven vreten en neuken en drinken en roken. Hoe hard hij ook wreef, Cleavers voeten bleven precies zoals ze waren, grijs, koud en een beetje klam. Hij had al minstens drie maanden niet gerookt, en al zes maanden geen vrouw gehad, dus was het deprimerend te merken dat hij er nu een wilde. Hoe breng ik mijn tijd door tot mijn voeten warm zijn? Hij keek rond naar de afstandsbediening. En dit is de man die in een afgelegen berghut wil gaan leven! Morgen moest hij het een en ander zien te regelen. Spullen aanschaffen.

Hij trok zijn schoenen weer aan en begon heen en weer te lopen. Het leek of hij op ijsklompen liep. Na een kwartier was er nog steeds geen verandering. De pop zit te kijken. Ga toch gewoon nog een extra deken vragen, zei een stem, of vier, of een dekbed of een kruik. Hadden Duitsers tegenwoordig niet allemaal dekbedden? Maar Cleaver gaat het niet vragen. Dat weet hij. Het heeft te maken met het taalprobleem. En ook met uitdaging: hij weet dat hij zich zou schamen. De waardin was van oordeel dat twee dikke dekens genoeg zouden moeten zijn. Het is niet echt een koude nacht. Het is herfst, geen winter. Hij wil de aandacht niet op zijn zwakte vestigen. Mijn vader, had zijn zoon geschreven, zou de honderd meter gelopen hebben met Carl Lewis, de ring zijn ingegaan met Mohammed Ali, de baan op zijn gestapt met Pete Sampras. Hij was gewoon de meest *competitieve* man die er bestond. Soms had ik het gevoel dat hij mijn moeder had gekozen en zij hem, omdat ze beiden bij de media werkten en zich elke dag van hun leven met elkaar zouden kunnen meten. Maar het is een leugen dat ik wedijverde met de kinderen, dacht Cleaver. Die verdomde voeten. Hij zette de televisie aan.

Alsof hij de afstandsbediening had gepakt nadat hij op zijn horloge had gekeken, begon de World Service meteen met een nieuwsbulletin. 23.00 uur. Europese tijd. BBC World, verklaarde een gezaghebbende stem. Eis een bredere visie. Cleaver ging op bed zitten en trok zijn schoenen weer uit. Iedereen met een echt intelligente visie zou zichzelf het gebruik van die slogan verbieden. Wat mijn zoon mist, realiseerde Cleaver zich, terwijl hij de camera over de ruïnes van een Palestijns dorpje zag glijden, en misschien heeft hij daarom wel zoveel succes, is elk gevoel voor medeleven, voor pathos. Het pathos van de eindeloze oppervlakkigheid van de journalistiek, het pathos van huwelijk en ouderschap, het pathos van koude voeten, verdomme. Ook al waren Amanda en hij nooit getrouwd. Telkens als mijn moeder het vroeg zei mijn vader nee, en telkens als mijn vader het vroeg zei mijn moeder nee. Volmaakt incompatibel, grapte mijn vader. Een vechtpaar, zei mijn moeder dan. Een explosieve verhouding, zei mijn vader dan weer. Mijn zoon is geniaal in het maken van karikaturen, besloot hij. Alles en iedereen werd zo beschreven dat hij, zij of het precies in een voorradig cultureel vakje paste. Zo waren personage en daad altijd gemakkelijk te onthouden. Dat is de sleutel tot succes. Een naam die het publiek kan herkennen. Een scène waarin alles duidelijk is. De jongen miste alle pathos ervan, dacht Cleaver, en ook alle lol. Die is mij al lang geleden vergaan.

Zonder erbij na te denken pakte Cleaver de rode GSM van het nachtkastje en zette hem aan. Ik moet weg uit dit vruchteloze gediscussieer met mijn zoon, besloot hij. Het was uitputtend. Het schermpje lichtte op. Je bent niet naar Zuid-Tirol gekomen om gesprekken te voeren met de wereld die je achter je hebt gelaten. De naam HAROLD CLEAVER verscheen, tezamen met zijn telefoonnummer thuis. Dat moet ik veranderen. Toen moest hij even wachten. Cleaver had vaak geprobeerd zich voor te stellen hoe dat kleine apparaatje zijn voelhorens uitstak in de drukke lucht op zoek naar een vriendelijk netwerk waar het zich bij kon aansluiten. Op zo'n moment heeft zelfs een mobieltje pathos, dacht hij, een denkbeeldig pathos, de wens om aan te haken bij de collectieve geest. De BBC begon zijn rituele analyse van de wereldbeurzen. Tegenwoordig heeft iedereen wel een plekje over voor de Nasdaq, de dollar tegenover de yen.

OST-NET, besluit het scherm plotseling. Bijna meteen begon de telefoon te trillen. Een bericht, twee berichten, drie, vier, vijf, zes. Het getal stopte bij vijftien en in de linkerbovenhoek begon een envelopje te knipperen. Geheugen vol. Cleaver voelde in de binnenzak van zijn jas. Hij voelde in zijn colbert. Nee toch! Hij kan zijn leesbril niet vinden. Snel doorzoekt hij al zijn zakken van zijn jasje, zijn broek. Kan ik zo stom zijn geweest? Maar misschien is het beter ze niet te lezen. Hij was toch van plan om te stoppen met lezen. Hij spande zich in om te kunnen zien in welke volgorde de berichten waren geschreven. Hoe kom ik daarachter? Allemaal van Amanda. Nee, hij kon de tekst niet lezen.

Hij wendde zich af van de televisie en hield het mobieltje onder de lampenkap in het naakte licht van het peertje. Zo ging het net.

Wat moet ik doen met je spullen weglóper want als je echt weg bent wil ik je troep mijn huis uit.

Zodra Cleaver op het Bericht Wissen-knopje drukte, trilde de telefoon door de komst van een nieuw bericht.

Je zou de tlfrekening van je dochter 1s moeten zien.

Weer wiste Cleaver het bericht en weer trilde de telefoon.

Amanda kan sms'en, dacht hij, terwijl ze kookt, autorijdt, of op de wc zit. Amanda is er dol op. Hij tuurde en las: michaels heeft 5x in 15 min gebeld. ik zei dat deserteurs op de vlucht moeten worden neergeschoten.

Cleaver glimlachte, klikte nog eens.

Ik wist dat je het lef niet zou hebben om je tlf op te nemen.

Nu moest hij zijn ogen even sluiten. De letters begonnen wazig te worden. De BBC was aan een uitzending begonnen over een bijna verdwenen taal in Siberië. Het is ongelooflijk hoeveel enthousiasme en dramatiek een televisieploeg in zulke reportages kan stoppen die op geen enkele wijze de levens van 99,9 % van hun publiek beïnvloeden. Het bijzondere was kennelijk dat deze Mongools uitziende mensen maar één woord nodig hadden om te zeggen ik ga op berenjacht.

Ik gooi je spullen er echt uit hoor – hij keek weer naar zijn telefoon – incl de 1ste drukken.

Hoewel er nauwelijks beren over waren, klaagde de journalist nu, en zelfs nog minder sprekers om op ze te jagen.

Beste afvallige, misschien zien we elkaar nog bij het graf van angie. geen zorgen, ik zal doen of ik je niet herken.

Cleaver schudde zijn hoofd. Ze slaat onder de gordel om een antwoord uit te lokken. Angela's ongeluk, mompelde hij, zou op geen enkele manier omschreven kunnen worden als een kroniek van een aangekondigde dood.

O, michaels heeft WEER gebeld om te vragen of ik je baan wilde. ikke! ongelooflijk toch?

Cleaver geloofde het geen moment.

Als je me niet vertelt waar je zit dan ga ik naar de politie en zeg dat je vermist bent.

Telkens als Cleaver wiste, trilde de telefoon. Er kwam geen eind aan.

Ik hou van je. je bent de enige man met wie ik ooit heb willen samenleven, de enige mogelijke vader van mijn kinderen.

Cleaver vroeg zich af of ze had gedronken.

Hoop maar niet dat ik zelfmoord pleeg, schreef ze.

Ik weet dat je alleen maar doet alsof je dit niet leest.

Ik haat je.

Bill white belde over de verkoop vd balkandoc aan de franse tv. hij zei niet voor hoeveel.

Welterusten harry waar je ook zit. heb je aan je tranquillz gedacht?

Ik wist wel dat je een lafaard was.

De berichten bleven komen. Cleavers ogen deden pijn. Zonder ze te lezen drukte hij achter elkaar op het knopje dat de berichten opende en wiste, tot de telefoon na drie of vier minuten eindelijk zweeg. Hij zette hem af. Ik antwoord niet. De BBC verwonderde zich nu over de bijzondere effecten in een nieuwe film over het paranormale. Kennelijk waren de computertekeningen interessanter dan het onderwerp. Cleaver zette ook dat af. Er zit niets anders op dan hier maar wat te liggen, dacht hij. Hij trok zijn leren jas uit, wikkelde zichzelf weer in de dekens en legde de zware, in vieren gevouwen jas op zijn voeten. Ze doen pijn van de kou. Wat doe ik in hemelsnaam zo ver van huis en eenvoudige voorzieningen? Hij heeft geen medicijnen meegenomen. Dit is waanzin. De pop keek toe hoe hij het licht uitdeed.

Hij kon niet slapen. Nergens aan denken, zei Cleaver vastberaden tegen zichzelf, aan niets, niets, niets. Net als een pop. Minuten verstreken. Tel alle vrouwen die je hebt gehad. Dat was een betrouwbaar tijdverdrijf. Hij werd moe. O, ik had eerder aan de truc met de jas moeten denken. Zijn voeten begonnen eindelijk op te warmen en voor hij het wist werd hij midden in de nacht wakker omdat hij het te warm had. Dit is ongelooflijk. Hij ging naar de badkamer, trok zijn kleren uit tot op zijn ondergoed, maakte het bed op. Zijn voeten gloeiden nu. Welkom in Zuid-Tirol, sprak hij ze toe. Hij verkneukelde zich. Zijn hele lijf voelde wonderlijk aanwezig, wonderlijk aangenaam. Hij kon zich zo'n fysiek genot niet herinneren, zo'n ontspanning. Buiten alle proporties, die reactie! Harold Cleaver ligt nu in het donker met een enorm gevoel van welbehagen, geestelijk welbehagen, besloot hij. Het is me gelukt. Ontsnapt.

2

De naam van het huis is Rosenkranzhof, het ligt zo'n zeshonderd meter boven het dorpje Steinhaus, een skicentrum ten noordoosten van Luttach. Maar Cleaver vond het niet meteen. De eerste dag kocht hij laarzen, warme kleren, toiletartikelen, wandelstokken, een goede waterdichte jas en een rugzak. Van zijn creditcardrekeningen zou af te leiden zijn waar hij zich bevond, bedacht hij, en dus belde hij de bank en vroeg of het bedrag rechtstreeks gestort kon worden. Hij zou hen meteen van zijn nieuwe anonieme e-mailadres op de hoogte brengen. Daarna deed hij hetzelfde met zijn privébelcontract. Na het voeren van de gesprekken en het negeren van de nog steeds binnenkomende berichten, zette Cleaver het mobieltje af en besloot het ding voortaan maar om de andere dag aan te zetten. Kort. 's Avonds. Zijn mobieltje voor zijn werk, anderzijds, dat tevens zijn flirtmobiel was, zou hij helemaal niet meer aanzetten.

Op het vvv-kantoor slaagde hij er niet in het meisje duidelijk te maken wat hij wilde. Misschien had ze het woord afgelegen niet begrepen. Ze doet net of ze het verstaat, dacht Cleaver. Hier is onze lijst met boerderijen die kamers te huur hebben, zei ze. Haar fraaie jonge handjes sloegen een winterbrochure op met vele bladzijden foto's en prijzen. Er waren de gebruikelijke gecodeerde beschrijvingen van wat er werd geboden. Vijf minuten van de skiliften in Sand in Taufers. Self catering. Het was een Engelse brochure. Op loopafstand van de gondellift in Steinhaus. Acht slaapplaatsen. Parkeerplaats voor twee auto's. Ik wil iets afgelegens, herhaalde Cleaver, hoog, hoog in de bergen. Hij gebaarde met zijn hand. Geen weken maar voor maanden. Misschien wel jaren, dacht hij. Het meisje keek hem aan. Ze was niet onaantrekkelijk: honingblond haar, roze wangen, vriendelijke, onbegrijpende ogen. Een beetje zoals zijn jongste dochter, Caroline. Ze liep naar een deur om hulp te vragen. Er verscheen een man van een jaar of veertig. Zo'n plek, meneer, legde hij uit, zo ver verwijderd van alles, heeft waarschijnlijk geen elektriciteit. Het zou niet gemakkelijk zijn daar te wonen. Dat is precies wat ik wil, zei Cleaver.

De man sprak in een bureaucratische wij-vorm. Hij was gladgeschoren, ernstig, en had geen kin. We bevelen alleen locaties aan die aan onze hoge eisen voldoen. We inspecteren ze allemaal. Daar zijn we trots op. Toen Cleaver zich omdraaide om te vertrekken, raadde de man hem aan: als u op eigen gelegenheid iets huurt, kunt u zo geïsoleerd zitten als u wilt, zelfs hier in het dorp. De mensen in Zuid-Tirol zijn erg discreet. Cleaver had dit soort wijsheid niet verwacht, dit niveau Engels. Per slot van rekening, ging de man van het toeristenbureau door, en hij glimlachte veelzeggend, zou het misschien niet verstandig zijn om al te ver van essentiële voorzieningen te zitten. Het meisje glimlachte ook. Ze bedoelden ermee dat ze hadden gezien hoe oud hij was, en hoe dik. Ik wil een afgelegen plek, herhaalde Cleaver. Het mocht absurd zijn, maar door het succes met het opwarmen van zijn voeten gisteravond was hij nu vastbesloten om door te zetten. Ik wil een van die afgelegen lichtjes zijn, dacht hij, hoog in de bergnacht. Als ik dan een hartaanval krijg, dan is dat maar zo.

Bij zijn terugkomst in Unterfurnerhof, zo heette het pension, zag hij nu, merkte Cleaver dat er een dekbed op zijn bed lag, maar toen hij naar beneden ging om met Frau Schleiermacher te praten zei ze niets over deze verandering. Armin, riep ze, Armin! Mijn moeder, vertaalde Armin lusteloos, begrijpt niet waarom u iets zo hoog in de bergen zoekt. De jongen heeft blonde wenkbrauwen onder zijn gitzwarte haar, lichtblauwe ogen. Vandaag droeg hij het getal 666 als oorbel. Vervormde gitaarmuziek dreef uit zijn kamer de gang op. Ik heb besloten om alleen te zijn, zei Cleaver. Het was moeilijk om de trots uit zijn stem te elimineren. In plaats van boos, was hij blij dat hij de vorige nacht geen dekbed had gehad: ik heb mijn eerste proef doorstaan. Allein, verklaarde de jongen. De ogen van zijn moeder vernauwden zich. Ze heeft slimme, levendige ogen. Ze bleef misschien wel een minuut lang aan het woord.

Zo'n plek weet ze niet, vatte Armin samen. Hij deed onverbloemd nukkig. Het gitzwart verven van je haar en het dragen van satanische sieraden was lang niet zo radicaal als beslissen alleen te zijn, dacht Cleaver, zelfs in Zuid-Tirol. Het is juist met die zogenaamde rebellie, had hij ooit tegen Angela gezegd toen ze zwaar in de piercing zat, dat je je voortdurende betrokkenheid bij de samenleving bevestigt. Begrijp je dat niet? Frau Schleiermacher was nog steeds aan het woord. Je kunt nauwelijks méér bij de strijd betrokken zijn dan jij. Er zijn heel veel verlaten Häuser in de bergen, vertaalde Armin, maar als er niemand in woont dan is dat omdat ze... Hij liep vast. Zijn moeder had een woord gebruikt dat te lang was en te moeilijk om te vertalen. Ze herhaalde het. Zijn vragende ogen dwaalden van haar naar hun gast en terug. Toen klaarde zijn gezicht op in een glimlach: omdat ze shit zijn.

Cleaver kocht een landkaart en begon te wandelen. Boven Luttach buigt het Ahrndal af van noord naar noordoost. Om het beste te kunnen profiteren van de ochtendzon, nam hij de op het zuiden gerichte berghelling. Het was vreemd om de dag niet met een bombardement van informatie te beginnen, met e-mails, memo's over de gasten voor de volgende show, samenvattingen van wat ze allemaal ooit gezegd hadden over alle mogelijke onderwerpen. Welke kwesties komen vandaag in het parlement aan de orde? Sinds kort ergerde hij zich aan de naam *Spervuur*.

Hij sloeg een smal weggetje in met het naambord Weissbach, Rio Bianco. Zonder zijn bril was hij niet in staat om dit op de kaart terug te vinden. Pas nadat hij hetzelfde bordje een keer of vier langs de slingerende weg had zien staan bedacht Cleaver dat die namen in feite hetzelfde betekenden – Weissbach, Rio Bianco – de ene naam was de vertaling van de andere. Hij bleef staan kijken. Je vertaalt een naam om je hem eigen te maken, dacht hij. Zoals Amanda me altijd liever Harry wilde noemen in plaats van Harold. Ze wilde dat ik *haar* Harry was. Cleaver wist heel weinig over de geschiedenis van dit deel van de wereld, behalve dat het van Oostenrijkse in Italiaanse handen was overgegaan aan het einde van de Eerste Wereldoorlog. Voor alle anderen was hij Harold geweest. Stel je eens voor dat ze alle namen veranderen, dacht hij plotseling, en in Londen! Arc de marbre! St. Johann's Holz. In één klap zouden alle populaire betweters en beroemdheden impotent zijn, beroofd van de macht van hun gezaghebbende stemmen. Ponte della Torre! Hoewel dat uiteindelijk wel een opluchting zou kunnen zijn, een bevrijding. Bäckerstrasse! Cleaver herinnerde zich hoe hij samen met Giada had gelachen over de naderende impotentie en wat een opluchting dat zou zijn. Vier keer proberen en dan pas klaarkomen, bedoel je, giechelde ze. Ze was een vrolijk meisje. Ze waren in Tirol geweest om te skiën, niet om te wandelen. Iemand als Giada wandelde niet. Zoek maar een skicentrum uit waar ik geen enkele kans loop om herkend te worden, had hij tegen zijn reisagent gezegd in Kings Road. Maar één keer, op de laatste dag van de reis, hadden ze zich toch bij een groep met gids gevoegd, met sneeuwschoenen aan. De diepe stilte van de met sneeuw gevulde valleien had het gebabbel van de andere wandelaars ondraaglijk gemaakt. Mijn vaders standpunt over lawaai – en over conversatie in het algemeen trouwens – had zijn oudste zoon geschreven, was dat het uitsluitend te tolereren was wanneer hij het zelf voortbracht. Heb ik mijn mobieltjes misschien meegenomen ingeval Giada zou bellen? vroeg Cleaver zich af. Of andere vrouwen. Maar nee, dat was niet zo. En dat zouden ze niet. Geen geflirt meer. De Heer geeft, mompelde Cleaver, en de Heer neemt.

Hij ploeterde door tot Weissbach. De naam klonk geloofwaardiger dan Rio Bianco. Hij glimlachte. Maar na twintig minuten gestaag klimmen was hij uitgeput, verhit. Ik sleep minstens tien kilo te veel met me mee. Hij trok zijn jas uit en stopte hem in de rugzak. Misschien wel twintig. Hij greep een vetrol rond zijn buik en kneep erin. Die moet weg. Hijgend ging hij op een houtblok zitten en beschouwde het uitzicht. Het dorp Weissbach, genoemd naar de beek die onder een lage, houten brug door stroomde, bestond uit vier afgesloten huizen, omgebouwde boerderijen zo te zien, waarvan de eigenaars met vakantie waren, naar de Seychellen misschien, of misschien naar Londen, of zelfs Maifoire. Een hele dag de tijd hebben, bedacht Cleaver tot zijn verwondering, om dit gegeven, deze scène echt te vatten: een paar oude huizen, half in hout half in steen opgetrokken op een hoogte van zo'n twaalfhonderd meter, eeuwenlang gebruikt als hooischuur en veestal;

en dan hun recente transformatie door veranderde economische omstandigheden, vooral in hotels voor skiërs; de oude namen opnieuw in fraaie gotische letters op de houten gevels geschilderd. Ja, om het voor de hand liggende meester te worden, dacht hij terwijl hij zijn vette dijen verschoof over het ruwe houtblok naast het pad, daar lag zijn ambitie: zonder een documentaire te maken of zelfs een artikel te plannen; gewoon kijken en nog eens kijken naar iets wat echt, tastbaar, onvoorwaardelijk was, geen foto, geen clip, niets wat je zou kunnen bewerken en monteren, om ten slotte iets van de geur, de korrelige aanwezigheid te kunnen vatten – de geur van houtvuur in de lucht, en het geklater en gekabbel van het water – tot je zo goed als zeker wist dat je het ding vast in je stomme kop had zitten, dat het er voor eens en voor altijd stevig ingeprent zat als een lange spijker in een oude balk. Dat is wat ik moet doen. Daar ben ik voor gekomen.

Ergerlijk genoeg moest hij twee pogingen doen om overeind te komen. Jezus! Hij was pas vijfenvijftig. Cleaver stak de weg over en duwde een deur open onder het geschilderde bord Unterholzerhof, en bevond zich in een haveloze bar. Maar het woord Stube lijkt meer op zijn plaats. Dit soort lokalen moet niet verward worden met een café. Niemand te zien. Een duister licht. Elke dag, bedacht Cleaver terwijl hij op een bank ging zitten die veel van een kerkbank weghad, elk uur zelfs, journaal na journaal, jaren aan een stuk, heb je je mening bijgesteld over Thatcher en Reagan, over Blair en Bush, over genetisch gemanipuleerd voedsel, lijfstraffen, Afghanistan, het eindeloze leed van de liberaal-democraten; idee na idee komt op je af via woord en beeld, maar zonder ooit echt ingeprent te worden. Er hing weer een kruisbeeld in een hoek. Alles kon altijd bewerkt worden, opnieuw gemonteerd voor een ander publiek. Dit is een erg harde bank, dacht hij. Nooit was iets klaar en afgehandeld. Hij keek om zich heen. Het grijze licht had iets somber dreigends. Waar blijft de bediening? vroeg hij zich af. Hij had dorst.

Naast het kruisbeeld waren de donkere, betimmerde muren volgehangen met wat Cleaver al als de standaard Zuid-Tiroolse snuisterijen begon te herkennen: oude werktuigen, geweren, een opgezette havik, oude droogboeketten, een trol met een bijl. Weer dingen die je dagenlang zou kunnen beschouwen. De gordijnen waren stoffig rood. Om nog maar te zwijgen – Cleaver keerde naar zijn vorige gedachtegang terug – van het voortdurende veranderen van mening over privatisering, homohuwelijk, clonen, rapmuziek. Het was een stroom van steeds veranderende fenomenen, een druk sorteerkantoor. Toch was het merkwaardig, merkte hij nu – zijn kuitspieren deden pijn – dat hoewel hij helemaal geen haast had, absoluut geen haast, hij toch ongeduldig op bediening zat te wachten. Waar is iedereen? Het had te maken met de dynamiek van het binnenlopen van een zaak waar men je hoort te bedienen, veronderstelde hij. Ik kan wel sterven van de honger, dacht hij. Je loopt een zaak in waar voedsel geserveerd wordt en meteen zit je in de logica van uitwisseling: je wil dat er beweging in komt, eten in de ene richting, geld in de andere, zelfs al heb je helemaal geen honger. Integendeel, je kunt best wat rust gebruiken. Cleaver fronste zijn wenkbrauwen, boog zich voorover om de achterkant van zijn benen te masseren. Ik moet er in het vervolg aan denken een fles water mee te nemen, dacht hij. Als er iets was wat mijn vader voor geen goud wilde drinken, had zijn oudste zoon geschreven, dan was het wel water: mijn bijdrage tot het behoud van natuurlijke bodemschatten, zei hij dan en ontkurkte zijn gebruikelijke flesje bordeaux.

Bitte? vroeg een zachte stem. Cleaver keek op en zag dat er een oude man was verschenen. Een lange, gebogen man met ongewoon grote oren en een leren schort voor. Trinken, zei Cleaver. Bier? vroeg de man. Zijn verweerde handen hielden een theedoek vast. Nein. Het bleef even stil. De waterige oude ogen van de man deden geen poging om zich te focussen. Apfelschorle? stelde hij voor. Cleaver aarzelde. Hij had het niet begrepen. Das ist Apfelsaft, zei de oude man. Oké, ja. Cleaver hief een hand boven de tafel om de maat van het glas aan te geven. Groot. De man liet niet blijken of hij het begrepen had. Hij liep stijfjes naar de toog en begon rustig en erg langzaam iets te doen achter de toog, glazen te spoelen, het blad af te nemen. Het komt niet in zijn hoofd op dat ik wel eens haast zou kunnen hebben, dacht Cleaver. Eindelijk, op een slakkengangetje en met een geconcentreerd gezicht en stijf gehouden pols, keerde de ober terug met een tinnen dienblad en een groot glas met een troebele gele vloeistof. Danke, Cleaver nam een slokje. Het smaakte fris, zuur. Bitte schön, zei de oude man zacht.

Terwijl Cleaver dronk, slofte de ober naar het raam. Met zijn vlekkerige handen over zijn schort gevouwen, staarden zijn bleke ogen tussen de gordijnen door naar de beboste berghellingen. Hoewel Cleavers bank de andere kant op was gericht, naar de toog en het kruisbeeld, was hij zich ongewild zeer bewust van 's mans stille aanwezigheid. Terwijl hij zich nauwelijks bewust is van mij, besefte hij. Hij denkt in elk geval niet aan mij.

Cleaver draaide zijn hoofd om en wierp een blik op hem. De man leek wel geschilderd zoals hij daar bewegingloos stond te kijken met een hand in een zak onder zijn schort, geen enkele uitdrukking op zijn gerimpelde gezicht, wachtend tot zijn klant zou vertrekken. Het kan hem niet schelen, besefte Cleaver, of ik er vijf of vijftig minuten over doe. Het maakt hem niet uit. Om een of andere reden kreeg hij daardoor zin om op te stappen. Weer draaide hij zijn hoofd om, om naar de bobbelige neus te kijken, de lange oren, de bleke gesloten lippen. Hij had iets van een pop, zo stil stond hij. Hij wil niets en verwacht niets van mij, dacht Cleaver. Tegelijkertijd was hij geërgerd. Waarom? Hij dronk zijn glas uit. Waarom zou ik willen dat hij iets van me wil? Maar toen hij opstond om te vertrekken bleek dat de oude man het exorbitante bedrag van vijf euro van hem verlangde. Vijf euro voor een glas appelsap! De ober stopte de munten in zijn zak met een bijna onmerkbare buiging. Aufwiedersehen, mompelde hij.

Zo'n honderd meter voorbij het gehucht hield de weg op en Cleaver moest serieus gebruikmaken van zijn wandelstokken. Daar heb ik ze voor gekocht. Hij was tevreden over zichzelf. Het schenen Noorse wandelstokken te zijn. Hij schudde glimlachend zijn hoofd. Een steil pad zigzagde omhoog de dichte dennenwouden in. Het was leuk om de stokken in de grond te prikken, leuk om door het beschaduwde licht onder de bomen te kijken, dat wel een beetje op het zachte, tijdloze halfduister leek in al die Stuben. De lariksen beginnen van kleur te veranderen, zei Cleaver tegen zichzelf. Hoe had hij anders kunnen raden dat het lariksen waren? Wil ik, nu er geen info, e-mails of kranten meer zijn, de lege mentale ruimte opvullen door alles te benoemen? vroeg hij zich af. Twijgen, doornstruiken, mossen, alle plantjes met hun verschillende blaadjes? De insekten. Cleaver heeft nooit namen van planten of bloemen gekend. Laat staan van paddestoelen. Hij heeft nooit veel tijd voor het buitenleven gehad. Als mijn vader bloemen mee wilde brengen om mijn moeder te paaien, had zijn oudste zoon geschreven, dan ging hij naar de bloemist en zei: tien van die rooie blommen – hij sprak graag plat – vijf van die gele, drie van die roze, en wat van dat groene spul ertussen, zie maar. Niet helemaal waar, makker, protesteerde Cleaver. Ik zei rozen. Amanda hield alleen maar van rozen. Groen spul, dat kon wel. Maar wat moest je dan zeggen? Gebladerte? Hij herinnerde zich nog heel goed hoe hij ongeduldig had staan wachten om bediend te worden, in het klamme, gedempte licht van de bloemist bij het metrostation van Edgware Road, met de tweeling aan de hand. Papa koopt alleen maar bloemen als mama boos is, zei Angela tegen het meisje toen die het bedrag aansloeg op de kassa. Ik ben in elk geval nooit zuinig geweest, dacht Cleaver. O ja? lachte het meisje van de bloemenwinkel, nou, dan zou ik mijn best doen om altijd boos te zijn als ik daardoor van die mooie cadeautjes kreeg. Er waren soms aangename momenten van verstandhouding geweest bij de bloemist, herinnerde Cleaver zich nu. Waarom ben ik daar nooit op ingegaan? Hij herinnerde zich heldere ogen die opkeken terwijl rappe vingers de stijve groene stengels samenbonden.

Cleaver rustte even en vervolgde toen zijn weg. Je valt gegarandeerd af als je dit elke dag blijft doen. Weer was het vreemd, dacht hij, hoe zoet en harsig de berglucht was, en anderzijds hoe hard het lawaai van het verkeer op de hoofdweg in de vallei diep beneden hem nog steeds opsteeg, zelfs nadat hij zo'n eind gelopen had. Nee, het is niet echt hard, besloot hij, maar doordringend, zeurend. Ik wil een huis boven de geluidsgrens, zei Cleaver tegen zichzelf. Hij heeft geen idee hoe hij zo'n plek moet vinden. Op zeker moment, toen hij vier vervallen muren zag staan in een inham naast het pad, besloot hij op onderzoek uit te gaan. Meteen gleed zijn voet weg in een kuil gevuld met bladeren en slijm. Hij stootte zijn knie pijnlijk aan een vlakke steen. Leve de Noorse wandelstokken. Toen hij zijn laars uit het rottende materiaal trok, stonk die. Het doel van mijn aftocht, bracht hij zichzelf in herinnering, hoewel ik niet van het woord aftocht houd – hij moest een paar minuten gaan zitten en zijn knie verzorgen – het doel van wat dit ook is, is mijn hoofd te bevrijden van alles waardoor het te lang gebonden is geweest. Ik zal leren vrij te zijn.

Maar daar was geen haast bij. Hij worstelde langzaam zo'n anderhalf uur tegen de steile hellingen op. Wat kunnen die oude kilo's doorwegen, die hoop vlees van je lijf! Als er een erfzonde was geweest... nee, dat was het verkeerde woord, als er een bepalende impuls was geweest die hem had gemaakt tot wat hij was, dacht hij, dan was het wel die eeuwige prestatiedrang. Cleaver stopte om op adem te komen. Hij hijgde. Je hebt altijd gehunkerd naar lof. Hij keek tussen de grote stammen door naar boven. Ik ga niet weer naar beneden, besloot hij, zonder tot boven de boomgrens te zijn geklommen. Hij zag echter nergens iets wat op een einde leek. De lucht lijkt vreemd stil, als gevangen in verstrengelde klimop en twijgen. En vreemd genoeg hoorde daar je eigen lof ook bij. De takken van de lariks hingen af als wijde mouwen. Je hunkerde naar je eigen goedkeuring, dacht hij. Je was eropuit om jezelf te bewonderen. Hij schudde zijn hoofd. Ik haal het wel tot de boomgrens, dacht hij, of tot juist erboven, kijk even rond en ga dan terug.

Cleaver liep door. Het gebruik van de stokken deed zijn schouders knarsen. Zijn linkerlaars schuurde nu over zijn hiel. Hij heeft blaren. Dit viel allemaal te verwachten. Bij elke haarspeldbocht stopte hij even; telkens als er een nieuw gedeelte van het pad verscheen viel hem het spel tussen verschil en gelijkenis op: wortels gebed in bemoste rotsen; witte schimmel op bruine schors; een dikke laag dennennaalden op de grond en dennenappels en gigantische mierenhopen; plukjes nat gras en schriele plantengroei waar de zon dunne straaltjes door priemde. Af en toe bewoog of ritselde er iets, of klapwiekten er vleugels in de takken boven zijn hoofd. Als ik wist hoe ik dat allemaal moest lezen, mompelde Cleaver, als ik hier vele jaren zou hebben gewoond, dan was elke bocht in het pad net zo verschillend voor me als mensen verschillend zijn. En net zo gelijkend. Je gaat alles dus zomaar laten doodgaan? had Amanda gevraagd. Ze had hem midden in de nacht wakker gemaakt. Minder dan achtenveertig uur geleden, nu hij erbij stilstond. Haar mond stond strak van woede. Ze had gedronken. Na alles wat we doorgemaakt hebben? Alleen om dat stomme boek ga je alles achterlaten wat we samen hebben opgebouwd? Je knijpt ertussenuit? Ik had gelijk dat ik geen antwoord heb gegeven, zei Cleaver tegen zichzelf. Wie maalt er om een stom boek? vroeg ze. Wie kan het wat schelen? Je hebt verdomme net de president van de Verenigde Staten geïnterviewd! Je bent verdorie de belangrijkste journalist van het Verenigd Koninkrijk! Ze knipte het nachtlampje aan. Hij herinnerde zich haar strakke mond, de buitengewone felheid van haar verachting. Als Amanda dronk, dan dronk ze ook stevig. Geef antwoord, eiste ze. Hoe pijnlijk ook, dacht hij, toch moet dit de eerste stap zijn: Amanda geen antwoord geven, geen discussie accepteren. Ze zou alleen maar genoegen nemen met capitulatie. Phillip was aardig geweest aan de telefoon. Papa, je doet maar wat je wilt. Phillip is altijd aardig, ondoordringbaar. Het is per slot van rekening jouw leven. Stuur af en toe een sms'je, papa, fluisterde Caroline. Ze zat in een bibliotheek. Ze kon niet praten. Caroline heeft het nog niet begrepen, dacht Cleaver. Zijn jongste dochter begreep boeken, geen mensen.

Hij ging op een steen zitten, totaal uitgeput. Waarom kan ik me niet ontspannen? Het woud was nu echt stil. Dennennaalden en mos. Hij deed zijn best om het verkeer te horen. Weg. Geen geluid. Hij wachtte. Plotseling voelde hij zich gedesoriënteerd. Hallo! riep Cleaver. Hedaar! Geen echo. Is daar iemand! Niemand. Het was raar. Hij raapte een dennenappel op en gooide hem weg. Ik voel me als een overrijpe vrucht die van zijn tak is gevallen, verkondigde hij. Misschien moest hij dat naar Amanda sms'en. Dat zou het een en ander verklaren. Maar het was banaal. Mijn voeten zijn kapot. Afgelopen nacht deden ze pijn van de kou en nu branden ze van de blaren. Nieuwe laarzen moet je inlopen. Dat had ik kunnen weten. Cleaver ging terug. Tegen de tijd dat hij Luttach bereikte was het koud aan het worden en kon hij nog nauwelijks een stap verzetten. Ik moet leren alles rustiger te doen.

De president van de Verenigde Staten zal herkozen worden als president van de Verenigde Staten ondanks zijn rampzalige interview met mij, dacht Harold Cleaver. Hij zat weer naar de televisie te kijken. Hij had alleen gegeten in de grote Stube. Hoe eerder ik in een huis zonder televisie woon, hoe beter, zei hij tegen zichzelf. Dat was duidelijk. De kaarters waren nog niet gearriveerd. Mijn vader ging altijd hardop in de clinch met de televisie, had zijn oudste zoon geschreven in *In zijn schaduw*. In feite zei hij meer tegen de televisie dan tegen ons. Het is ook duidelijk dat ik niet zal afvallen als ik noedels en stoofpot eet. Maar hoe kon je de enige schotel op het menu weigeren? Vooral als je toch niet begreep wat er stond. Knödel. Cleaver zapte langs de kanalen. Dat woord moest hij onthouden. Overal werd gesproken over de presidentsverkiezingen in talen die hij niet begreep: een schandaal dat niet echt een schandaal was, in het democratische kamp. Zoveel had hij wel begrepen. En ondanks onze eindeloze uitputtingsslag, ons wederzijds bedrog, bedacht hij, bleef mijn relatie met Amanda voortduren. De vrouw van je leven, maar niet je wettige echtgenote, zei ze altijd. Hij kwam in de verleiding om zijn mobieltje aan te zetten. Hoop ik dat er berichten zijn of niet? Het was eigenlijk geen echt bedrog, besloot Cleaver. Waar eindigt dit oude territorium nu eens? Altijd dat doormalen. Misschien met uitzondering van Priya. Ik heb een leven gespendeerd, dacht Cleaver, en onnoemelijke megawatts mentale energie, om mijn standpunt ten aanzien van het woord bedrog bij te stellen. Het was een begrip dat hij nooit helemaal heeft kunnen definiëren, niet tot zijn absolute en finale voldoening. Zoals je ook nooit zeker weet of je wilt geloven dat het universum grenzen heeft, of dat het altijd en altijd maar doorgaat. Het een noch het ander is voor te stellen. Een leven met bedrog, een leven zonder.

Priya was beslist bedrog, zei hij tegen zichzelf.

Cleaver stond op, liep de kamer door, pakte de grote Tiroolse pop van de kast en zette haar naast zich op bed. Het lijf was hard als email onder de frullerige grijze ruches. Het babygezichtje bleef leeg glimlachen. Olga, besloot hij. Intussen was een Duitse zender bezig kleine oranje cirkeltjes te trekken rond het hoofd van een knappe dame die kennelijk nooit meer dan een paar meter verwijderd was van de democratische kandidaat op zijn verschillende pseudo-charismatische optredens. Schandaal, dacht Cleaver, is ook zo'n woord waar je steeds meer moeite voor moet doen om er grip op te krijgen: is het een struikelblok, een vorm van reclame, of een inwijdingsceremonie? Wanneer ik bijvoorbeeld in deze hotelkamer word aangetroffen met jou, zei hij tegen Olga, is dat een schandaal? Twee kleine tv-schermpjes flikkerden in haar ogen. Cleaver veranderde van kanaal.

Een interessant spelletje dat hij na vele jaren van buitenlandse hotelkamers had leren spelen, was te zien hoeveel hij kon raden van de hoofdpunten van het nieuws in talen die hij niet kende, en hetgeen hij eruit had afgeleid vervolgens te vergelijken met BBC en CNN. Vanavond bleek dat hem de cruciale informatie was ontgaan dat de veronderstelde maîtresse getrouwd was met een republikeinse senator. De democratische kandidaat wanhoopte niet aan zijn kansen. Hij krijgt meer uitzendtijd. Telkens als bedrog of een knallend schandaal hen voor immer uiteen leek te hebben geblazen – Harold Cleaver en Amanda Cunningham – bleek later dat de crisis hen integendeel in nieuwe combinaties van samenleving en conflict had samengebracht. Ik heb dat altijd als positief ervaren, bedacht hij, ofschoon een beetje griezelig.

Plotseling verdween de democraat en glimlachte de angstaanjagende president naar de camera, wuivend, blij met zichzelf. Cleaver keek toe. Hij stak een hand in het haar van de pop. Het eigenaardigste aan de plotselinge wending die zijn leven had genomen, was misschien dat hij midden in de zelfverheerlijkende euforie die gevolgd was op dat interview – meneer de president, ik ken geen enkele andere regering die leiding heeft gegeven aan zo'n moreel kapitaalverlies – had gemerkt, zelfs nog voor het verlaten van de studio, dat er iets op het punt stond te veranderen. Maar in Cleavers leven, niet dat van de president. Wat het haast onmogelijk maakte om uit mijn vaders schaduw te treden, luidden de slotzinnen van een van de belangrijkste hoofdstukken van de gefictionaliseerde autobiografie van zijn oudste zoon, was zijn totaal castrerende houding tegenover alle dingen die je in het leven serieus moet nemen om het zinvol te houden. Eerst deed hij *alles* af als flauwekul, om er daarna *toch* maar achter te gaan staan, zoals hij in eerste instantie al deed, net als iedereen. Televisiedebatten waren *zinloos*, maar mijn vader was er de onbetwiste meester in. Documentaires waren altijd *vervalsingen*, maar hij ging door met het maken van schitterende documentaires en lof te oogsten voor hun authenticiteit. Het huwelijk was *bijzonder* zinloos, maar toch was mijn vader in zekere zin getrouwder dan al zijn scheidende vrienden. Papiergaarders, noemde hij ze.

Cleaver had dit commentaar in de eerste autobiografische roman van zijn zoon gelezen op de dag voor het grote interview, minder dan vierentwintig uur voor het hoogtepunt van zijn lange carrière als een van de meest gezaghebbende commentatoren van hedendaagse kwesties. Een Engelse interviewer zou neutraal zijn, dat was het lokaas waarmee ze de president hadden weten te strikken. Ik had altijd het gevoel, had zijn oudste zoon geschreven, dat ik mijn succesvolle vader naar de kroon wilde steken, wilde schrijven zoals hij, converseren zoals hij, omdat er niemand geestiger en scherper was dan mijn vader als hij zijn best deed, niemand kon een dinertafel of een studiopubliek *absoluter* betoveren dan hij. Maar wanneer de gasten waren vertrokken en je alleen met hem achterbleef, wellicht de borden naar de keuken droeg, de kurken weer op de flessen deed, dan zei hij dat het een *klucht* was, een *illusie*. Je was stom dat je je had laten beetnemen. Dan zei hij dat zijn documentaires alleen maar succes hadden omdat ze inspeelden op de wens van het publiek, dat gechoqueerd wilde worden, zich schuldig wilde voelen; dat zijn conversatie alleen maar zo leuk was omdat het de gebruikelijke kletspraat was. De kunstenaar is altijd een marionet, zei mijn vader. Nooit de poppenspeler. Het publiek is de poppenspeler, beklemtoonde hij. Shakespeares Prospero, zei hij altijd, *smeekt* het publiek op het einde om hem te *bevrijden*. Hij brengt alle andere personages onder betovering, maar moet er dan om smeken *zelf* bevrijd te worden. Door het publiek. Dat heb ik mijn vader wel tien keer horen zeggen. Wanneer ik er nu aan terugdenk, had Cleavers oudste zoon geschreven, betekende leven met mijn vader voortdurend te horen krijgen dat niets van wat je bewonderde en zou willen bereiken de moeite waard was, en als het wel de moeite waard was, *hij* het in elk geval veel beter deed dan jij ooit zou kunnen. Hij was een betere prater, een betere filmmaker, een betere schrijver, een betere levensgenieter, dan jij ooit zou worden. Een *bon viveur*, zei hij zelf. Niets had verlammender kunnen werken. Ons hele gezin – Harold Cleaver moet die woorden slechts een paar uur voor het interview met de president van de Verenigde Staten hebben gelezen, toen hij eigenlijk bladzijden met statistieken en verkiezingsbeloften had moeten doornemen – ons hele gezin zat als *bevroren* in de spotlichten van mijn vaders roem. De woorden bevroren en roem klonken nog na in Cleavers hoofd in de taxi op weg naar de studio. Mijn tweelingzus Angela raakte aan de drugs, had zijn oudste zoon geschreven; wat kan je anders doen wanneer je vader alles al heeft gedaan en je meldt dat alles zinloos is, wanneer hij beroemd is en je vertelt dat roem belachelijk is? Ze was verlamd en roekeloos. Mijn jongere zus, Caroline, studeerde alleen maar. Studeren, studeren, studeren. Ze praatte nauwelijks met iemand. Mijn broertje Phillip leefde en leeft nog in een totale fantasiewereld; per slot van rekening was de realiteit al geheel in het nauw gedrongen, ingenomen en afgeschreven door mijn vader. Wat mij betreft, ik heb altijd het gevoel gehad, bijna vanaf het moment dat ik mijn zelfbewustzijn kreeg, dat ik als het ware betoverd was. Ik wilde zo graag beginnen in het leven, de dingen veranderen, vooruit doen gaan, maar ik kon het niet omdat mijn vader me had verteld – en mijn vader kon zeer overtuigend zijn – dat het leven, of ten minste het soort leven dat ik wilde, *betekenisloos* was. Waarom zou je er dan aan beginnen? Tot op de nacht dat de Berlijnse muur viel. Dat was het keerpunt. Twee dagen na mijn twintigste verjaardag en misschien twee maanden nadat Angela was gestorven. Misschien was die schok belangrijk. In elk geval besloot ik in de nacht dat de muur viel eindelijk dat hij ongelijk had. Het Berlijnse volk, besefte ik toen ik toekeek hoe het drama zich afspeelde op de televisie – herinner je je de mensenmassa's nog, het metselwerk dat omvergetrokken werd, het dansen? – het Berlijnse volk *geeft mijn vader ongelijk*. De wereld kan *wel* veranderd worden. Toen pas, op die doorslaggevende avond, sprakeloos door al die beelden, dat gejuich, die onverwachte triomf, heb ik een eerste voorzichtige stap gezet in het licht buiten mijn vaders schaduw. Pas toen realiseerde ik me hoe *compleet* hij me had verstikt.

Dat verhaal, had Harold Cleaver gedacht toen hij die avond uit de taxi klom en zich had verwonderd over de veiligheidsmaatregelen rond het televisiecentrum – en vooral dat sentimentele gedoe over die nacht van de Berlijnse muur – was volledig uit de lucht gegrepen, louter effectbejag, pure fictie, in een boek dat zichzelf fictie noemde, een roman zowaar, terwijl het tegelijkertijd aan iedereen die ook maar een beetje op de hoogte was – te weten het gehele Britse publiek – duidelijk wilde maken dat het hier om de waarheid ging, terwijl het niet waar was, toch niet helemaal. Angela stierf *na* de val van de muur. Het was schandalig, briljant.

En toch, zei Cleaver nu tegen zichzelf op zijn kamer in het Unterfurnerhof, terwijl hij naar de president van de Verenigde Staten zat te kijken die op een groot televisiescherm elke zin herhaalde die hij ook tijdens dat uitzonderlijke interview had herhaald – Laat één ding duidelijk zijn, ik sta in voor mijn daden – en toch was het dankzij dat leugenachtige boek van mijn zoon dat ik die avond zo vernietigend ben geweest tegen de president. Ik was woedend, onverschrokken, ik, die meestal frontale confrontaties vermeed. En het was juist dóór dat volslagen succes, die vloedgolf van media-aandacht, mijn kroning, zo mag je wel stellen, als meest effectieve, gezaghebbende en vooral moedige figuur van de Britse politieke journalistiek, met nog een interessant problematisch privéleven op de koop toe, plus een zoon die een opmerkelijk literair debuut had gemaakt, het was juist dáárdoor dat ik alles moest opgeven en weggaan. Want Cleaver had meteen begrepen dat zelfs dit verwoestende interview niets zou veranderen voor de president. De waarheid is dat dergelijke zaken geen betekenis hebben. De president van de Verenigde Staten, voelde Cleaver meteen toen hij de studio's verliet, zou toch weer herkozen worden, hoezeer hij zich ook belachelijk had gemaakt. De tijd dat een interview iets kan veranderen is voorbij. En inderdaad, nog geen week later was de man vanuit een stoffige hotelkamer in Zuid-Tirol te zien, een en al Texaanse rust en vol vertrouwen dat hij op weg was naar een herverkiezing; even onverstoorbaar en onveranderlijk als jij, lieve Olga, zei Cleaver hardop. In de gloed van het beeldscherm leek de pop één en al aandacht toen de president haar verzekerde dat hij de Amerikaanse levensstijl zou verdedigen tegen elke dreiging. Zelfs die van Engelse interviewers. Misschien heeft mijn overduidelijke minachting voor zijn simplistische evangelisatie hem wel geholpen, dacht Cleaver. *Bon viveur*, zei hij tegen Olga. Ongelooflijk, dacht hij, hoe zijn oudste zoon daar de plank had misgeslagen. Nee, ík ben degene die is veranderd, besloot hij. Waarlijk, zo een van u verlamd was door mijn roem, verkondigde hij luid in de koude kamer, neem dan uw bed op en wandel. Nadat hij kort na elf uur de televisie had uitgezet, sliep Cleaver die avond gemakkelijk in, tevreden over zichzelf dat hij zijn mobieltje niet had aangezet.

3

Wat aan Rosenkranzhof meteen een zekere fataliteit gaf voor Cleaver, alsof de keuze al voor hem gemaakt was, was het feit dat hij in het diepst van deze onbekende wouden, maar dicht bij een duizelingwekkend uitzicht boven het in de diepte gelegen Steinhaus en St. Johann en het witte water van de Ahrn, een naam aantrof die hij herkende, die een vakje opende dat al in zijn hoofd had gezeten: Rosenkranz en Guildenstern zijn dood. Want wat zo slinks was aan het boek van mijn zoon, besefte Cleaver toen hij die naam in afbladderende verf op rottend hout zag staan, was de manier waarop er een karikatuur van me wordt gemaakt, met de bedoeling me te vermorzelen. En dus stierf mijn vader, had zijn oudste zoon geschreven – en voor de welingelichte lezer was dit waarschijnlijk het enige duidelijke fictieve element aan de gehele roman – in de valkuil die hij zelf gegraven had, door absoluut in de schijnwerpers te willen staan.

Toen hij die tweede ochtend ontwaakte in Zuid-Tirol, vond Cleaver dat er een wijziging in zijn plannen nodig was. Als hij de dag zou doorbrengen op zijn kamer om uit te rusten en zijn zere voeten te verzorgen, zoals hij van plan was geweest, zou hij de hele tijd televisie zitten kijken en ongetwijfeld Amanda's sms'jes lezen, waardoor vervolgens zijn algehele bezorgdheid zou toenemen dat er niets bereikt werd, en dit ondanks het feit dat deze aftocht, of liever gezegd dit verdwijnen, er juist op was gericht om te stoppen met denken in termen van 'iets bereiken', en om in een zo eenvoudig mogelijke verhouding tussen hem en de wereld te leven. Het was ingewikkeld. Cleaver werd plotseling overvallen door het gevoel dat hij de richting kwijt was, een onveilig gevoel dat hem vaak had achtervolgd wanneer hij voor langere tijd weg was van werk en thuis. Hij stond op, at snel zijn ontbijt in de schemerige Stube, en ging op weg naar Luttach om pleisters en misschien zelfs verband te halen voor zijn blaren.

Dat is een van de dingen waar mijn oudste zoon niets van wist, dacht hij, toen hij stond te wachten in een verbazingwekkend langzaam vorderende rij in de plaatselijke apotheek, van die angst die ik altijd heb gevoeld als ik weg van huis was, dat gevoel van verschrikkelijke onveiligheid. Er leek bijzonder veel overleg plaats te vinden tussen klanten en apotheker. Soms leek het of er een soort leegte ontstond – Cleaver begon ongeduldig te worden – niet onder zijn voeten, maar rond zijn hoofd. Weg van huis, maar vooral weg van zijn werk, werd hij een angstig op drift geslagen bewustzijn in een lege ruimte. Daar wist mijn zoon niets van. Een donkere jongeman met een paardenstaart en zwart leren jasje leek een opmerkelijke hoeveelheid medicijnen te kopen. Het zou niet bij de karikaturale voorstelling passen die hij van me had. Een man half zo oud als ik, dacht Cleaver, kijkend naar het ongewassen ongezonde haar van de kerel, maar met twee keer zoveel problemen. Weg van huis, of liever gezegd van zijn werk, kon hij plotseling overvallen worden door een duizeling, het gevoel dat hij zijn houvast kwijt was, een onverklaarbare maar heftige, nijpende angst die meteen zou verdwijnen, dat wist Cleaver, zodra iemand een microfoon in zijn hand zou stoppen, of voor hem kwam staan met een camera, of hem zou vragen een artikel van duizend woorden te schrijven over een of ander controversieel onderwerp dat de volgende ochtend gepubliceerd moest worden. Ik heb altijd een juk nodig gehad, zei hij tegen zichzelf, en een last om te trekken, om niet het gevoel te hebben dat ik zomaar in het ijle dreef, en tot niets kwam. Misschien was thuis zijn eigenlijk een soort werk geweest.

Een oude vrouw had haar vest uitgetrokken en rolde de mouw van haar blouse op om de apotheker een lelijke huidinfectie te laten zien aan haar elleboog. Ik heb het leven altijd gezien als een taak en een competitie, dacht Cleaver. Ergerlijk was dat. De man verzette zijn bril om beter te kunnen zien. Misschien psoriasis. Wanneer gaat Harry zijn meesterwerk schrijven, lachte Amanda en schudde haar hoofd, en wat ze bedoelde was wanneer hij, Cleaver, dat boek zou schrijven dat ze altijd van hem verwacht hadden, of, wat meer voor de hand lag, die film maken die hij ooit zou moeten maken, dat geniale werk dat niet aan een opdracht of contract gebonden was met een deadline en een bepaald budget, maar dat ongevraagd en ongepland uit zijn briljante kop zou voortkomen, zonder dat hij daar een juk bij nodig had. Neem toch vrij, fluisterde ze tegen hem tijdens hun zeldzame momenten van intimiteit. Amanda had ambities voor de vader van haar kinderen. Het was belangrijk voor haar te geloven dat ze met een geniale man samenwoonde. Neem toch vrij om iets helemaal voor jezelf te doen, Harry. Je kunt het, zei ze. Dat beloofde meesterwerk van mijn vader, had zijn oudste zoon geschreven in *In zijn schaduw*, was zowel standaardgrap als heilige koe in ons gezin. De jongen scheen niet te hebben begrepen – Cleaver schudde zijn hoofd en keek naar de pleisters op een draaibaar display naast de toonbank – dat al dat drinken en eten en roken waar hij zo de draak mee stak, alleen maar kon plaatsvinden op het einde van een dag wanneer zijn vader het gevoel had dat hij iets had bereikt. Dat hij had gepresteerd. Ook als iemand anders de toon had aangegeven. Ik heb mijn last getrokken. Ook als er niets was om te bereiken en elk optreden een schijnvertoning was. Je bent een zwijn, Cleaver, zei Cleaver tegen zichzelf, een groot dik zwijn.

Op een laag stenen muurtje gezeten recht tegenover de winkel, besloot Cleaver terwijl hij zijn laarzen uittrok, dat hij een lijst moest maken van alle aspecten van zijn persoonlijkheid waarover zijn zoon niets had geweten, alle dingen waardoor de gladde karikaturale presentatie van Cleaver als tiran absoluut onwaarschijnlijk werd. Ben ik echt weggegaan? vroeg hij zich plotseling af. Hij sprak hardop. De brave burgers van Zuid-Tirol liepen langs en deden of ze die kalende toerist niet zagen die zijn sokken uittrok om twee klamme en pijnlijke voeten te inspecteren. Je kunt in een paar uur thuis zijn, dacht Cleaver. Twee of drie telefoontjes en je agenda staat vol. Je zou het druk hebben voor de rest van het jaar, de rest van je leven. De zachte huid boven de hiel vertoonde vier of vijf ronde gaatjes, het ene telkens een tikje roder en vochtiger dan dat erboven. Droog eens op, mompelde hij.

Die ochtend liep Cleaver ruim een kilometer in noordelijke richting, alvorens een van de vele wandelpaden in te slaan. Ze werden aangegeven door een rood-wit rechthoekig pijltje op een rots of boomstronk langs de kant van de weg, en in het pijltje stond een combinatie van cijfers en letters – 8A, of 13B&C, of 3, 5, 9B. Ongetwijfeld kwamen die overeen, veronderstelde Cleaver, met de kleine cijfertjes naast de kronkelende rode stippellijnen op zijn kaart, als hij die zou kunnen lezen. Ik had in de apotheek moeten vragen of ze niet van die kant-en-klare leesbrilletjes verkochten, bedacht hij. Hij had ze niet gezien. Een vergrootglas zou ook goed zijn. Niet dat hij van plan was een boek of krant te lezen. De hemel was grauw vandaag en er was een windje opgestoken. De hoogste bergpieken verdwenen in de wolken. Klim naar de wolken, beval Cleaver zichzelf. Hij had een veel te groot deel van zijn leven doorgebracht met het lezen van kranten, met het denken aan dingen waar hij niet direct mee te maken had. Maar hij vroeg zich ook af of hij wel of niet een oplader voor zijn mobieltje zou kopen. Wat heeft het voor zin, vroeg Cleaver streng, terwijl hij op goed geluk een breed pad insloeg, om een oplader voor mijn mobieltje te kopen terwijl ik op zoek ben naar een afgelegen woning hoog in de bergen waar waarschijnlijk geen elektriciteit is, die de helft van de tijd in de wolken is gehuld en waar geen enkele ontvangst is? Het pad dat hij was ingeslagen was eerder een breed karrenspoor, een toegangsweg voor houthakkers misschien. Maar waarschijnlijk kon hij altijd aan iemand vragen de telefoon een paar uur voor hem op te laden en meteen mogelijke berichten op te pikken, wanneer hij weer tot de beschaving was afgedaald en in het dorp inkopen kwam doen. Aan Frau Schleiermacher misschien. Hij voelde dat er een wederzijds respect begon te ontstaan tussen hemzelf en Frau Schleiermacher. Ze had hem snel en gul bediend bij het ontbijt. Merkwaardig was ook, bedacht hij, de afwezigheid van een Herr Schleiermacher. O alsjeblieft! mompelde Cleaver. Waar heb ik in hemelsnaam een telefoon voor nodig?

Terwijl hij het houthakkerspad volgde, duchtig zwaaiend met zijn wandelstokken, probeerde Cleaver meer tempo te maken. Blokken dennenhout lagen op regelmatige afstand opgestapeld. Hij haalde diep adem. Te dik, mompelde hij. Je eigen last trekken is een rare uitdrukking. Toen werd er een kettingzaag aangezet. Een laag gekreun zwol af en aan, beet ergens in hout. Meteen besefte Cleaver dat hij zich niet gelukkig kon voelen tot het lawaai zou zijn gestopt. Er viel een tak en de motor brulde. Hij kon zelfs niet denken! Hij was kwaad. Hoe ver moet je lopen om buiten het bereik van een kettingzaag te komen, om een afgelegen plek te vinden om te wonen? Liep hij ernaartoe of er juist vandaan? Het geluid leek zich boven hem te bevinden. Probeer er een flinke stap in te houden, dacht hij. Het pad klom gestaag en eentonig door hoge bomen, struikgewas, kleine open plekken met zwerfstenen en kreupelhout. Tien minuten, een halfuur. Het geluid leek niet dichterbij en niet verder weg, het kreunde, brulde, stopte even en begon weer. Het woud strekte zich streng vormeloos uit. Er was geen rust. Hoe kan ik een plek om te wonen vinden, vroeg Cleaver, als ik niet eens weet waar ik naartoe ga? Mijn conditie is flut. Alleen de berghelling gaf een richting aan. Omhoog of omlaag. Het leven is geen sprookje, hijgde hij, waarin je zomaar tegen het voor jou geknipte gotische kasteeltje oploopt, of waarin je plotseling de wilderniswijze bewoner van een blokhut bent geworden. Ik heb niet eens een zakmes, verdorie!

Cleaver was ineens moe en ging op een boomstronk zitten, en met onverwachte perversiteit diepte hij zijn mobieltje op en zette het aan. Kennelijk had een deel van zijn brein geweten dat hij dit zou doen, terwijl een ander deel geschokt was, teleurgesteld. Alleen maar om te kijken hoe de batterij ervoor staat, mompelde hij. Drie streepjes. Niet slecht. Nu begon het ding te trillen van de binnenkomende berichten. Er is dus ontvangst! Indrukwekkend. Ik heb verbinding. Je kunt zo nodig naar Californië bellen, zei hij tegen zichzelf. Het envelopje knipperde al. Geheugen vol. Hij opende het berichtenbestand. Allemaal van Amanda. Of beter gezegd, BOOTS. Want zo stond ze in zijn adreslijst. Cleaver bekeek de lijst fronsend.

BOOTS

BOOTS

BOOTS

BOOTS

BOOTS

BOOTS

BOOTS

BOOTS
BOOTS
BOOTS
Hij schudde zijn hoofd. Een van de dingen waardoor hij een zekere mate van samenwerking had vermoed tussen zijn oudste zoon en Amanda bij het schrijven van de befaamde fictieve autobiografie, was de gedetailleerde manier waarop de kersverse auteur wist te beschrijven hoe de profetische ontmoeting tussen zijn vader en moeder had plaatsgevonden, toen Amanda, die drie jaar ouder was dan Cleaver, zijn baas werd bij *The Times Saturday Review*. En dus noemde hij haar Boots, als afkorting, had zijn oudste zoon geschreven. De komediant, noemde moeder hem. Mijn vader beweerde altijd dat hij een aanklacht tegen haar had moeten indienen wegens seksuele intimidatie op de werkvloer. Ik werd nogal gecommandeerd, grapte hij. In elk geval waren de twee net uit elkaar en had mijn vader de krant alweer verlaten (was dit een eerste poging om het meesterwerk te schrijven?) toen moeder besefte dat ze zwanger was. Van een tweeling.

Cleaver zette de telefoon af zonder de berichten te openen. De kettingzaag was gestopt en door de bomen heen meende hij nu andere geluiden te horen hoger op de berghelling. De wolken hingen lager. Het hinniken van een paard misschien. Kan dat? Misschien stemmen. Amanda had het boek in zijn handen gestopt, precies zesendertig uur voor het belangrijkste moment van zijn carrière, zijn interview met de president van de Verenigde Staten. Dat was op zichzelf al een terroristische aanslag. Vers van de pers, zei ze, en nu al op de shortlist voor de Bookerprijs. Onze jongen. Het was bij het ontbijt en toen hij de stijve nieuwe pagina's omsloeg naast zijn kom met cornflakes, was Cleaver meteen ongerust omdat zijn oudste zoon uitweidde over het ontstaan van de relatie tussen zijn ouders. Waarom wist ik hier niets van? vroeg hij. Op de Booker-shortlist? Hoe trots ze ook waren op hun *moderniteit*, had zijn oudste zoon geschreven, en hoe intelligent en opstandig ze zichzelf ook voordeden tegenover de buitenwereld, toch bezweken mijn vader en moeder meteen voor de morele druk, en zelfs nog vóór Angela en ik geboren waren, *bleven zij al bij elkaar voor de kinderen*, iets waarvoor ze ons vervolgens onze hele kindertijd hebben laten boeten – ons hele leven dus – doordat ze, allebei gebogen onder het ouderlijk juk, aan alles en iedereen duidelijk maakten dat ze *elk hun eigen leven leidden* buiten het gezin om, buiten elkaar om, buiten ons om. Hoe vaak gebeurde het niet dat een gast tijdens lunch of diner – want we hadden *altijd* gasten bij de lunch of het diner, en als er eens geen gasten waren dan werd er vaker niet dan wel geluncht of gedineerd – hoe vaak, had Cleavers oudste zoon geschreven, gebeurde het niet dat een gast het over 'je vrouw' of 'je man' had, en *meteen* zeiden mijn vader en moeder in koor, o, maar we zijn eigenlijk niet getrouwd hoor. Het was waarschijnlijk de enige keer dat ze het *eens* waren. Wat irritant, dacht Cleaver, die stomme cursiveringen van zijn zoon. Wel een hecht paar, maar geen echtpaar, begrijp je, had hij geschreven, zijn grappige vader citerend. Ik zou royalty's moeten krijgen voor alle grappen in dat boek. En wat een bijzonder magere weergave was het, vond Cleaver, van de spanning die er tussen hem en Amanda was geweest in die koortsachtige prachtige dagen toen ze die beslissing hadden genomen: die tweeling was een geschenk, een teken. Een tweeling aborteer je niet. Hoewel Cleaver natuurlijk nooit in tekens geloofd had. Uiteraard hielden we van elkaar. Of zoiets. Het was zo lang geleden. En Amanda was de meest atheïstische vrouw ter wereld. Toch was Cleaver er nu van overtuigd dat alle accurate details in het boek van zijn zoon over hoe hij, Cleaver, het schrijven van een – op dat moment nogal voorbarig – meesterwerk zou hebben opgegeven om zijn doorbraak te maken bij de BBC, alleen maar afkomstig konden zijn van Amanda. Het boek mocht dan vers van de pers zijn, maar Amanda leek wel erg op de hoogte van de inhoud.

Heel dichtbij brieste een paard. Meteen liet de kettingzaag zich weer horen. Maar hij wist zeker dat hij het gerinkel van tuigage gehoord had, het snuiven van een dier. Als er één geluid afgrijselijk indringend is, dacht Cleaver toen de motor weer begon, dan is het wel het gejengel van een kettingzaag met zijn doordringende, vermoeiende agressie die het brein gespannen en op zijn hoede houdt, zelfs wanneer hij abrupt stopt en de wereld inkrimpt in gewonde stilte, waakzaam wachtend tot het opnieuw begint, tot hij weer dingen kapot begint te maken, en vooral je gedachten, je gemoedsrust. Met die zwangerschap, had zijn oudste zoon geschreven, en de daaruit voortvloeiende beslissing om weer samen te gaan wonen en niet één maar twee baby's te krijgen, was mijn vader verplicht om toe te geven dat zijn literaire ambitie onpraktisch was en dus... Hoor eens, had Cleaver die ochtend bij het ontbijt tegen zijn vrouw geroepen – ze was koffiebonen aan het malen, meende hij zich te herinneren – hoort een Bookernominatie geen roman te zijn? Fictie? Ik bedoel, moet ik doorbladeren naar het einde en kijken wat er gebeurt, of zo? De koffiemolen stopte en Amanda stond te lachen. Beter niet, zei ze. Ze keken elkaar haast nooit aan. Die gast met zijn grote schaduw gaat eraan, in zijn eigen valkuil.

Cleaver haalde diep adem, vocht tegen de aanhoudende kettingzaag, en merkte dat hij zich niet lekker voelde. Er zijn momenten dat hij het gevoel heeft zich in een droomachtige ruimte te bevinden van zuivere, onberedeneerde angst. Er staat zweet in zijn handpalmen. Zijn hoofd voelt leeg, zijn vlees weegt onmogelijk zwaar. Dit soort ervaringen gaat terug tot in zijn universiteitsjaren: dat moeilijke ademen, die vrees voor leegheid die eigenlijk spanning is in het brein. Sta op, beval Cleaver zichzelf. Oude os. Hij duwde zijn wandelstokken in de grond. Schouders onder het juk. En toen hij overeind kwam, verscheen het paard. Het was een kleine, stevige haflinger, goudbruin, rond als een ton, die een wagen trok. Cleaver kende de namen van paardenrassen uit de tijd toen hij met Angela ging rijden. Toen wilde hij het uitschateren. Recht achter het dikke achterste van het dier, klappend met de teugels, zat de flamboyante Hermann, de man van een dikke knol voor een dikke kont. Er lag dezelfde komediantengrijns rond zijn dunne lippen, hoewel hij zijn leren cowboyhoed van twee avonden geleden had ingeruild voor een ouderwetse zwarte gleufhoed met groene band. Op een of andere manier zag Cleaver daardoor zijn snor beter, een dikke blonde borstel in het sluwe, rode, smalle gezicht. De snor van een exhibitionist. Cleaver stond op het punt te zwaaien toen hij de passagiers opmerkte die achter in de wagen zaten. Iedereen was opmerkelijk goed gekleed: een man van een jaar of veertig die een tikje voorovergebogen zat, een groene sjerp over zijn korte jasje, een zwarte hoed op dik, borstelig haar gedrukt;

naast hem een schepsel dat slechts een donker hoopje leek tegen het achterschot van de wagen. Het gezicht ging verborgen onder een grote kap. Twee vrouwen zaten tegenover elkaar, wiegden gezamenlijk heen en weer volgens de ongelijkmatige voortgang van de kar, alle twee met zwarte hoofddoeken om, de een wat ouder, de ander jonger.

Naarmate de kar naderde, ving Hermann Cleavers blik op, en hij raakte snel de rand van zijn hoed aan, als om aan te geven dat hij niets kon zeggen. Cleaver glimlachte, ging aan de kant tegen een boom staan. Het paard struikelde, hard vooruit geduwd door het gewicht van de kar die over het steile wielspoor naar beneden reed. Hogerop was de kettingzaag kennelijk met oud taai hout bezig. Hij huilde en gromde. Hermann keek nu recht voor zich uit. Toen de kar langsreed, zag Cleaver dat de jongere vrouw nog een tiener was, veel te dik, haar haar jongensachtig kort geknipt, diepliggende ogen met lege blik, wijd open mond. De man had een ineengedoken waakzaamheid over zich, klemde zijn handen stevig om zijn knieën. Alleen de oudere dame ving Cleavers blik op en hield hem een moment vast, ondanks een plotselinge schok van de kar. Ze had hoge en platte jukbeenderen. Haar harde ogen boorden zich glinsterend in de zijne. Cleaver was gefascineerd. Toen hij zich omdraaide om de ratelende wagen na te kijken, zag hij dat tussen de voeten van de passagiers een zwarte doek over een lage verhoging of doos was gedrapeerd. Ze zaten met hun knieën onder de bankjes om het ding niet aan te raken. Toch realiseerde Cleaver zich pas een paar minuten later, toen de kettingzaag weer brulde en zweeg, en in de vallei even het verre geklingel van een bel hoorbaar was, dat het een begrafenis moest zijn geweest.

Zonder erbij na te denken keerde hij om. Hij kon de hoeven van de haflinger en het zwakke geratel van de wielen nog horen. Maar de kar was verdwenen. De lucht leek futloos, slap. Het was gaan miezeren. Dit is geen dag om tot boven de boomgrens te klimmen, besloot Cleaver. Op een vreemde manier opgelucht, alsof hij bevrijd was van een of andere moeilijke opdracht, trok hij zijn waterdichte poncho uit zijn rugzak en begon zo snel mogelijk terug naar het dorp te lopen. Waarom zo'n haast? Omdat de wolken begonnen te zakken. Toch was er een vaag gevoel van opwinding dat hij niet kon verklaren, terwijl zijn benen hem kwiek achter de kar aan voerden. Net voor het karrenspoor op de weg uitkwam, passeerde hem een jeep. Ongetwijfeld de man van de kettingzaag.

De kerk stond op een groot kerkhof omgeven door een laag muurtje. Een kleine menigte stond onder paraplu's bijeengetroept voor het hek, maar toen Cleaver naderde begon er een fanfare te spelen en gingen ze het kerkhof op. Hij bleef achter. Er vormde zich een processie langs de muur van de kerk. Vooraan liep de priester, en naast hem een man in het zwart die een enorm, bijna levensgroot houten kruisbeeld droeg. Doodsgroot. Toen volgde de lijkkist, gedragen door zes man, onder wie Hermann en de andere man op de wagen. Ze droegen allemaal een corsage in hun knoopsgat. De voornaamste treurders leken de drie vrouwen die bij hen hadden gezeten, de oudste werd ondersteund door de twee anderen. Onder de zwarte kap ving Cleaver een glimp op van een gezicht waarvan de beenderen door de ingevallen huid leken te steken.

Heel de fanfare was in het zwart gekleed en zette een langzame wijs in. Het klonk zacht en plechtig. De trommelspeler had zijn stokken met stof omwikkeld. De regen dempte het geluid van de blaasinstrumenten. Wie wordt er begraven? vroeg Cleaver zich af. Het leek een erg openbare aangelegenheid. En hij herkende Armin. De jongen blies op een trompet. Hij droeg een zwarte pet net als de anderen, maar hij had zijn oorbel met het teken van het Beest niet uitgedaan. Het kan geen kind zijn, zei hij tegen zichzelf. Er was niet dat smartelijke leed dat je bij de begrafenis van een kind zag. Tot op de dag van vandaag, had zijn oudste zoon geschreven, zal ik me mijn vaders gezicht herinneren toen... Nee. Cleaver schudde zijn hoofd.

De fanfare zette zich in beweging. Het kruisbeeld aan het hoofd van de processie sloeg de hoek om achter de kerk. Cleaver keek toe te midden van de graven. Frau Schleiermacher was er, ze liep langzaam bijna achteraan, haar gezicht in fraaie concentratie. Ze heeft een mooi gevormde kin, rustige ogen. Je bent hier amper vierentwintig uur, dacht Cleaver, en je herkent al mensen. Er werd een psalm gezongen. De stemmen zwollen aan, maar zacht, toonloos. Het geluid klonk eigenaardig solide. Hij verstond de tekst niet. Het regende harder. Wat is iedereen geconcentreerd, merkte Cleaver, wat zijn ze zich bewust van wat ze doen. Zijn blik gleed over de graven. Ze vormden een raster van kleine ijzeren kruisen in een strakke symmetrie, een laag zwart hekje rond elke grafsteen. Hier gelden ofwel hele strenge regels, dacht hij, ofwel ontbreekt elke wens tot non-conformisme.

Juist op het moment dat hij achter aan de stoet wilde aanhaken toen die achter de kerk verdween, hoorde hij een stem die een gebed zei, en toen hij omkeek, zag hij de priester aan de andere kant van het gebouw tevoorschijn komen, met naast hem het grote zwaaiende kruisbeeld. Het was een half-gezongen, half-gesproken gebed met vele keelklanken en de menigte mompelde in koor een antwoord. Ze waren gewoon rond de kerk gelopen. Cleaver stond stil op het pad naast de kerkmuur om te kijken, te luisteren. De man onder het kruisbeeld had moeite met lopen. Onverschillig voor de regen keek de bloedende Christus naar de graven aan de andere kant. Hermann schuifelde langzaam onder de lijkkist, zijn dunne lippen en blonde snor bewogen bij het bidden. Ik zie er waarschijnlijk belachelijk uit, dacht Cleaver, in mijn rode regenponcho met mijn toeristenrugzak om. Maar Hermann gaf er geen blijk van hem gezien te hebben. Toeristen horen niet naar begrafenissen te komen. Er sloeg een portier dicht en een vrouw spoedde zich het kerhof op. Ze rende op hoge hakken over het natte grindpad, en knoopte haar regenjas ondertussen dicht. Seffa! Seffa! De oude vrouw hief haar hoofd half op, maar wendde het af.

De processie kwam nu recht op Cleaver af. Om uit de weg te gaan, deed hij een stap opzij en ging met zijn rug tegen de kerkmuur staan tussen twee steunberen. De lijkkist kwam schoksgewijs voorbij, rustend op de schouders van de dragers. Ik zou hem kunnen aanraken, dacht Cleaver. Er lag een kleine bloemenkrans bovenop. Erg klein. Anjers. De man die op de kar had meegereden liep gekromd onder zijn last, zijn ruwe gelaat gespannen. De regen roffelde op het donkere hout. Het lijkt of niemand me ziet, dacht Cleaver. De laatst aangekomen persoon, een blonde, stads geklede vrouw van misschien een jaar of veertig, had de dikke arm van het meisje gegrepen. Ze keken alle twee naar de lijkkist. Wat heeft iedereen een gespannen gezicht! Wat gaven ze de priester prompt antwoord. Er spreekt een collectieve stem door hen, dacht Cleaver. Hij zou zelf niet kunnen zeggen waarom het hem zo aangreep. Armin moet gezien hebben dat ik er ben, maar hij kijkt niet. De regen kan hun niet schelen, merkte hij. Ze laten hem gewoon over hun gezichten en hun zwarte jassen lopen.

Weer stond Cleaver op het punt achter de processie aan te gaan toen de priester en de drager van het kruisbeeld achter hem opdoken. Ze waren een tweede keer rond de kerk gelopen. Weer drukte hij zich tegen de muur om hen te laten passeren. De gemompelde antwoorden losten op in de vochtige lucht. Water stroomde door een goot. De grote, rechte vrouw met de glinsterende ogen is de voornaamste rouwster, besefte Cleaver. Ze was streng, uitdrukkingsloos. Ze heeft iets heel afstandelijks. De vlakke wangen en bleke opeengeperste lippen passeerden hem op nog geen halve meter afstand. Zelfs als ik plotseling voor haar zou springen, dacht Cleaver, zou ze het niet merken, zou ze dwars door me heen kijken. Toen begreep hij dat de vrouw haar echtgenoot aan het begraven was.

Ik zou het niet erg vinden, zei het vierde of vijfde berichtje, als je weg was gegaan om iets te DOEN. Cleaver lag op zijn bed. Bv dat befaamde meesterwerk schrijven, zei het vierde of vijfde bericht. Weet je nog? En het elfde of twaalfde bericht voegde eraan toe: of zelfs als je met een andere vrouw was... Hoe weet ze dat ik dat niet ben? vroeg hij zich af. Hij glimlachte naar de Tiroler pop. Het porseleinen gezicht leek zachter nu hij eraan gewend raakte, de glinsterende ogen geloofwaardiger. De scherpe glinstering in de ogen van de rouwende vrouw was zeer gefixeerd, herinnerde Cleaver zich. Olga, zei hij hardop.

Na bezweken te zijn voor de verleiding de sms'jes te openen, bood hij wel weerstand aan de tv. Buiten regende het hard, zoals het ook hard had geregend op de verzamelde menigte rond het graf. Drie maal rond de kerk – waarom? – en daarna de korte tocht naar een versgedolven graf bij de buitenmuur. De vrouw rouwde niet om de dood van haar echtgenoot, bedacht Cleaver nu. De strakke lippen, de gefixeerde blik, de opgeheven kin, zelfs toen ze met een dennentakje wijwater sprenkelde over de lijkkist, waren een verklaring van zelfbevestiging, van overleven. Waar Amanda onder lijdt, is de gedachte dat ik ervandoor ben gegaan, er tussenuit ben getrokken. Terwijl iemand die in zijn graf ligt nog altijd in de gaten gehouden kan worden. Je kunt er wijwater over sprenkelen. Uiteraard was mijn vader niet thuis die noodlottige nacht, had zijn oudste zoon geschreven. Moest hij nu echt 'noodlottig' schrijven? Gaven ze echt literaire prijzen aan mensen die woorden gebruikten omdat ze nu eenmaal altijd op die plek gebruikt werden? Noodlottige nacht. Tragisch ongeluk. Vruchteloze pogingen. Haar laatste adem. Cleaver hield zijn mobieltje onder het lampenkapje, vlak naast het peertje, en opende nog een bericht. Die dingen waren jaren geleden gebeurd. Hij tuurde. Want, las hij, als je met een andere vrouw was, wist ik dat je snel weer terug zou komen. Mijn vader bleef regelmatig met een of ander excuus, een of andere smoes, een nacht van huis, had zijn oudste zoon geschreven in zijn zogenaamde fictieve autobiografie, en het grappige daaraan was de manier waarop hij zijn verhalen geloofwaardig probeerde te maken en de manier waarop moeder net deed of ze hem geloofde, zodat wij kinderen al op het punt stonden het huis uit te gaan voor we het feitelijk doorhadden. Het is niet het feit dat hij er zo naast zit dat me ergert, besloot Cleaver, en legde de telefoon terug op het nachtkastje, of de gedachte dat zo ongeveer iedereen die ik ken deze pijnlijke halve waarheden zal lezen, maar dat hij dit niet geschreven kan hebben zonder háár stiekeme medewerking. Alleen Amanda had hem kunnen vertellen dat de Indiase vrouw op de begrafenis de vriendin van zijn vader was. Tot op de dag van vandaag, had zijn oudste zoon geschreven, etc. etc.

Cleaver stond op, pakte de afstandsbediening en zette de televisie aan. Een lawaaierige vioolpartij. Het egaal grijze scherm was veranderd in een kleurig vlak waar ballerina's rondtolden in duizelingwekkend wit. Woedend zette hij het meteen af. Ik moet die televisie van mijn kamer laten halen. Hij voelde zich geschokt. Toen ik de stille wanhoop in zijn ogen zag, had zijn oudste zoon geschreven – kon de jongen zich echt de uitdrukking op mijn gezicht herinneren van vijftien jaar geleden? – dacht ik dat ik de kwetsbare, menselijke kant van mijn vader voor het eerst ontdekte. Mijn hart ging naar hem uit. Instinctief vergaf ik hem dat hij niet thuis was, de nacht toen het gebeurde. Uiteindelijk hadden ze geen perfecte relatie, en moeder, dat moet gezegd worden, was ook geen heilige. Wat een gelul, had Cleaver gebriest toen hij, een paar uur voor hij de president van de Verenigde Staten zou moeten interviewen, dit schijnheilige relaas las over wat per slot van rekening een dertig jaar durende relatie was geweest. Twee volle dagen was hij gefixeerd geweest op dat boek, had hij de stapels documenten die zijn researchassistenten hem hadden opgestuurd totaal genegeerd. Maar, had zijn oudste zoon geschreven, toen ik me realiseerde dat hij zijn toenmalige vriendin had meegebracht naar de begrafenis van zijn dochter, toen ik hem voor de tv-camera's zag praten voor de deur van de kerk, stolde het bloed in mijn aderen. Het leek alsof het allemaal een show was geweest: mijn vader had geen echte pijn. Misschien had hij helemaal geen echte persoonlijkheid.

Cleaver merkte dat hij uit het raam zat te kijken naar de blinde stenen gevel aan de overkant van de smalle straat. Je zegt steeds dat je van me houdt, had Priya gezegd, maar je wilt niet dat ik in de buurt kom van je echte leven. Sommige woorden lijken eindeloos te blijven naklinken. Maar hoe kreeg hij een zin uit zijn pen als 'het bloed stolde in mijn aderen'? Terwijl hij naar de zware regen keek vroeg Cleaver zich vaag af wie die vrouw was geweest die uit die taxi was gesprongen, en door plassen op het kerkhof was gerend om de rouwstoet in te halen. Was het een naam, dat woord dat ze had geroepen? Hij kon het zich niet herinneren. Geen echte pijn, mompelde hij. Toen wist hij ineens dat hij in gevaar was. Ik moet iets doen. Hij zat gevangen in deze armzalige kamer met een tv en een mobieltje en een pop. Cleaver ving de vervloeiende reflectie op van zijn zware kaken in het natte glas. Misschien sta ik op het punt een beroerte te krijgen. Ik moet NIET NIET NIET naar ballet kijken, zei hij hardop, zolang ik er in het echt ook niet naar ga kijken, zolang er hier geen echte dansers lijfelijk aanwezig zijn. Nee, hij wilde echt een beroerte krijgen, besefte hij nu, zijn brein was oververhit en verward. En ik moet NIET NIET NIET naar begrafenissen gaan tenzij het mijn eigen begrafenissen zijn. Wat heb ik eraan om de gezichten van de nabestaanden te gaan begluren, ik, een vette vijfenvijftigjarige ouwe vent in een rode poncho zonder echte persoonlijkheid?

Cleaver trok een la open en pakte er een droge broek uit. Wat was er met zijn zelfbeheersing gebeurd op weg hiernaartoe, vroeg hij zich af, met het zo snelle en in vol vertrouwen genomen besluit om in zwijgzame waardigheid in een afgelegen berghut te gaan leven? Waarom slaag ik er niet in de strijd te winnen om alleen te zijn? Dat hij alleen was, daar was Amanda zo van ondersteboven. Hij trok de broek over zijn dikke benen. Ze gelooft niet dat ik daartoe in staat ben. Waar was de trui die hij gekocht had? Ik moet deze afschuwelijke kamer verlaten, regen of geen regen. Hij trok het nieuwe wollen kledingstuk over zijn ogen. Mijn vader kon zich snel verkleden, had zijn oudste zoon geschreven. Hij verwisselde van emoties als van hoed, maar het moet gezegd, hoe snel hij ook van gedaante verwisselde, het was altijd overtuigend. Die avond na Angela's begrafenis bijvoorbeeld, zette ik de tv aan en zag het interview dat hij gegeven had aan *Newsnight*, en hij was echt verschrikkelijk overtuigend: ongeloof, zei mijn vader tegen de kijkers. Hij stond in het kerkportaal en hij sprak zacht en erg langzaam, misschien kun je het wel verleidelijk noemen. Zijn ogen stralend van pijn. Niemand wist beter hoe je in een camera moest kijken dan mijn vader, hoe je recht in het hart van de kijker kijkt. Misselijkheid, zei hij. Verlies. Zijn gezicht stond echt alsof hij zijn uiterste best deed om niet in snikken uit te barsten. En dan die verschrikkelijke woede, zei hij, bij de gedachte als dit, als dat... Terwijl zijn maîtresse de hele tijd op nog geen vijf meter afstand stond, de vrouw met wie hij in bed lag toen mijn zus doodbloedde op straat.

Wie heeft je dat verteld? vroeg Cleaver, en gespte zijn broek ruw dicht over zijn pens. Hij realiseerde zich dat zijn mentale staat een dramatische wending had genomen. Je moeder natuurlijk. Waarom moet het nu regenen? Waarom kan ik niet naar buiten en gaan wandelen? De bedoeling van het wonen in een afgelegen berghut was dat hij zou wandelen, wandelen en nog eens wandelen. Zichzelf tot rust wandelen. Wat waren die boeren van Zuid-Tirol beheerst geweest op de begrafenis, herinnerde Cleaver zich, wat gingen ze op in hun rouw, en dan dat gedoe met wijwater dat iedereen over het graf sprenkelt met behulp van dennentakjes. Hij heeft een reclamespotje gemaakt van de begrafenis van zijn dochter, had zijn oudste zoon geschreven, terwijl hij tegenover vrienden onbarmhartig met zijn maîtresse loopt te pronken, zijn Indiase intellectuele actrice. Misschien was hij aan het graf al plannen aan het maken voor zijn documentaire over verlies, die nog geen zes maanden later gefilmd werd, een schitterend stukje werk, daar waren alle critici en specialisten het over eens. Misschien...

Spreek het dan tegen, als dat het probleem is, had Amanda aangedrongen toen Cleaver haar had gemeld dat hij weg zou gaan. Schrijf een ontkenning. Vervolg hem wegens laster. In jezusnaam, sleep dat jaloerse rotjoch voor het gerecht! Laat zien wie je bent, Harry. Je moet al die jaren van onze levens niet weggooien omdat je zoon een rancuneus boek heeft geschreven. Jij hebt het hem verteld! riep Cleaver in de schemerige kamer van het Unterfurnerhof. Waarom had hij dat niet in haar gezicht gezegd? De ogen van de pop glinsterden star. Je speelt de minnaar als we vrijen, klaagde Priya – bijna op de dag af vijftien jaar geleden – maar je wilt me nooit in de buurt van je echte leven. Ik moet gaan, had Cleaver gezegd, en had zich de nacht in gespoed na dat telefoontje te hebben gekregen. Dat vreselijke telefoontje. Uw dochter heeft een ongeluk gehad. Mijn vader kon elke rol spelen, had zijn oudste zoon geschreven, met mimiek en intonatie, om je dan een uur later te vertellen dat elke rol of intonatie betekenisloos was. Geen wonder dat Angela aan de drugs en de drank is gegaan. Ik laat je niet binnen in mijn echte leven, zei Cleaver tegen Priya, omdat dat niet bestaat. Hetgeen ons tot een merkwaardige contradictie in mijn vaders carrière brengt, had zijn oudste zoon aan het eind van een hoofdstuk geschreven: terwijl half het land ervan overtuigd was dat hij een meesterlijke intonatie en stijl had ontwikkeld die door iedereen werd geïmiteerd – *de* nieuwsstem van de jaren tachtig maar liefst – was de andere helft er net zo van overtuigd dat hij gewoon nadeed wat er op dat moment succes had.

Het zal me een rotzorg zijn! riep Cleaver. Ik sta nu echt te schreeuwen, besefte hij. Wie begint er nu onderscheid te maken tussen imitatie en origineel in deze krankzinnige wereld? Wie kan het wat schelen? Plotseling haalde hij uit en schopte tegen het kastje waar de televisie op stond. Hij is vergeten dat hij alleen maar sokken aanheeft. Omdat hij geen vuil door het hele huis wilde lopen, had hij zijn natte schoenen beneden in de portiek laten staan.

Zijn teen kraakte tegen het harde hout van het kastje. Kluns! De pijn schoot omhoog tot boven zijn knie. O, Christus. De pop keek toe. Toen Harold Cleaver op de grond ging zitten om zijn voet te verzorgen, hevig heen en weer wiegend van de pijn, liet het nachtkastje plotseling een rare zoem horen. Twee keer. Twee aanhoudende vibraties. Intussen, had zijn oudste zoon geschreven, was Angela echt dood en daar was niets onechts aan. Het mobieltje, besefte Cleaver. Ik zou dat ding uit het raam moeten gooien. Mijn zus was de weg kwijtgeraakt op zoek naar iets wat intens genoeg was om tegenwicht te bieden voor het constante drama van de ongebondenheid van mijn ouders. BOOTS zei de berichtenlijst. Turend naar de telefoon op armlengte, kon Cleaver net lezen: heerlijke middag in het park. lunch met larry. wou dat jij het was.

Cleaver stampte de kamer uit en de trap af. Hij gleed twee keer uit doordat hij op zijn sokken over de houten vloer rende. Misschien had hij een splinter opgelopen. Zijn voet deed al pijn. De poppen hielden de wacht, verdieping na verdieping, vensterbank na vensterbank, in een luidruchtige stilte. Waarom zou iemand zoveel poppen willen hebben, en allemaal dezelfde? Net als quizshows.

De Stube was leeg, hol, verschaald. Terwijl hij zijn schoenen aantrekt in het portiek, weet Cleaver niet zeker of hij van plan is de berg op te strompelen in de zware regenval tot hij erbij neerstort, of dat hij een taxi zal nemen in de hoofdstraat van Luttach en strijdvaardig en vechtlustig terug in Chelsea zal zijn voor de klok middernacht heeft geslagen. Zelfs in de hal zitten twee poppen, alle twee met rode linten in hun gouden haar, en tegen de muur staat een grote bos plastic bloemen in een koperen vaas. Het had geen zin, wist Cleaver, om de beweringen van zijn zoon tegen te spreken. Waarom had men op het platteland plastic bloemen? Dat was het probleem niet. Dat is het niet. Hij heeft het Verenigd Koninkrijk niet verlaten vanwege het boek van zijn zoon. Het mysterie bijvoorbeeld van Amanda die Priya op de begrafenis had uitgenodigd zonder hem dat te vertellen, bleef een van de grote onverklaarde mysteries van zijn leven. Waarom heb ik dat niet uitgepraat met haar? Vijftien jaar geleden nog maar. En natuurlijk was dat het begin van het einde van zijn verhouding met Priya. Wie kan het nu nog schelen? Mij niet. Ik ben die dingen vergeten. Het probleem is leven, besloot Cleaver. Of liever gezegd, geleefd te hebben, er een versie van te hebben die je tegen jezelf kunt vertellen. Ik zou geen overtuigender versie kunnen brengen, wist hij. Het boek van mijn zoon is overtuigend. Maar ik zou het zelf nooit proberen. Hoe overtuigender een documentaire is, zei mijn vader altijd – en dat, had zijn oudste zoon geschreven, was typisch voor zijn defaitistische strategie – hoe zekerder je ervan kunt zijn dat er wordt gelogen en geknipt. *In zijn schaduw*, herinnerde Cleaver zich, vermeldde niet dat Larry Shiner ook op de begrafenis was, en dat Amanda me had gevraagd even snel iets tegen *Newsnight* te zeggen opdat ze weg zouden gaan. Een overtuigend verhaal is altijd gelogen; dat was een van de favoriete zinnen van mijn vader. Maar daar ging het ook niet om. Ik hoef niet overtuigd te worden van wat er is gebeurd, laat staan dat ik iemand anders moet overtuigen. De hal rook naar natte hond, een vochtige deurmat. Het was merkwaardig dat Amanda dat niet begreep. Het is merkwaardig dat hij de hond niet gezien heeft, want er is er kennelijk wel een. Op een of andere manier zou de situatie zich niet hebben voorgedaan als die buitengewone klucht van dat interview met de president van de Verenigde Staten er niet was geweest. Ik moet mijn grote mond houden, herhaalde Cleaver. Dat is je enige hoop. Niets zeggen.

Met natte schoenen aan zijn voeten, natte poncho over zijn rug, natte capuchon over zijn grote kalende kop, duwde Cleaver de deur open en stond in een kletsnatte straat. De wind sloeg de regen in zijn gezicht. Zijn wangen prikten. Ik heb tenminste nooit mijn meesterwerk geschreven, dacht hij. De temperatuur moest tien graden gedaald zijn in een paar uur tijd. De pijpen van zijn broek zijn al vochtig. Het doet er niet toe. Zonder te weten waar hij naartoe ging, worstelde Cleaver tegen de wind in naar de hoek van de straat waar hij tegen Armin opbotste die in volle vaart op weg naar huis was met zijn trompet in de hand. Op een drafje achter de jongen aan kwamen Frau Schleiermacher en Hermann. 'Tschuldigung! riep Armin. Hij rende naar de deur. Mister Englishman! riep Hermann. Hij probeerde uit alle macht een paraplu boven hun hoofd te houden. Mister Harold, waar ga je heen bei diesem Wetter? Hij greep Cleavers schouder. Regen kletterde op een luifel. Een bestelwagen deed een plas water opspuiten van de straatstenen.

Plotseling stonden ze allemaal weer in de hal. Cleaver realiseerde zich dat Frau Schleiermacher druk tegen hem aan het praten was. De fijne rimpeltjes rond haar ogen waren vol levendige energie. Wat zei ze? Ze lijkt opgewonden, blij. Ik moet een plek zoeken om te wonen, protesteerde hij. Ik wil iets hoog in de bergen. Met deze regen! Hermann had een natuurlijk harde stem, een explosieve lach. Ze stonden allemaal op een kluitje in de hal hun veters los te maken, jassen uit te trekken. We drinken iets, Engelsman, we drinken iets! Het gezicht van de man was fris en helder, zijn blonde snor glinsterde. Toen hij zijn jas ophing draaide Armin zich om en grijnsde. Ze hebben gedronken, besefte Cleaver. Mooi hè, Südtirol begrafenis, mister Harold? Waarom kom jij niet naar de lunch? Veel eten. Op een of andere manier had Cleaver zich weer de Stube laten induwen en zat nu klammig aan de grote houten tafel waaraan de kaarters hadden gezeten op de eerste avond. Oude Tiroler traditie, hield Hermann vol. Het kruisbeeld hing precies boven zijn hoofd. Iedereen welkom op een begrafenis! Nu legde hij een arm om Cleavers schouders. Katrin, Bier! Hoi, halt a mo!

Armin glipte de gang in bij de trap. Hermann riep hem terug. Blos di Trompete! brulde hij. De jongen wilde niet. Zijn moeder was neuriënd bezig achter de toog. Ze had het licht aangedaan. Er waren vier zware plastic lampenkappen die perkament moesten imiteren. De peertjes leken bijzonder geel. De kamer werd donkerder door hun schijnsel. Blos, blos, blos! Hermann klapte in zijn handen. Hij had een dolle energie. Hij richtte zich tot Cleaver. Wil je dat hij speelt? Cleaver knikte. Altijd leuker met een liedje, zei hij. Hij probeerde weer op scherpte te komen. Armins lichte ogen flikkerden onder het lange, geverfde haar. Hij was in zijn onderhemd en op blote voeten. Waarom bevriest hij niet? Spiel là!

Onverwacht bracht de jongen de trompet naar zijn lippen en blies zijn wangen bol. De treurige klanken van de begrafenismuziek weerklonken met doordringende droefenis. Nein, nein, nein! protesteerde Hermann. Hij sprak snel en nadrukkelijk en wendde zich toen tot Cleaver: We zijn hier niet op het Friedhof! Cleaver begreep het niet. Armin was gestopt. Friedhof, herhaalde Hermann. Hij gebaarde. Grab. Tomba. Cimitero! Nu niet. Nog niet! De man barstte in lachen uit. Armin tuitte zijn lippen en zei iets dat met whisky eindigde. Ssst! Hermann hief een dramatische vinger naar zijn lippen en keek met gespeelde waakzaamheid over zijn schouder. Hij sloeg met een vuist op de grenen tafel. Whisky! riep hij. Katrin! Do Engländer will an Whisky trinkn!

De trompet begon iets jazz-achtigs te spelen, warrig en snel. Armin! protesteerde Frau Schleiermacher. Ze droeg een dienblad met glazen bier. Ze had een blauw schort aangetrokken. Haben Sie schon gegessen? vroeg ze aan Cleaver. Nein, zei hij. Möchten Sie noch? Ja. Hij spreekt Duits, riep Hermann. Recht gutes Deutsch! Met zijn benen wijd gespreid begon de cowboy ritmisch te klappen. Is hij echt dronken, vroeg Cleaver zich af, of verkeert hij in die kritieke fase wanneer mensen zich zatter gedragen dan ze zijn?

Armin ging zitten om op zijn trompet te spelen. Naast hem gezeten viel het Cleaver op hoe jong hij was, hoe glad de bleke, sproetige huid van zijn ovalen gezicht was. Klappen! drong Hermann aan. Hij had zijn mouwen opgetrokken over dikke onderarmen. Cleaver lachte. Het is schandalig, dacht hij, hoe snel ik mijn feestneus weer op kan zetten. Toen vroeg hij wie er gestorven was. Wie was er begraven?

Hermann bleef klappen. De trompet piepte en floot en gleed over de noten. De jongen deed zijn best om zijn lachen in te houden tijdens het blazen. Oh when the Saints, zette hij in. Hij gooide zijn hoofd achterover, overdreef het. Frau Schleiermacher kwam terug met een schotel met brood en Speck en kaas. Ze heeft een prachtige, zakelijke tred. Er was ook een glas whisky bij. Wie het ook was, jullie lijken er niet erg ongelukkig onder, zei Cleaver.

Ongelukkig! Hermann brulde van het lachen. Hij had er tranen van in zijn ogen. Hij trok een clownesk treurig gezicht. Katrin, Katrin! Hij greep Frau Schleiermachers lange rok toen ze zich omdraaide en weer weg wilde lopen, riep iets – et traurig! – klapte in zijn handen in overdreven vreugde. Ze trok een zuur gezicht, maar met een sluwe, meisjesachtige grijns. Wat had ze statig en kaarsrecht meegelopen in de processie. Het was een verschrikkelijke man! riep Hermann, een verschrikkelijke man. Niemand is bedroefd!

Armin gaf een enorme uithaal op zijn trompet, stopte, hield hem ondersteboven om het speeksel eruit te schudden en pakte de whisky die Hermann zogenaamd voor Cleaver had besteld. Hij wendde zich even af en sloeg hem in één keer achterover. Hermann applaudisseerde. Een verschrikkelijke man! Beter dood. Maar er was veel volk op de begrafenis, zei Cleaver. Ik dacht dat hij wel geliefd moest zijn. Om te vieren! riep Hermann. Veel mensen komen kijken of hij is echt dood! Even leek het of hij zou stikken. Traurig!

Noch einmal Whisky, riep Cleaver. Hermann was opgetogen. Der Engländer spricht Deutsch! Frau Schleiermacher keek om met een zowel wantrouwige als toegeeflijke blik. Terwijl ik erdoor in een crisis dook, besefte Cleaver, had de begrafenis alle anderen opgevrolijkt. De vrouw had ranke enkels. Is het reden tot feestvreugde.

Hermann zei iets tegen Armin. Cleaver keerde zich om en keek recht in de lichtblauwe ogen van de jongen. Hij was een oude nazi, zei Armin ruw. Iedereen haat hem. Haat haat haat. Hij hief zijn trompet weer op en begon Deutschland über alles te spelen. Armin! riep zijn moeder. Hermann sloeg met zijn vlakke hand op tafel. Brüderlich mit Herz und Hand! zong hij. Einigkeit... maar toen de muziek het crescendo bereikte schaterde hij het weer uit. Hij zong vals. Moet je de mensen niet terugbrengen? vroeg Cleaver. De familie. In de wagen? Hermann schudde zijn hoofd. Morgen. Weer is te slecht. Bier, riep hij.

Op dat moment nam Cleaver bewust de beslissing dat hij zich zou vermaken. Echt een nazi? vroeg hij. De avond die ik nu ga doorbrengen, dacht hij, zal mijn portret in mijn zoons fictieve autobiografie exact bevestigen. Ja, ja! zei Hermann. Ik ga drinken zoveel ik kan, zei Cleaver tegen zichzelf. Nazi Polizei, erg oude man, zei Hermann. Deutschland über alles.

Haat, haat, haat, herhaalde Armin. Wij haten hem en hij haat iedereen. Hij sloeg de tweede whisky achterover. Haat die Engländer, die Franzosen, überhaupt die Walschen. Walschen? onderbrak Cleaver. Italianen, lachte Hermann. Scheldnaam voor Italianen. Walsche, Scheisse! Hij ging hoog op de berg wonen. Zag nooit iemand.

Maar het hele dorp kwam naar de begrafenis, wierp Cleaver nog eens tegen. Hermann liet het commentaar over aan Frau Schleiermacher die drank aanvoerde. Ze ging er nu bij zitten met een glas wijn: Er war ein Mann, zei ze eenvoudig. Tegelijkertijd moest ze iets van Armins adem opgevangen hebben. Na du bisch a bledo Bui! begon ze boos. Mijn schuld, viel Cleaver haar in de rede, ik heb het hem gegeven.

De vrouw keek naar hem. Armin vertaalde. Maar ineens zei Hermann: jij wil hoog in de bergen wonen. Ja? Zijn ogen glansden en zijn lippen stonden strak van ingehouden vrolijkheid. Dat klopt, zei Cleaver. Rosenkranzhof, riep Hermann. Do Engländer konn afm Rousnkronzhöf bleibn!

Het was even stil. Cleaver had er geen woord van begrepen. Armin hief zijn trompet naar zijn lippen en blies één enkele schrille noot die opsteeg en wegstierf. Na. Frau Schleiermacher schoof haar stoel naar achter en stond op. Na, bisch du a bledo! Opeens waren de twee volwassenen in een verhitte discussie gewikkeld. Het zijn minnaars, dacht Cleaver. Hij voelde geen nostalgie. Of ze zijn het geweest. Vroegere minnaars. Hij dronk zijn glas bier uit en wendde zich tot Armin: waar gaat dat over? Hermann, zei Armin, denkt aan een huis waar je kan wonen, maar mijn moeder zegt, als je daarheen gaat, dan ben je... kaputt.

Een uur of vijf later trok Cleaver zich aan de trapleuning naar boven, naar bed. Je kreeg mijn vader er niet onder met hoeveel drank ook, had zijn oudste zoon geschreven. Hoeren, zei Cleaver tegen de toekijkende poppen. En geen enkele hoeveelheid drank kon mijn vader ervan weerhouden te oreren. Wat heb je voor job? had Hermann gevraagd. Ze hadden zitten kaarten. Met z'n zevenen of achten aan tafel, allemaal sterke luidruchtige mannen. Ik moet behoorlijk wat geld verloren hebben, dacht Cleaver. Waarom wil je in Südtirol wonen? drong Hermann aan. Waarom zo hoog in de bergen? Om mijn mond dicht te houden natuurlijk. Dat was het enige goede antwoord. En in plaats daarvan had Cleaver zitten oreren. Net zoals zijn zoon had beschreven. Hij was begonnen met van alles te vertellen, zichzelf te verklaren. Je gaat een boek over ons schrijven! riep Hermann en sloeg een arm rond de nek van de Engelsman. Je bent beroemd. Je gaat een film maken. Cleaver deed zijn portefeuille open. Hij was aan het gokken zonder de regels van het spel echt door te hebben. Gerhard! – Hermann wees op een dikke stevige kerel die aan een rood oor zat te trekken – je moet over Gerhard schrijven! Hij heeft meer vrouwen gehad dan, dan... dan ik! Hermann vertaalde voor zijn vrienden wat hij gezegd had. Gerhard hief een spottende wenkbrauw op. Twee of drie anderen zwegen onaangedaan. Ze droegen allemaal dikke wollen hemden. Ze hielden hun natte hoeden op.

Waarom heb ik in godsnaam geprobeerd het uit te leggen? Cleaver trok zijn schoenen uit en liet zich op bed vallen. Drank. Hoogstwaarschijnlijk zijn wij kinderen, had zijn zoon geschreven, allemaal verwekt in een stomdronken toestand nadat mijn vader eerst de hele avond had zitten oreren. Ongeveer tweehonderdvijftig euro, dacht Cleaver. Ik moet voorzichtig zijn. En het enige goede aan oreren tegen buitenlanders – hij richtte de afstandsbediening op de tv – is dat ze je niet verstaan. Je kunt maar beperkte schade aanrichten. Journalistiek, had hij tegen Hermann gezegd (dat was de lievelingszin van mijn vader, had zijn oudste zoon geschreven), vervangt de mysterieuze, verwarrende realiteit door de lichtverteerbare snack van de kwinkslag. Begrijp je? God, wat heb ik veel gedronken. Hermann had gretig zitten knikken, had zijn kaarten bestudeerd. Hij had er geen woord van begrepen. Zodat we allemaal kunnen doorgaan met vreten en schijten alsof we wisten waar het over ging. Vreten en schijten, brulde Hermann. Hij dronk zijn bier op. En oo, oo, oo! Hij kwam half overeind en duwde zijn bekken naar voren in een ondubbelzinnig gebaar. C'est la vie! De andere mannen keken nauwelijks op. Hermann maakte geen indruk op hen. De man had niets begrepen, stelde Cleaver zichzelf gerust. Hij zette een ander kanaal op. Godzijdank.

Over de gehele wereld waren satellietnetwerken bezig lijken op te stapelen. Duitse en Italiaanse televisie lieten dezelfde clips zien van verscheidene slachtoffers. Ergens in Azië was een graafmachine een keurige rechthoekige kuil aan het graven. Het doodsklokje klept nooit voor de kijker, zei Cleaver tegen Olga. Hij herinnerde zich hoe geruststellend netjes de graven op het kerkhof er hadden uitgezien. Integendeel. Ik ben juist naar Tirol gekomen om niet te schrijven, had hij tegen Hermann gezegd. Om niet te oreren. Toch was ik uit op erkenning, zei hij nu tegen zichzelf, op bewondering. Van een man die er niets van begreep. Hij had heel veel gedronken. Het is belachelijk. Cleaver was misselijk. Ik was uit op bewondering omdat ik niet meer uit ben op bewondering. Maar die sigaretten heb ik toch maar mooi afgeslagen, dacht hij. Ik heb niet gezegd dat ik een vrouw wilde.

Cleaver gaf toe aan zijn eigen perversie en zette de telefoon aan. Het ding trilde inderdaad, maar slechts één keer. Misschien krijgt ze er genoeg van. Verschillende opvattingen van wereldorde, zei de CNN-nieuwslezer. Hij lijkt erg jong, dacht Cleaver turend. Mijn vader zou zijn favoriete theorieën hebben uiteengezet aan een steen, had zijn oudste zoon geschreven. Ze waren allemaal defaitistisch. Denk aan de goede tijden, Harry, stond er in Amanda's berichtje. Cleaver deed het licht uit en sloot zijn ogen. Buiten, bedacht hij, brengt een oude nazi zijn eerste nacht in een keurig graf door. Je hebt niets bereikt.

4

Later zou Cleaver tegen zichzelf zeggen dat hij te snel zijn intrek had genomen in Rosenkranzhof. Hij had er niet bij nagedacht. Maar dat kon over zovele belangrijke momenten van zijn leven gezegd worden. Als ik niet op dat verrassende aanbod was ingegaan, dacht Cleaver terwijl hij in de vlammen staarde van het vuur dat hij 's avonds aanmaakte in het lege huis, wat zou er dan met me zijn gebeurd? Wat zou er geworden zijn van de jonge Cleaver, die zich in zijn eentje in een gemeubileerde studio zat af te vragen hoe hij in vredesnaam een meesterwerk moest schrijven, als Amanda niet had gebeld: je bent zo potent, Harry, had ze gefluisterd. Engländer! had een stem geroepen. Door het geklop werd hij zich bewust van zijn hoofdpijn. Engländer, kom met me mee. Ik heb een huis voor je! Ganz allein.

Het was Hermanns stem. Zonder erbij na te denken was hij meegegaan. Op mijn vijfenvijftigste ben ik nog steeds impulsief. Hij had zijn kleren aangetrokken, en een paar minuten later zat hij achter op de kar, die ratelend over de weg reed en daarna het karrenspoor steil omhoog volgde. De wouden waren drijfnat van de regen van de vorige dag, de lucht zwaar en vochtig. Wolkenflarden hingen aan de takken. Jürgen en Frau Stolberg waren te voet teruggegaan gisteren, meldde Hermann. Om de koeien te melken. Cleaver zat naast het dikke meisje, en tegenover het in haar cape gewikkelde oude mens en de jongere vrouw die te laat op de begrafenis was gekomen. Er werd geen woord gezegd, hoewel Cleaver de indruk had dat de stads geklede vrouw steeds de doffe blik van het meisje probeerde te vangen en vast te houden. Daar zat meer achter. Niet mijn zaken, zei hij tegen zichzelf. Hij probeerde hun rouw te respecteren. De oude dame bleef mompelen, wreef in haar oude handen. De kar klom gestaag tot ver voorbij het punt waar Cleaver de vorige ochtend was gestopt en omgekeerd. Het karrenspoor werd smal en diep. De dikke haflinger zwoegde door. Hermann sprak zachtjes en bemoedigend met het dier, spoorde het aan. De grote billen bewogen schokkerig. De man had een heel repertoire van fluitjes, vrolijk tonggeklak. Hij klapte met de teugels. Raar dat ze geen jeep hebben, dacht Cleaver. De eentonigheid van de dennenbomen, het kreupelhout, de stille lucht, was bedrukkend. Of misschien hadden ze wel een auto, maar hadden ze die op de boerderij gelaten, want ongeschikt voor een lijkkist. Hij realiseerde zich dat het meisje kinderachtig gekleed was: haar jasje past niet, de broek is te strak. Ze staarde naar haar voeten, vlezige knokkels hielden een oor vast, vingertoppen knepen in het lelletje. Geschift, dacht Cleaver.

Uiteindelijk bereikte het karrenspoor de bosrand, boven aan een diep ravijn waaruit ze naar boven waren geklommen, zoals nu bleek. Meteen werd de zon warm, kwam er leven in de lucht en frisheid over een panorama van wouden en richels en pieken en brede schaduwrijke dalen. Recht voor hen lag een paar honderd meter zacht glooiende weide die overging in losse stenen en rotsen op de plek waar de berg bijna verticaal naar zijn top begon op te rijzen. Naast een drenkplaats stonden een stuk of zes koeien met hun staart te slaan, en op de rand boven het ravijn zag Cleaver een boerderij met scheve schuurtjes met een dakbedekking van verroeste ijzeren platen die door zware stenen op hun plaats werden gehouden. Trennerhof. Er liepen kippen rond te pikken bij de muren. Onder de zwarte gotische letters die tussen twee ramen waren geschilderd, verkondigde een rond groen bord: Forst. Serveerden ze er bier?

Hermann bracht het paard tot stilstand en liet de vrouwen uitstappen. Er kwam een hond woest blaffend op hen af rennen. Het dikke meisje tilde de oude dame eruit. Cleaver ving een glimp op van schilferige ogen onder de kap, een malende en mompelende kaak. Het meisje leek mechanisch in haar bewegingen, bruusk en berustend. Na ieders hielen besnuffeld te hebben begon de hond weer te blaffen. Een oude, lelijke hond, dacht Cleaver, met een grijze snuit. De stadse dame droeg een lichtblauw koffertje en keek zeer geïnteresseerd om zich heen. Hermann nam afscheid en plotseling zette de wagen zich weer in beweging. Fünfzehn Minuten nu, meldde hij.

Zodra ze alleen waren begon hij te kletsen. Erg traditionele familie, zei hij. Hij schudde zijn hoofd. Begrijp je? Je kan over hen schrijven, meneer de journalist. Je kan een film maken. Hier is het honderd jaar geleden. Een van de laatste huizen zonder elektriciteit, zonder auto. Frau Stolberg was zijn tante, legde hij uit. Hij bracht zo nu en dan voorraden naar boven. Het was een goede training voor zijn paarden. Hij gebruikte de wagen om toeristen rond te rijden in de zomer, maar nu waren ze natuurlijk allemaal weg. Juist, zei Cleaver.

Het pad volgde de rand van het ravijn achter Trennerhof nog voor zo'n vierhonderd meter, en dook toen weer het bos in, waarna het snel slechter begon te worden. Na een paar minuten moest Hermann de haflinger stoppen vanwege een kleine lawine van stenen. Die kunnen we nu niet weghalen, besloot hij. Boven het pad was een hoge klif erg aangetast door water dat uit een web van bruinachtige scheurtjes sijpelde. Ze wandelden even steil naar beneden tussen dunne dennenbomen en mossige zwerfstenen door, tot aan een bocht. Daar was het: een klein huisje tegen de naakte rots aan gebouwd op de rand van het ravijn. Cleaver stond ernaar te kijken. Hermann lachte. Je zegt dat je alleen wil zijn! zei hij.

Alleen voor het huis was er een open plek; een paar vierkante meter met rottende houtsnippers, zaagsel en wat gras. Het gebouw bestond uit twee lage verdiepingen: steen beneden, hout boven. Aan twee roestige spijkers aan de deur hing een snoer rode kralen. Cleaver raakte ze aan. Merkwaardig, zei hij. De plek droop van het vocht. Er moest flink tegen de deur geduwd worden om hem open te krijgen; de planken schuurden over de drempel. Waar is dat voor? vroeg hij. De kralen glommen. Hermann tuurde naar binnen in het donker, aarzelde even: ein Rosenkranz, zei hij.

Cleaver schudde zijn hoofd. Er was een zwak geruis van stromend water te horen. Zijn gids deed een stap terug en wees op de verbleekte letters op het zwarte hout van de bovenverdieping: Rosenkranzhof. Dit – hij raakte de kralen aan – is een Rosenkranz. Cleaver schrok van de naam. In zijn eigen valkuil gevallen door absoluut in de schijnwerpers te willen staan, had zijn oudste zoon geschreven. Je weet wel, Engelsman, zei Hermann, Rosenkranz, Heilige Maria, Mutter Gottes. Cleaver lette niet op. Hij wist al dat hij het huis zou nemen. Hier ga ik wonen. Gebet, bidden, zei Hermann. Hij leek blij een excuus te hebben om buiten te blijven. Santa Maria, Madre di Dio. Rosario auf Italienisch. Ze gingen naar binnen.

Vijfhonderd euro als je ook wilt eten, zei Hermann later toen ze weer heuvelopwaarts naar de wagen klommen. Tweehonderd als je alleen het huis wil. Hij had de zaak met zijn tante besproken. Niemand leek gewetensbezwaren te hebben om het huis al zo kort na de dood van de oude man te verhuren, constateerde Cleaver. Zijn bezittingen lagen verspreid over de vloer. Het bed was niet opgemaakt. Hij scheen er vijftien jaar of meer alleen te hebben gewoond. Waarom? vroeg Cleaver. Hij voelde zich bibberig, opgewonden. Die donkere kamers worden mijn thuis, mijn afgelegen huis. Hermann haalde diep adem, hield de teugels vast. Hij floot naar zijn paard. Julia! God mag het weten, zei hij. Misschien wilde hij alleen zijn. Hij lachte. Zoals meneer Cleaver!

Drie dagen later nam Cleaver er zijn intrek. Tegen een bescheiden vergoeding was Hermann bereid zijn spullen in de wagen naar boven te brengen. Als de toeristen weg waren, zei hij, had niemand zijn paarden nodig. 's Zomers organiseerde hij trektochten. Hij knipoogde theatraal, de blonde snor wiebelde: veel gescheiden Duitse vrouwen, dames uit de stad. Hij maakte een opgewekt geluidje achter in zijn keel. Ze willen weer meisjes zijn. Ze willen natuur, jeugd. Hij sloeg met een grote vuist op zijn in een blauw werkhemd gehulde borst. Je moet ook eens komen! Dat gaat steeds moeilijker, grapte Cleaver. Hermanns blik bleef uitdrukkingsloos. Voor je buik zijn er geen problemen, zei hij. Ik heb een paard dat een olifant kan dragen! Hij brulde van het lachen. Waarom, vroeg Cleaver zich af, zou Amanda al die intieme informatie hebben doorgegeven aan zijn oudste zoon, als ze hem, Cleaver, vervolgens ging aansporen om de auteur voor de rechter te slepen? De enige reden dat mijn vader was gestopt met rokkenjagen, had zijn oudste zoon geschreven, was vanwege zijn groeiende impotentie, ongetwijfeld veroorzaakt door zijn verschillende excessen, om nog maar te zwijgen van de massa vlees die hij had verzameld tegen de tijd dat hij vijftig werd. Waarom had Amanda die jongen dat soort flauwekul verteld? Cleaver schudde zijn hoofd in onbegrip toen Hermann hem achterliet bij de deur van Unterfurnerhof. Ik had het haar op de man af moeten vragen. En hoe kregen ze het in hun hoofd om een literaire prijs te geven aan iemand die schreef 'groeiende impotentie'? Wat wilde ze eigenlijk bereiken met al die verschillende sms'jes, die bedreigingen, die gelukkige herinneringen, die neurotische zorgen over de kinderen, die zich allemaal allang buiten bereik van de ouderlijke invloedssfeer bevonden, daar was Cleaver van overtuigd. Wanneer zal ik eindelijk vrij zijn, vroeg hij zich af, en me niet meer afvragen wat Amanda bedoelt? Het was zo vermoeiend.

Maar toch werden zijn gedachten voorlopig in beslag genomen door de noodzakelijke praktische regelingen die getroffen moesten worden, net zoals het kopen van vliegtuigtickets en het raadplegen van treintijden hem tijdens de reis een gezond gevoel van doelgerichtheid hadden gegeven. Ik zal voor mezelf koken, had hij tegen Hermann gezegd, en hij vulde doos na doos met etenswaren. Dit is een bijzondere prestatie, dacht hij, voor iemand die al in geen twintig jaar of meer voedsel gekocht heeft. De supermarkt heette DESPAR. Verre van de hoop op te geven, voelde Cleaver zich opgewekt. Ik maak het wat lichter, dacht hij, ik snoei de takken weg die de ramen verduisteren. Ik maak een thuis van Rosenkranzhof.

Frau Schleiermacher bekeek zijn bezigheden met een sceptische blik. Ze verliet de Stube om haar zoon te roepen. Mijn moeder zegt dat je... Armin aarzelde, zocht naar woorden. Vandaag droeg hij een dikke leren polsband met sierspijkers en nagels. Die satanische accessoires onderstrepen alleen maar je onschuld, zou Cleaver hem willen zeggen. ...dat je de winter niet op Rosenkranzhof kunt wonen. Dat kan niet. Cleaver had Frau Schleiermacher nog een paar kartonnen dozen gevraagd. Hij stopte er pakken deegwaren en rijst in. Iedereen kan pasta koken. Waarom niet? vroeg hij. Aan Angela's dunne polsen hadden die sierspijkers nog belachelijker geleken.

Frau Schleiermacher zat aan een van de tafels in de Stube groenten te snijden. Ze keek bezorgd naar hem. Cleaver herkende de moederlijkheid, de vrouwelijke list. Maar nu klonk er een futuristische beltoon en moest Armin zijn mobieltje opnemen. De jongen streek een sliert haar uit zijn mond, liep snel naar het raam en begon op zachte toon te praten. Cleaver glimlachte. Zijn vriendinnetje? vroeg hij aan de moeder. Freundin? Frau Schleiermacher tuitte haar lippen in gespeelde minachting. Toen stond ze snel op en liep door de kamer. Ze hurkte bij de dozen. Hij kon haar gewassen haar ruiken, de beweging van haar dijen waarnemen onder haar rok. Ze controleerde snel de producten die hij had gekocht, pakte ze op en legde ze weer terug. Vrouwenhanden, zei Cleaver tegen zichzelf. Haar lippen stonden strak. Zucker? vroeg ze. Ze keek hem aan. Gibt's nicht. Een seconde maar. Haar gezicht is niet nieuw meer voor me, besefte hij. Het was aan het veranderen. Salz? Ze stond op, raakte zijn arm even aan toen ze dat deed. Haar enkels zijn nog slank, merkte Cleaver. Ze duwde een hand in haar rug, schudde haar hoofd. Herr Cleaver, der Winter ist sehr schwer da oben. Verstehen Sie? Es ist kalt, sehr kalt. Es gibt viel Schnee. Das können Sie sich nicht vorstellen.

Armin kwam terug met een grijns. Je kunt je niet voorstellen hoe koud het is, vertaalde hij. Cleaver lachte. Hij was in een goede bui met al zijn spullen zo uitgestald. Zeg maar dat ik zout en suiker in een andere doos heb zitten. En een zaklamp. En een Zwitsers mes. En een splinternieuwe slaapzak. Armin begreep het niet. Frau Schleiermacher kwam tussenbeide. Warum? vroeg ze. Cleaver voelt zich blijer door haar bezorgdheid. Ze denkt dat je een groot probleem moet hebben, vertaalde Armin, nogal vrij. Ze denkt dat er misschien een betere manier is om... om... De oude man woonde daar toch, zei Cleaver vriendelijk. Ik moet afvallen. Hij klopte op zijn pens. Frau Schleiermacher antwoordde met vier of vijf scherpe woorden. Krimineller, herhaalde ze. Er hatte keine Wahl. Hij was een cri... Ik heb het begrepen, zei Cleaver tegen de jongen. Hij wist niet wat hij moest antwoorden. Zeg haar dat ik dit echt moet proberen.

De dag voor zijn verhuizing nam hij de bus naar het dal om in Bruneck beddengoed te kopen, dekens, misschien wat thermisch ondergoed, een lange wollen onderbroek, goede handschoenen, een degelijke hoed. De slaapzak was voor noodgevallen. Wanneer had Cleaver voor het laatst in de bus gezeten? Met Giada misschien. Met Giada zou het leuk zijn geweest. Tussen de stenen en glazen gevels van het centrum, en etalages met Tiroler chic in de vorm van geweien en elkaar omhelzende marmotten, kwam hij een internetcafé tegen. Niet naar binnen gaan. Hij kocht twee zware dekens en een gevoerd jack en toen, beladen met plastic tassen, ging hij terug naar het internetcafé en ging naar binnen. Het was een amusementshal waar oude mannen op een stoel naast de speelkasten zaten en tieners in fictieve steden in oorlogssituaties verkeerden. Mijn handen beven. Hij had zichzelf beloofd dat hij dit niet zou doen. Mijn vader, had zijn oudste zoon geschreven, was zo'n man die even slecht van zijn e-mail kon afblijven als van drank en sigaretten. En duur eten. Per slot van rekening kon hij wel fanmail hebben gekregen. En het eerste wat hij altijd meteen intikte op welke zoekmachine ook was zijn eigen naam. *cleaver@cleaver.com*, begon Cleaver te tikken. Het Duitse toetsenbord was ergerlijk. Waar zit de @? Het wachtwoord was PRIYASAR. Net als je een beetje gemoedsrust hebt bereikt, zei hij tegen zichzelf, zoek je weer problemen. Hij drukte op ENTER en wachtte, een elleboog steunend op het bureaublad en een vingerknokkel tussen zijn tanden. Dat is de houding die Cleaver altijd aanneemt als hij wacht tot de mail binnenkomt. Wil ik gemoedsrust of niet? vroeg hij zich af. 232 nieuwe berichten, zei het scherm. Cleaver scrolde langs de namen. Allison was erbij. En Anna, en Lisa en Sandra en Melanie. Mijn gefragmenteerde leven. Echt, zijn zoon had geen idéé. Het boek was niet alleen schandalig indiscreet, maar bovendien armzalig onderbouwd. Cleaver opende ze niet. Zijn agent had drie of vier keer geschreven, ook al was hij gewaarschuwd dat niet te doen. Typisch is dat. En Michaels. Zelfs Larry heeft geschreven. Onderwerp: Waar zit je? Neem contact op! Verscheidene uitnodigingen, herinneringen, aanbiedingen. Het filmfestival in Sarajevo. Namen die hij nog nooit heeft gezien. Junkmail. Virussenvaria. Goedkope medicijnen. Redactievergaderingen. Het is wat laat op de dag om mijn penis nog te vergroten, glimlachte Cleaver. Zijn accountant. Persoonlijk. Hij haalde diep adem, met zijn hand op de muis. Zal ik iets aanklikken? Mijn oudste zoon heeft niet geschreven, zei hij tegen zichzelf. Geen van de kinderen. Als Caroline of Phillip had geschreven, zou ik zeker lezen wat ze te melden hadden. Maar ze zouden niet hebben geschreven. De bank, ja. En een Australisch mediabedrijf.

Cleaver sloot het mailvenster en typte *www.guardian.co.uk*. De koppen gingen allemaal over oorlog en verkiezingen. De president van de Verenigde Staten had de belangrijkste foto. Hij draagt een gevechtsuitrusting, ziet er strijdlustiger uit dan ooit. Cleavers blik viel op een oranje vierkantje in de linkerbovenhoek van de pagina: KENNERS OVER BOOKERNOMINATIES. Hij aarzelde. Mijn zoon staat op de lijst vanwege mijn beroemdheid, bedacht hij. Was dat een troost? Of misschien ook niet. Misschien is het echt een schitterend boek. Hij keek de straat in met de keurige Teutoonse gevels. Weg zijn van huis, echt weg, vergt in de eenentwintigste eeuw een voortdurende inzet. Hij herinnerde zich een verhaal van een man die wilde stoppen met roken en zichzelf daarom ergens had opgesloten en zijn betaalde gevangenisbewaarders had opgedragen hem geen sigaretten te brengen, zelfs niet als hij erom smeekte. Maar toen hij erom smeekte, had iemand ze uiteraard meteen gebracht. En vervolgens betaalde hij die man weer om het niet tegen de anderen te vertellen. Cleaver keek niet naar de krant waar Amanda bij werkte en tikte zijn naam niet in een zoekmachine. Wat voel ik me somber, besefte hij toen hij opstond om te betalen: een spook dat gekluisterd zit aan oude obsessies, maar niet in staat is om er plezier in te scheppen, en ze graag uitgedreven zou zien. Was het een triomf dat hij geen bericht had geopend, of een afgang dat hij het internetcafé was binnengegaan? Waarom moet ik altijd aan mijn leven denken in termen van succes of mislukking? Toen hij bij de bushalte stond te wachten zag hij een taxi en riep hem aan.

Cleaver had zich die avond nauwelijks in zijn kamer geïnstalleerd voor zijn laatste nacht op Unterfurnerhof of er werd op de deur geklopt. Hij zat op bed zijn inkopen te bekijken. Vooral de brede vilten hoed is leuk. De televisie stond aan. Het had geen zin om strijd te leveren met het scherm op deze laatste avond dat het beschikbaar was, net zomin als het zin had om weerstand te bieden aan de verleiding een taxi te nemen één dag voor zijn verhuizing naar een plek waar nooit een taxi zou komen. Olga zat met haar rug naar de muur naast het kussen. Laat het een soort bokkenfuif zijn, dacht hij, zappend langs alle zesendertig kanalen. Een vette dinsdag voor de vasten. Hij zette de hoed op zijn grote kale hoofd. De kleur is antracietgrijs. Er werd weer geklopt. Kom binnen, riep Cleaver.

Frau Schleiermacher stond in de deuropening. Ze leek zowel verlegen als vastbesloten. Herr Cleaver, zei ze. Haar zoon is er niet bij, merkte hij. De taalbarrière dwong hen elkaar aan te kijken. Hij registreerde geen enkele kleur, alleen de intensiteit van haar onverwachte aanwezigheid. Ja? vroeg hij. Hij zette zijn hoed af. Ze had de pop gezien die op bed tegen de muur zat. Ze trok een wenkbrauw op in een vaag glimlachje. Ze zei iets wat hij niet verstond, iets ironisch, vermoedde hij. Je bent naar deze uithoek gekomen omdat je geen Duits spreekt, dacht Cleaver. Je kunt niet oreren. Toch was hij er zich nu van bewust dat hij met Frau Schleiermacher wilde spreken.

Ze had een stap in de kamer gezet. In haar hand had ze het notitieblok en de pen die ze gebruikte voor bestellingen in de Stube. Hier, zei ze. Ze ging naar het raam, legde het notitieblok op het kozijn en begon te schrijven. Ze had kunnen zeggen wat ze te zeggen had toen ik zat te eten, dacht Cleaver. Hermann was erbij. Die had kunnen vertalen. Ze had haar zoon kunnen roepen. De BBC was bezig met het beursoverzicht. Elke dag moeten we weten wat de Hang Seng heeft gedaan. Herr Cleaver. Frau Schleiermacher riep hem naar zich toe. Möchten Sie... Als ik Duits sprak, dacht Cleaver, zou ik mijn theorie kunnen uiteenzetten over het liturgische aspect van het financiële nieuws, hoe subtiel het ritueel van de ceremoniële herhaling vermomd wordt door aandelen een puntje te laten stijgen of dalen, alsof het die kleine verschillen zijn die maken dat we luisteren. De hospita brengt me mijn rekening, dacht hij. Hij kwam van het bed af. Mijn vader, had zijn oudste zoon geschreven, was zo geobsedeerd geraakt door de metafuncties van de informatiecultuur dat hij geen enkel belang meer hechtte aan de inhoud ervan. Het gaat alleen maar om punctualiteit en verpakking, zei hij altijd, de herhaling van afgezaagde clichés, geruststellende herkenningsmelodietjes. Het haar van de vrouw was over haar gezicht en nogal scherpe neus gevallen. Tijdens het schrijven gleed haar tong over haar lippen. Ze had gewoon liever niet dat de anderen zouden horen hoeveel ze aanrekende voor zes dagen kost en inwoning, dacht hij. Hij vond haar ouderwetse, groen wollen jurk leuk. Het was, had zijn oudste zoon benadrukt, alsof de syntaxis die iemand gebruikte eigenlijk belangrijker was dan wat hij zei.

Cleaver ging naast haar staan. Naast zijn pens lijkt Frau Schleiermacher tenger, klein. Als er iemand op de Bookerlijst zou moeten staan, glimlachte hij in zichzelf, dan ben ik het wel. Ze gaf hem het notitieblok en keek toe terwijl hij las:

WENN SIE HIER DEN WINTER DURCH BLEIBEN WOLLEN – de letters waren los van elkaar geschreven – PREIS = 450 EURO/MONAT, MIT ESSEN

Ze glimlachte. Verstehen Sie? Cleaver knikte. Ze vraagt me te blijven, doet een voorstel. Ze pakte het notitieblok en alsof ze een bestelling opschreef in de Stube voegde ze eraan toe: NO PROBLEM.

Nadat ze weg was, bleef hij twee of misschien wel drie uur op bed liggen en liet zich door de televisie over de hele wereld voeren. Dat is heel vriendelijk, had hij tegen haar gezegd. Ze had hem niet begrepen. Hij was vast van plan zo weinig mogelijk te zeggen. De taalbarrière hielp daarbij. Wat vind je van mijn hoed? had hij gevraagd. Hij had hem weer op zijn hoofd geduwd. In het raam zag hij dat hij er nogal indrukwekkend uitzag: een grote dikke man met een hoed op. Ze schudde haar hoofd. Der ist schön, aber unpraktisch. Het is een vriendelijk aanbod, zei hij. Ze begreep hem niet. Het is sympatica. Hij had behoefte om haar gezicht aan te raken. Katrin Schleiermacher heeft een kleine moedervlek schuin boven haar volle bovenlip. Aber ich kann nicht, zei hij. Nicht... bleiben. Ze hield haar hoofd schuin: Wollen Sie mir nicht sagen warum?

Ze wil dat ik bij de familie ga horen, bedacht Cleaver nu, terwijl hij naar een Frans programma keek over kinderprostitutie in de Filipijnen. Hij was hier nu zes dagen, grotendeels zonder te praten, en nu al zag ze een mogelijke rol voor de Engelsman in haar Zuid-Tiroolse huishouden. Op de Italiaanse televisie was een talentenjacht voor tangodansers; sommigen leken de puberteit nauwelijks te hebben bereikt. Zelfs het publick was schaars gekleed. Misschien had ze het leuk gevonden dat hij grapjes had gemaakt met Armin. Hij had gisteren iets luchthartigs gezegd over de schedel en de gekruiste beenderen op het T-shirt van de jongen. Hij had de knaap een compliment gemaakt over zijn trompetspel. Angela was begonnen op de sax, maar haar echte instrument was de piano. Of liever gezegd het keyboard. Ze ziet me als een mogelijke stiefvader, dacht Cleaver. Ze ziet een Cleavervormige plek in haar gezin. Hij was er nog steeds niet achter of de vrouw gescheiden was of weduwe. En dat was een behoorlijke plek. Of beter gezegd, ze ziet een man zonder geschiedenis, zonder eigen context, en ze denkt die is geschikt. Er war ein Mann, had ze gezegd over de dode nazi. Tegenover gasten, had Cleavers oudste zoon geschreven, kwam mijn vader altijd heel vaderlijk over. Uiteindelijk was dat alles wat Amanda nog van me wilde, dacht Cleaver. Sinds de verwekking van Phillip hadden ze geen seks meer gehad. Ze vertelde graag uitgebreid over zijn impotentie.

Helpt de televisie bij het nadenken of juist niet? vroeg Cleaver zich af. Terwijl hij voortdurend van kanaal veranderde, herkende hij een bekend gevoel van berusting. Ik zou naar Manilla kunnen gaan en seks hebben met een twaalfjarige. Dik als ik ben, zou ik overal in passen. Denk je niet, Olga? Nu verbaasde de BBC zich erover dat de populariteit van de president van de Verenigde Staten hetzelfde bleef, ook al was alles verkeerd gegaan onder zijn regering. We moeten het er maar mee doen, merkte een jonge journalist op. Ze zijn allemaal zo jong, ze weten het allemaal zo goed. Niemand zei iets over Cleavers verwoestende onthulling van 's mans neurotische obsessie voor populariteitspeilingen. U mag ontkennen wat u wil, meneer de president, maar ik beweer dat uw politiek bepaald wordt door een bijna pathologische hang naar onmiddellijke waardering. Het is alsof mijn interview nooit heeft plaatsgevonden, dacht Cleaver. Maar je wist dat dat zou gebeuren. Amanda... hij tikte de naam in op het kleine display van de telefoon. De batterijen waren bijna leeg. ...morgen vertrek ik naar een plek zonder ontvangst. Cleaver gebruikte nooit afkortingen bij zijn berichtjes. Hij gebruikte altijd alle hoofdletters en interpunctie. Ik wil een tijdje alleen zijn. Maak je alsjeblieft geen zorgen over mij. Zorg goed voor jezelf. LIEFS, HARRY.

Cleaver hield de telefoon op armlengte en bekeek het bericht, wiste toen de laatste twee woorden. Hoe moet ik afsluiten? vroeg hij zich af. Het was een oud probleem. LIEFS leek niet op zijn plaats. VRIENDELIJKE GROETEN was belachelijk. Zij noemde hem Harry. Ik heb mezelf nooit Harry genoemd. Niet dat die affectie er niet was. Hij keek naar een Duits programma dat op gezaghebbende wijze over financiële fraude leek te gaan. Welk woord was geschikt voor alles wat tussen hem en Amanda was gebeurd? Er is geen woord voor wat ik voel, dacht Cleaver. Of wat ik niet voel. Hij wist het niet. Hij had zijn oudste zoon kort en bondig kunnen tegenspreken: door me ervan te overtuigen dat ik een partner en een ouder moest zijn, maar slechts zelden – en de laatste jaren nooit – een minnaar, heeft je moeder me tot een verspreid en gefragmenteerd emotioneel leven gedreven, omdat er maar weinig vrouwen zijn die op permanente basis een buitenechtelijke minnares willen zijn. Ja, die verdediging zou ik kunnen voeren. Cleaver keek naar de televisie. Woorden betekenen minder naarmate ervaring toeneemt, dacht hij. Hoe meer je van de twee hebt – van woorden en ervaring – hoe minder ze met elkaar te maken lijken te hebben. De BBC toonde in een uitzending over wereldwijde religieuze beleving aan dat de Britten achteraan bungelden. Dat was de uitdrukking die de presentator gebruikte! Cleaver schoot in de lach. Ik bungel achteraan! Hij schudde zijn hoofd. Achterlijke vrijdenker die je bent! Maar verdomme, protesteerde hij, per slot van rekening heb jij je leven gekozen. Jij hebt die reeks maîtresses leuk gevonden, jij moest altijd zo nodig van kanaal veranderen. Wat had het voor zin om te zeuren? Laat de knaap maar geld met me verdienen. Ik heb geen verdediging nodig.

Toen bedacht Cleaver dat hij zou kunnen besluiten met VERGEEF me. Morgen verhuis ik naar een plek zonder ontvangst. Ik wil een tijdje alleen zijn. Maak je alsjeblieft geen zorgen om me. Zorg goed voor jezelf. VERGEEF me. Maar hij wist dat hij het niet meende. Ik ben er zo aan gewend geraakt te zeggen wat vrouwen willen horen, dacht hij. Vergeving vragen werd routine. Hij geloofde toch nooit dat hij echt iets fout had gedaan. Daar was ik goed in. Maar het resultaat was dat hij nooit echt zeker had geweten wat hij voelde. Of hij kon gewoon besluiten met JE OUDE HUICHELAAR. De grote crisis in de relatie tussen mijn ouders, had zijn oudste zoon geschreven, kwam twee of drie jaar na de geboorte van mijn jongste broer Phillip. Ongetwijfeld had mijn vader op dat moment een van zijn ontelbare verhoudingen met reclamemeisjes, receptionistes, geluidsproductieassistentes, of wat dan ook, hoewel wij kinderen daar niets van af wisten in die tijd. Hoe dan ook, hij ging weg. Angela en ik moeten dertien zijn geweest. Moeder draaide volledig door. Ze was in de steek gelaten met vier kinderen om groot te brengen. Ze had zelfs geen trouwboekje om zich mee te beschermen. In een woedeaanval ging ze naar zijn studeerkamer op de tweede verdieping. Het was een groot huis in Kilburn. Mijn vader had al zijn boeken en oude platen zorgvuldig gerangschikt. Het is merkwaardig hoe precies hij in dat opzicht was, in aanmerking genomen wat voor rommelig leven hij in het algemeen leidde. Maar wat zijn werk betrof was hij altijd bijzonder professioneel. Ik herinner me in het bijzonder een dossierkast met duizenden krantenartikelen over de meest uiteenlopende onderwerpen, allemaal zeer zorgvuldig geklasseerd en gerangschikt. Maar goed, moeder begon alles uit het raam en op straat te gooien. De studeerkamer lag aan de zijkant van het huis en daar was alleen een smalle doorgang, een houten hek, en dan de straat. Nadat de boeken een halfuur aan het vliegen waren en alle dierbare oude lp's van mijn vader en al die mappen met krantenknipsels beneden in de doorgang of op straat waren beland, belde iemand de politie. En iemand moet mijn vader ook gebeld hebben, want toen hij arriveerde trof hij een jonge agent aan die moeder ervan probeerde te weerhouden al zijn bezittingen over straat te schoppen. Later hielpen Angela en ik hem een handje om alles weer naar binnen te brengen en naar boven te dragen. Ik herinner me dat er hondenpoep op een paar boeken zat. Maar mijn vader leek in een bijzonder goed humeur. Dit heeft hem in zijn besluit gesterkt om voorgoed weg te gaan, dacht ik. Ik herinner me dat ik van streek was, een brok in mijn keel had, hoewel ik diep in mijn hart al besefte dat het veel beter zou zijn als ze uit elkaar gingen. Ik hield van mijn vader en wilde graag net zo zijn als hij. In plaats daarvan, toen alles een paar uur later weer min of meer op zijn plek stond, zij het nog niet op alfabet, schonk hij zichzelf een borrel in – ik herinner me zelfs dat het gin was – ging op de bank zitten, zette de tv aan en maakte in het algemeen duidelijk dat hij besloten had te blijven. Angela en ik waren zo blij. We sneden citroenschijfjes en vulden de ijsemmer bij. Nu zie ik in dat hij er gewoon de moed niet toe had.

KUSSEN, dacht Cleaver, zo eindigde hij bij zijn meeste vriendinnen. Er zat een veilige mengeling van seksuele belofte en vriendelijke affectie in KUSSEN. Als het te plichtmatig begon te klinken, kon je de inzet verhogen met een speelse opmerking over tepelsabbelen. De inzet verhogen! Hij schudde zijn hoofd. Er was echt geen manier om dit sms'je naar Amanda af te sluiten. Het was niet waar dat ik er de moed niet toe had, zei hij tegen Olga. Hij zei het hardop. De pop had haar blik op de tv gericht. Woorden zijn zo categorisch, dacht Cleaver. Moed. Liefde. De Nigerianen liepen ook voorop, beweerde de World Service, als het ging om het aantal mensen dat bereid was voor hun God te sterven. Achtenzeventig procent (er verscheen een klein grafiekje) tegenover slechts zeventien in het Verenigd Koninkrijk. Dat was ongetwijfeld moed. VAARWEL zou veel te dramatisch zijn, en op de keper beschouwd nauwelijks geloofwaardig. Per slot van rekening ga ik niet sterven in Rosenkranzhof, zei Cleaver tegen zichzelf. Hij zou haar ooit weer terugzien.

Even was Cleaver er zich pijnlijk van bewust dat hij geen plannen had, geen heldere kijk op het leven van volgend jaar, volgende week zelfs. Het was deels die onzekerheid die het zo moeilijk maakte af te sluiten naar Amanda. Hij had geen idee wat voor indruk hij wilde maken, met welke gemoedstoestand hij haar achter wilde laten. Groeten aan Larry? Hij grinnikte. We hebben onszelf doodmoe gemaakt met die affaires. Wanneer ik ging zitten om mijn meesterwerk te schrijven, vertelde Cleaver aan Olga – ik hou van vrouwen in klederdracht, besloot hij – dan was mijn probleem nu juist – hij glimlachte – die ongeloofwaardigheid, het niet in staat zijn iets te zeggen wat er maar een beetje op leek. Begrijp je? Plotseling herinnerde hij zich de angst, de verschillende stille kamers, de bureaus, de ramen die uitzicht gaven op straten in buitenwijken, terwijl hij daar zat met een knokkel in zijn mond, wippend met een knie, piekerend – de angst dat je nooit in staat zou zijn het goed te doen. En dat gold nu ook voor die laatste woorden aan Amanda. Niet dat je verplicht was de hele waarheid op te schrijven – Cleaver was nooit zó ambitieus geweest – maar op z'n minst raak en openhartig. Anders had het geen zin. Anders kan je net zo goed weer terug naar de tv gaan, of schrijven in opdracht, een korte inleiding over de Balkan, misschien. Het materiaal van zijn documentaires opnieuw gebruiken.

Hij schudde zijn hoofd. Ik kan het niet. Terwijl er niets gemakkelijker kon zijn, besefte hij plotseling, dan iemand te corrigeren die wel beweerde de waarheid te vertellen maar het duidelijk bij het verkeerde eind had. Niets zou gemakkelijker zijn dan touwtrekken over dat belachelijke boek van zijn zoon. Ik ben die dag dat Amanda mijn spullen op straat heeft gesmeten niet naar huis teruggegaan om te blijven. Integendeel. Daar had het snoeverige geheugen van zijn oudste zoon hem lelijk in de steek gelaten. Ik ben nog minstens een paar weken weggebleven. Tenzij de jongen loog om effect te bereiken; het was per slot van rekening bedoeld als roman. Hij had een taxi gebeld en een aantal waardevolle bezittingen meegenomen. Amanda hing tierend uit het raam van de badkamer. Ik zal aan je denken, zou hij kunnen schrijven. Dat zou niet alleen waar zijn, maar op een of andere manier nog ongepaster en gemener lijken dan de andere oplossingen.

Toen herinnerde Cleaver zich dat hij al twee keer afscheid had genomen van zijn partner. Eerst de avond voor zijn vertrek, op haar slaapkamer – ik ga echt weg Amanda, had hij tegen haar gezegd; hij had haar naam uitgesproken – en daarna de volgende ochtend aan de telefoon vanuit Victoria Station: ik ben op weg naar het vliegveld. Had Siddharta Gautama zijn vrouw ook steeds berichtjes gestuurd na zijn plotselinge en schandalige vertrek? Juist toen Cleaver zijn tekst begon te wissen, trilde de telefoon in zijn hand: BOOTS. Cleaver klikte, tuurde, hield het schermpje onder het bedlampje. Jeweetwel, las hij, heeft een interview gegeven aan de Torygraf. Dat zou je eens moeten zien!

5

Cleaver gebruikte een vroeg en stevig ontbijt en zat al op Hermanns wagen tussen een aantal dozen toen Frau Schleiermacher naar buiten kwam om gedag te zeggen. Ze hield haar hand achter haar rug. Deze mensen zullen de *Telegraph* nooit lezen, zei Cleaver tegen zichzelf. Waarom ik dan wel? Een man die boven op een berg gaat wonen heeft geen reputatie nodig. Frau Schleiermacher stak glimlachend een hand uit. Haar ogen zijn erg levendig. Cleaver boog zich galant uit de wagen om haar wang te kussen. Toen zei de knappe vrouw: Wollen Sie die Puppe mitnehmen? Hij begreep het niet. Ze haalde de pop tevoorschijn van achter haar rug. Olga! riep Cleaver. Hermann zei snel iets en Armin schaterde het uit. Frau Schleiermacher leek er iets tegen in te brengen, maar haar stem klonk ook vrolijk. Wat gaf het dat Cleaver het niet begreep? Aufwiedersehen, zei hij.

Maar Hermann had de haflinger nog maar nauwelijks het inmiddels vertrouwde pad op geleid of Cleaver bedacht hoezeer hij Frau Schleiermacher al miste. De pop is geen vervanging. Hij miste Armin met zijn zwarte leren jack, zijn ketting en omgekeerde kruis. Hij miste hen meer dan alle mensen die hij in Londen had achtergelaten. Meer dan zijn dochter Caroline, zijn zoon Phillip. Dit is pervers, dacht Cleaver. Hij miste zelfs zijn plekje bij het raam in de Stube waar Frau Schleiermacher hem 's morgens zijn ontbijt had geserveerd en 's avonds zijn Knödel. Na zes dagen had hij al het gevoel dat die plek van hem was en van niemand anders. Misschien had ik moeten blijven. Ik voelde me er veilig. Economisch gezien, zei Cleaver tegen zichzelf, zou je je het waarschijnlijk wel kunnen permitteren om de rest van je leven in Unterfurnerhof te blijven wonen, wat je zoon ook over je mag zeggen in de Londense kranten. Mijn vader, had zijn oudste zoon geschreven in *In zijn schaduw*, nam nooit minder dan een half dozijn kranten. Als kind leek me niets belangrijker, dringender, echter, dan een krant. Terwijl de bomen de wagen begonnen te omsluiten en het karrenspoor steiler begon te worden, herinnerde Cleaver zich dat het hoofdstuk waarin Harolds en Amanda's zondagochtend werd beschreven, en het tapijt, de banken en de meubels allemaal bedekt waren met kranten (er was nauwelijks een vierkante centimer van het meubilair waar geen vlekken van drukinkt op zaten, had zijn oudste zoon geschreven) duidelijk bedoeld was als een van de belangrijkste komische passages. Ik mis de kranten helemaal niet, dacht Cleaver, terwijl de haflinger de wagen hoger en hoger de steeds nauwer wordende kloof in trok. Cleaver zette zijn hoed op. Hij huiverde. Het was, had zijn oudste zoon geschreven, alsof mijn ouders alleen maar zelfvertrouwen hadden zodra ze elk deel van elke zondagskrant gezien hadden, zodra ze greep hadden op de hele wereld. En omdat dat een onmogelijke opgave was deelden ze de kranten met elkaar en wisselden aantekeningen uit. Zondagochtend was dus ook het moment waarop ze het meest een team vormden. Of liever gezegd, waarop ze samenzwoeren tegen de wereld. Ze kenden de naam van elke journalist, elke expert. Ze wisten wie er beledigd zou zijn door dit stuk, wie terug zou slaan na dat stuk, wie zus en zo had overgehaald om dit en dat te schrijven. Ze waren terroristen die een aanslag voorbereidden, of generaals die een represaille beraamden. En voor ons kinderen was dit ook het gelukkigste moment van de week. Mama en papa zwommen samen in een jacuzzi van nieuws. Ze waren gelukkig. Het was een soort betovering, een andere wereld. Ik mis Armin, besloot Cleaver. Een jacuzzi van nieuws was een stom beeld. De pop zat op zijn schoot. Ik voel me dichter bij Armin staan op dit moment, besefte hij, dan bij een van mijn eigen kinderen. Als iemand anders je zo verraden had, had Amanda gezegd, dan zou je gevochten hebben als een leeuw. Ze is jaloers, besefte Cleaver. Ze kan mijn zelfbeheersing niet geloven. Als ík dit had geschreven, protesteerde ze, dan zou je me vermoorden. Toen bedacht Cleaver dat zijn partner die intieme en vervloekte details aan zijn oudste zoon had gegeven om er zeker van te zijn dat haar Harry terug zou slaan. Ze wilde een gevecht.

Es wird regnen, meldde Hermann. Regen. Hij klakte vrolijk met zijn tong. Regen macht Spaß, nicht war? Is er een Herr Schleiermacher? vroeg Cleaver plotseling. Hermann draaide zich om. Hij leek het niet te begrijpen. Ze bevonden zich in een nauwe bocht tussen dennenbomen en zwerfstenen. De tuigage kraakte. Ik heb Herr Schleiermacher nooit gezien, zei Cleaver anders formulerend. Armins vader. Een langzame glimlach verspreidde zich over Hermanns smalle rode gezicht. Mijn broer, zei hij langzaam. Hij is weg. Wie sagt man? Weg voor een week. Hij is ein Jäger, weet je. Caccia. Hij is weg. De man maakte een vaag gebaar naar de bergen in het noorden. Mit seinem Hund. De hond. Er schiesst. Pang, pang! Die Rehe. Die Hasen. Cleaver pakte de pop en wierp hem in een hoek van de wagen. Je bent belachelijk, zei hij tegen zichzelf.

Nog voor ze het ravijn uit waren, klom het paard al in dikke wolken. Heb je Streichhölzer? vroeg Hermann. Feuer? Cleaver klopte op zijn jasje. De kartonnen dozen zullen vochtig worden, dacht hij. De lucht is zo nat. Toen begon de hond te blaffen, de hond van Trennerhof; ze bevonden zich op het plateau. Je kon voelen dat het opener werd, hoewel de mist dik was. Zo nu en dan zag Cleaver grote staken staan die het karrenspoor moesten markeren als het was gaan sneeuwen. De boerderij verscheen als een grijze vorm in vochtig witte lucht, vreemd ontastbaar, een vuile rook kwam uit de schoorsteen. Hermann stak zijn hand op. Een spookachtige verschijning stond bij een van de bijgebouwen, maar Cleaver zou niet kunnen zeggen wie het was. Het huis vervaagde alweer. We moeten ons haasten, lachte Hermann. Schnell, wir müssen uns beeilen. Ze ratelden een dunne mist in. Toen ze de bergweide overstaken, onderging Cleaver een gevoel van vervreemding. Het was een andere wereld. De wagen begon meer vaart te krijgen, reed nu bergaf. Zware, koude druppels spetterden op de dozen.

De gevallen stenen waren van het pad verwijderd. Bonkend en slippend, aan weerszijden dicht omsloten, bereikte de wagen de kleine open plaats voor het huis. De regen viel gestaag. Wat is de lucht stil, dacht Cleaver, je hoort alleen het getik van de regen. Hermann had een cape omgeslagen. Hij begon met grote snelheid te werken. De achterklep van de wagen klapte naar beneden. Hij nam een doos in zijn armen. Cleaver duwde de deur open, Olga in een hand. De rozenkrans zwaaide druipend aan twee spijkers heen en weer. Het ruikt naar oude kerken, dacht Cleaver, toen hij de donkere kamer in keek. Tien uur 's morgens en het is donker. Hij zette de pop neer en keerde terug om een doos te halen. Schnell! riep Hermann. Hij begon te lachen. We brengen een... einen Sarg naar beneden, riep hij, en boodschappen naar boven... Het water stroomde over zijn cape toen hij de dozen van de wagen tilde en ze aan Cleaver aanreikte. Sarg? dacht Cleaver. Hij had zijn cape stom genoeg ergens ingepakt. Een doos met ingeblikt fruit begaf het in zijn armen. Een blikje viel op zijn voet.

De donkere kamer raakte langzaam vol. Cleaver probeerde dingen opzij te schuiven om ruimte te maken. Nog een doos begaf het op de stenen vloer. Dozen met koekjes. Toiletpapier. Zijn kleren zaten in een nieuwe koffer. Je had je een soort contemplatief leven voorgesteld in een afgelegen woning, maar niet de praktische details van de aankomst, niet die man die je hebt ingehuurd en die luidkeels loopt te zingen alsof de regen een lolletje is. De tafel kraakte nu onder de dozen. Ze waren klaar. Hermann schudde er stevig aan met een hand en schudde zijn hoofd: Gefährlich. Hij begon de zware spullen op de grond te zetten. Een donderslag rolde tussen de rotspieken door. De regen werd dichter.

Fröhlichkeit! riep Hermann. Tevreden met de bevrijde tafel, liet hij zich op een stoel vallen en trok een flacon uit zijn zak, strekte zijn benen. Er staat geen bank, geen fauteuil. Cleaver keek rond en zag een paar grijze glazen op een plank staan. Hermann schudde zijn hoofd. Hij nam een slok en bood de flacon aan. Hun ogen ontmoetten elkaar in het schemerige licht. Wat heeft hij van me begrepen? vroeg Cleaver zich af terwijl hij de fles aannam. Ik heb niets begrepen van het Schleiermachergezin. Wat het ook was, het was sterk spul. Mijn vader, had zijn oudste zoon geschreven, dacht altijd dat vrouwen verliefd op hem waren. De hitte brandde tot in zijn maag.

Wat is dit? vroeg hij. Gebirgsgeist! verkondigde Hermann. Om een onduidelijke reden leek hij bijzonder met zichzelf ingenomen. Gewat? vroeg Cleaver. De paardenman herhaalde langzaam Ge-birgs-geist. Daarna in zijn clowneske Engels: spook van berg. Geest, corrigeerde Cleaver. Berggeest, zou je dan moeten zeggen.

Hij nam nog een teug. Op de bergen, toastte hij, op thuis. Hermann nam zijn flacon aan. Ja, ja! Die Heimat! Hij leek niet te kunnen spreken zonder te schreeuwen. Hij nam een lange slok en schaterde het toen uit. Unsere Heimat ist in Gefahr! Gevaar! Cleaver trok een wenkbrauw op. Waar ging dit over? Die Walschen! brulde Hermann. Italiener, Scheisse! Hij speelt de geest van de vorige oude bewoner, besefte Cleaver. De berggeest. Was dat wat Sarg betekende? Ze hadden de dode nazi naar beneden gebracht. Nu spelen we zijn geestverschijning. Heil Hitler, zei hij koud. Hermann werd haast hysterisch. Hij moest zijn vuist in zijn mond stoppen.

Toen wilde Hermann dat hij om een of andere reden meteen weer zou meekomen naar Trennerhof. Vertrag, zei de voerman. Unterschrift. Hij maakte een gebaar met zijn hand. Cleaver begreep het niet. Zijn kleren waren klam en ongemakkelijk. Het rook muf binnen. Hij baande zich een weg tussen de dozen en lichtte een oude stormlamp van een spijker bij de deur. Tegen de houten schroten van de muur hing een zwart-witgroepsfoto van een rijtje jonge mannen in uniform, ingelijst achter glas. Polizeiregiment, Bozen. Hoe steek je zoiets aan? Öl, zei Hermann. Er stonden stoffige flessen op een lange ruwe plank met lappen of kurken in de hals gepropt. Buiten werd de regen iets minder. De haflinger hinnikte. Hermann haalde de stoppen van de flessen en rook eraan, trok clowneske rimpels rond zijn neus. Öl, herhaalde hij. Hij liet Cleaver zien hoe hij de lamp moest vullen, de lont moest opdraaien en aansteken. Cleaver keek naar zijn ruwe, geoefende vingers, zijn vaste blik. Wat doe ik hier? vroeg hij zich af. Toen het gele licht opvlamde, werd de kamer donkerder. In films had je dat effect nooit. Cleaver droeg de lamp tussen de keukentafel en de oude haard door naar een lage deur met een afstapje de woonkamer in. Er is schoongemaakt, merkte hij. Er lag een verse stapel houtblokken bij de haard. Gemakkelijk.

Ze reden met de wagen terug naar Trennerhof. Cleaver had inmiddels begrepen dat hij een contract moest ondertekenen. Ondanks het gebrek aan alle openbare voorzieningen en de extreem afgelegen ligging, wilden deze mensen fiscaal correct handelen. Ze wilden duidelijkheid. Toen de wielen zich in beweging zetten zag hij dat er een decoratie van witte, knoestige takken was aangebracht onder de overstekende daklijst van het huis. Ze waren daar over de lengte van de muur tegenaan gespijkerd, met elkaar vervlochten als oude geweien of beenderen. Iedereen in Luttach weet dat je hier bent, verklaarde Hermann. Dit is niet Italië. Hoewel de belastingen aan de Italiaanse regering moesten worden betaald. Je kan melk krijgen, voegde Hermann eraan toe. Cleaver schatte dat de twee huizen iets meer dan een kilometer van elkaar af moesten liggen.

Op Trennerhof bleek de kamer waarin hij binnenkwam vreemd genoeg vol radio's te staan. Oude radio's op planken langs de muren. Sommige zagen eruit als museumstukken. Cleaver zette zijn hoed af. Er was zelfs een veldtoestel uit het leger, waarschijnlijk uit de laatste oorlog. Binnenstappend vanuit de regen, kon hij niet uitmaken of hij zich in een kroeg of een keuken bevond. Er was een toog met een tap aan de linkerkant en een grote haard van misschien wel twee meter hoog tegen de muur aan de overkant, met een bankje eromheen, een vaste ladder en een houten platform erbovenop, een bed misschien. In het midden van de kamer stond een lange tafel met stenen blad waar het gezin de maaltijd gebruikte. Het rook naar houtvuur en soep. Frau Stolberg leunde naar voren om hem een hand te geven, stijfjes. Die glinsterende ogen zijn een brandmuur, besloot hij. Ze wil niet besmet worden. Freut mich, zei Frau Stolberg. Ze was in het zwart.

Cleaver ging aan de lange tafel zitten met een blad papier voor zich. Hij hoorde gemompel. Het oude schepsel zat in een fauteuil bij de haard, haar vingers frummelden in haar schoot. Ik begrijp het niet, zei hij. Het blad papier was een fotokopie waarop verschillende lege plekken waren ingevuld in een keurig onleesbaar handschrift. Hermann kwam naast hem zitten. Hij wees met een vuile vinger op de sleutelvoorwaarden. Hij heeft blond haar op zijn knokkels. Frau Stolberg stond aan de andere kant van de tafel, haar armen over elkaar geslagen. De hoge jukbeenderen zijn uitdrukkingsloos. Het was vreemd dat ze hem niets te drinken hadden aangeboden. Hij voelde zich ongemakkelijk in zijn klamme broek. Ik moet afvallen. Je betaalt nu voor een maand. En twee maanden Kaution. Borg, raadde Cleaver. Daarna betaal je de eerste dag van de maand.

Net toen Cleaver de biljetten neertelde, ging er een deur open en verscheen de stads geklede vrouw. Ze droeg een lichtblauwe jas. Frau Stolberg zei een paar scherpe woorden tegen haar. De vrouw zei iets tegen Hermann. Cleaver hief zijn hoofd op. Hermann voelde zich ongemakkelijk. Ze is knap, merkte Cleaver. Achter in de dertig, maar op een ontspannen manier goed geconserveerd. Geelblond. Mijn vader, had zijn oudste zoon geschreven, beweerde dat hij zijn kansen om te scoren bij een vrouw in een fractie van een seconde kon bepalen. Die anekdote moest hij ook van Amanda hebben, hoewel Cleaver zoiets nooit gezegd zou hebben met haar erbij. Plotseling maakten de drie ruzie. De vrouw uit de stad verhief haar stem. Dit zijn beschuldigingen, besefte Cleaver. Er hing een groot kruisbeeld in de hoek boven het hoofd van de oude dame, zag hij nu, precies hetzelfde als in Unterfurnerhof. Twee gedroogde maïskolven hingen aan weerszijden, alsof ze aan Christus' genagelde handen hingen. Hermann schudde zijn hoofd. Wanneer ze dialect spraken verstond Cleaver geen woord. Alles smolt samen in een koppige massa geluid. Frau Stolbergs stem was bijzonder scherp. Ze moet een jaar of zeventig zijn. Toen ze het haar uit haar gezicht duwde, leek de vrouw uit de stad ineens een meisje. Ze tart het gezag, dacht Cleaver. Zij is de dochter. Hermann bemiddelde, trok zich terug.

Wilt u op Rosenkranzhof gaan wonen? vroeg de jonge vrouw aan Cleaver. Haar Engels was niet perfect, maar wel perfect duidelijk. Waarom? vroeg ze. Waarom wilt u daar blijven? Het is er verschrikkelijk.

Verrast liet Cleaver de diepe zucht ontsnappen die zo beroemd was geworden uit vele interviews. Ze is aantrekkelijker als ze kwaad is, dacht hij. Juist als het gedrag van een vrouw hem had moeten waarschuwen, had zijn oudste zoon geschreven, precies dán begon mijn vader zijn charmeoffensief, omdat zijn echte doel niet het genot was maar de verovering.

U kunt de winter niet op Rosenkranzhof blijven, herhaalde de vrouw uit de stad. Ze was fel. Het is er verschrikkelijk!

Misschien, zei Cleaver rustig tegen haar, kunnen we elkaar zo nu en dan zien, en dan zal ik proberen uit te leggen waarom ik daar wil wonen en kunt u me vertellen waarom het u zo van streek maakt.

Dit gesprekje had meteen een uitwerking op Frau Stolberg. Ze richtte zure woorden tot Hermann. Ze was boos. Verstaat ze Engels? vroeg Cleaver zich af. Dat leek niet waarschijnlijk. Frau Stolberg stopte het geld in de zak van haar schort. Of was ze bang dat er dingen gezegd werden die ze niet begreep? De toon van zijn stem beviel haar niet. Unterschrift, bracht Hermann hem in herinnering. Zijn vingernagel kraste over de plek. Hier, Unterschrift. Je naam.

We zullen elkaar niet meer zien, zei de jongere vrouw. Gelukkig. Ze liep door de kamer naar de haard en fluisterde in het Duits: Grossmutter, Oma. Frau Stolberg is ziedend, merkte Cleaver. Het kruisbeeld leek uit een knoest te zijn gesneden. Dat gedoe met die maïskolven, die daar hingen als de twee dieven, was merkwaardig. De oude vrouw bij het vuur sloeg haar glazige ogen op. Ziet ze iets of niet? De oude lippen beefden in een web van rimpels. Aarzelend spreidde ze haar armen voor een omhelzing. Cleaver zag een ketting van rode kralen rond haar gevlekte handen. Rosenkranz. Hij keek naar het contract. Frau Stolberg keek dreigend. Harry Cleaver, ondertekende hij.

Milch, zei Hermann zodra ze buitenkwamen. Hij liep in de richting van een van de schuren. De wolk trok op, maar alles was nat. Cleaver zag de blauwe koffer van de vrouw achter in de wagen liggen. Toen liep de hond om hem heen. Waar zijn al die radio's voor? vroeg hij. Ik bedoel, er is toch geen elektriciteit om ze aan te kunnen zetten? Het dier probeerde zijn snuit in zijn kruis te duwen. Af! De radio's? Van Jürgen, zei Hermann. Maar hij dacht aan iets anders. De ruzie met de stads geklede vrouw heeft hem van streek gemaakt. Hij duwde een ruwhouten deur open waar een strip van dik zwart plastic rondom was gespijkerd. Binnen stonk het verschrikkelijk. Cleaver moest op de drempel blijven staan. Käse! meldde Hermann. Zeg eens cheese! Hij had zijn glimlach weer gevonden.

De man die Cleaver op de begrafenis had gezien was bezig geweest met kommen en kranen aan de muur aan de overzijde en kwam nu gejaagd op hen af. Hij was groter dan Cleaver zich herinnerde, maar had een vreemde hoge rug. Hij veegde zijn handen af aan een zwart rubber schort, had een rond leren petje op zijn dikke, vuile haar. Jo, jo! Hij gaf een krachtige hand, grijnsde stompzinnig. Hij had dikke donkere wenkbrauwen als rupsen met nauwelijks een millimeter ertussen, pokdalige, ruwe en ongeschoren wangen. Freut mich, herinnerde Cleaver zich. Er was een voortdurend gemurmel te horen in de kamer. Ergens moest water stromen. Recht gutes Deutsch! Hermann was zichzelf weer. Hij sloeg de nieuwe huurder op zijn rug. Jürgen stond nog steeds wezenloos te glimlachen. Door de sterke stank van de kaas heen ving Cleaver een vleug alcohol op. De ogen van de man zijn rood. Ich will die Milch nehmen, zei hij. Deutsch, Deutsch, Deutsch! Hermann applaudisseerde. Elke goede regisseur zou al een tijdje gestopt zijn met draaien, dacht Cleaver.

Tegen de muur stonden twee metalen vaten in een tank met donker water; vermoedelijk kwam er aan de onderkant stromend water binnen dat weer wegliep via een overloop. Jürgen pakte een gedeukt blik dat aan een geïmproviseerde haak van ijzerdraad hing en dompelde het in een vat. Zijn bewegingen leken onnodig krachtig. Hermann leek nu op serieuze toon een soort beroep op hem te doen. Zijn stem klinkt minder joviaal in zijn eigen taal. Beide mannen droegen precies dezelfde ruige, donkerblauwe hemden, alsof het een soort uniform was. Waarom heb ik in vredesnaam met Harry ondertekend? vroeg Cleaver zich af. Hij was het allemaal beu. Maar melk is belangrijk. Hij heeft vijf pakken cornflakes ingepakt. Nadat hij de kan gevuld had, haastte Jürgen zich naar de andere muur waar kommen stonden op stenen schappen. In heel mijn vaders chaotische leven, had Cleavers oudste zoon geschreven, was het enige absoluut onmisbare ritueel – afgezien van de kranten, maar waarschijnlijk wel in een pavloviaanse verbinding ermee – zijn kom met graanproducten 's morgens. Vezelrijk voedsel voor een vlotte vertering, placht hij te zeggen als we gasten hadden. Het leuke aan onze vele gasten was dat mijn ouders minder ruzie maakten, hoewel je wel al mijn vaders woordgrapjes moest ondergaan. Käse, zei Hermann weer. Cleaver kreeg een wit bord in zijn handen met een korrelige, grijsgroene massa in een vel plastic gewikkeld. Danke schön, zei hij. Jürgen grijnsde nog steeds. Het was een gezicht waarop elke gedachte geheel leek te ontbreken. De radio's zouden wel eens een mysterie kunnen blijven, besloot Cleaver.

Buiten was de jonge vrouw al op de wagen geklommen en klaar om te vertrekken. Tot ziens, riep ze in het Engels. Ze leek nu vriendelijk. Ze is opgevrolijkt. Succes ermee! Hermann bood Cleaver zijn hand aan. Cleaver gaf hem een envelop met het overeengekomen bedrag. Danke schön! De paardenman was weer helemaal de oude. Wanneer je hulp nodig hebt, kom dan naar Onkel Hermanns stal, in Luttach! Hij klom op de wagen. Hij brengt de vrouw helemaal naar beneden, beseft Cleaver. Waarschijnlijk een nicht van hem. Ze is gekomen voor de begrafenis van haar vader, en nu gaat ze terug naar Bruneck of Brixen. Met de open tinnen kan met romige melk en het bord met de kaas in zijn handen, ging hij op weg naar Rosenkranzhof.

Het is niet gemakkelijk voor een dikke vijfenvijftigjarige om ruim een kilometer over een steil karrenspoor te lopen met een overvolle kan melk in een hand, en een bord met een groot brok grijze kaas in de andere. Ben ik opgetogen of doodsbang? vroeg Cleaver zich af. Hij was nu echt alleen. Eindelijk boven de geluidsgrens. Of was de belangrijkste stap juist het niet onderzoeken van zijn eigen gevoelens, er geen aandacht aan besteden, maar gewoon het moment beleven? Aan zijn linkerkant torende de ruwe rotsmassa van de Speikboden in een witte mist. Verderop lag het Ahrndal dat zich door een noordelijk panorama van wolken en steen en donkere dennenbossen slingerde. Het is niet waar dat je geen gevoel hebt voor spiritualiteit, wierp Cleaver tegen. Hij zei het hardop. Het is niet waar dat je niet verder kunt kijken dan de lens van een camera. Verdomme! Er werd plotseling geblaft bij zijn hielen. Precies waar het karrenspoor het ravijn in dook, had de hond van Trennerhof hem ingehaald. Geschrokken morste Cleaver een scheut melk. Verdomme nog aan toe! Meteen begon het dier het vuil op te likken. Ksst! Ga naar huis. Haus. Heimat! Het schepsel blafte opgewonden. Rot op! Een dikke oude hond, dacht Cleaver, met een grijze snuit en waterige ogen. Toen hij een schopbeweging maakte, kefte het dier en bleef uit de buurt, maar ging niet terug.

Cleaver liep de bossen in om zijn nieuwe woning in bezit te

nemen. Rosenkranzhof, mompelde hij. In zijn eigen kuil gevallen omdat enzovoort. Het was evident dat *In zijn schaduw* gehakt had gemaakt van de weerstand die de grote man had geboden aan de wens van zijn kinderen om een huisdier te hebben. Mijn vader was geobsedeerd en beheerst, had zijn oudste zoon geschreven – eerst waren het hamsters geweest – door de gedachte dat de relatie tussen mens en dier altijd met dominantie te maken had. Daarna kwamen konijnen, kanaries en goudvissen. De gedachte dat we domme schepsels – op het laatst honden – in onze macht hadden, was hem onaangenaam. Het kan me zelfs niet schelen of dat waar is of niet, besloot Cleaver, en legde zich erbij neer dat het natte dier naast hem bleef lopen. Hij dacht dat het slecht voor ons was en slecht voor hen, had zijn oudste zoon geschreven, omdat hij zélf uitsluitend in termen van macht, competitie en dominantie aan een relatie kon denken, en een dier, zei hij, was geen waardige tegenstander. Dat was een afslachting.

Ik had verdomme gelijk! Cleaver stopte en liet de melk even op een zwerfkei rusten. Het woud rond hem droop en fluisterde. Hij zag een paddenstoel. De publicatie van *In zijn schaduw* was per slot van rekening niets anders dan een moordend vertoon van macht van de kersverse auteur, een poging om een dodelijke slag uit te delen aan zijn vader. Ik sterf zelfs op het einde van dat rotboek, verdomme! Over afslachting gesproken! Mijn vader zag gewoon niet in, had zijn oudste zoon beweerd, dat het wel eens verrijkend kon zijn om intiem om te gaan met andere levensvormen. Bla bla bla. De hond van Trennerhof ging zitten, sloeg met zijn staart op de grond en piepte. Sla terug, had Amanda aangedrongen. Sleep hem voor de rechter, als je zo kwaad bent. Eerst vertrouwde ze de jongen allerlei intieme details toe, en daarna zei ze tegen Cleaver dat hij moest terugslaan als ze gepubliceerd werden. Als ze de kranten opensloegen, had zijn oudste zoon verteld, waren mijn ouders altijd reuzebenieuwd hoe die en die zou terugslaan als antwoord op de beschuldigingen van zus en zo. Dat was voor hen de lol van de media. Het nieuws was een altijddurende oorlog die alle antagonisten, winnaars én verliezers, in het middelpunt van de belangstelling hield. Alleen conflict is nieuwswaardig. Elke relatie is een machtsstrijd. Als mijn ouders niet aan het vechten waren, dan was het omdat ze een gemeenschappelijke vijand hadden gevonden.

Jíj, dacht Cleaver, rotjong dat je bent. Hij lichtte de kan weer van de zwerfkei en besloot er een beetje melk uit te drinken, voor het toch gemorst zou zijn. Er zat een steentje in zijn laars. Ik ben nu helemaal, volledig en totaal alleen, bracht hij zichzelf nogmaals in herinnering. Wat romig smaakte dat! Ik ben niet verplicht om over mijn zoons autobiografische roman na te denken. Ik hoef mijn wapen niet te kiezen. Ik zal zelfs niet weten, zei hij tegen zichzelf, of ze hem de Bookerprijs geven of niet. Zodra hij weer begon te lopen, volgde de hond hem. Cleaver draaide zich om: Hoe heet je?

Het was hier beslist kouder in het donker tussen de bomen. Op de grond kraakten de dode dennennaalden en de plekken waar de rotsbodem erdoor stak waren slijmerig van het roestkleurige en groene mos. Wie heisst du? probeerde hij. Het steentje kon wachten tot hij weer thuis was. De hond zijn tong hing uit zijn bek. Zijn ogen smeken. Toen bedacht Cleaver voor de eerste keer dat hij niet had teruggeslagen door dat interview met de president van de Verenigde Staten. Toen hij verstijfd van woede in de taxi zat op weg naar de studio's, had hij het pijnlijke conflict gezien dat in het verschiet lag. Er had zich een afgrond voor hem geopend. Hij zou een advocaat nemen. Amanda kende massa's advocaten. Hij zou een zaak aanspannen tegen zijn zoon. Mijn oudste zoon. Hij zou het boek uit de handel laten nemen. Dan zouden de messen pas echt getrokken worden. Dan zou er bloed vloeien, veel bloed. Meneer de president, had Cleaver gevraagd – hij had niets van het huiswerk gedaan dat je normaal gesproken doet voor zo'n interview – denkt u niet dat u met uw reactie op het terrorisme, met uw befaamde vastberadenheid om geweld met geweld te vergelden, dat u daardoor – en met u het Amerikaanse volk en zelfs de gehele westerse wereld – verstrikt bent geraakt in een cyclus van escalerende tegenstand, van slaan en terugslaan, waaruit nooit een winnaar kan voortkomen? Als we niet hadden teruggeslagen, antwoordde de president gladjes, dan waren we zeker de verliezers geweest. Cleaver struikelde over een losse steen. Hij morste nog een beetje melk. Weer was de hond erbij met zijn roze tong. Toen hij zijn evenwicht weer hervonden had, bleef Cleaver luisteren naar de stilte van het ravijn. Is dat een beekje in de verte? Het huis, had hij gezien, werd voorzien van water via meterslange primitieve houten goten. Helemaal alleen, fluisterde hij. Hij voelde zich vaag angstig, alsof hij elk moment gesnapt kon worden als indringer, alsof er iemand zat te kijken. Mettertijd zullen dit soort gedachten verdwijnen, besloot hij. De hond blafte en deed alsof hij aan zijn voeten trok. Hij weet waar we naartoe gaan.

Toen hij Rosenkranzhof bereikte, en dat was rond twee uur 's middags, merkte Cleaver dat de haflinger zich nauwelijks een meter van zijn voordeur ontlast had. Bracht dat geen geluk? De zware regenval had de stront zompig gemaakt. Hij beschouwde zijn eigendom, de grijze steen van de benedenverdieping, het ongeschaafde zwarte hout erboven, de lugubere trofeeachtige versiering van verbleekte en verstrengelde takken. Waarom hadden ze het hier gebouwd, verstikt onder de bomen, op die nauwe richel net onder de bovenkant van de kloof? Toen hij goed keek, zag hij dat er een laag mos tussen elke plank zat. Geen wonder dat het stonk. Loopt het pad nog verder door van hieruit? vroeg hij zich af. Dat moet ik onderzoeken. Hij moest zijn klamme kleding uitdoen. Zijn kruis doet pijn. Dit is je afgelegen woning, zei hij tegen zichzelf. Zo ver ben je gekomen. De dakpannen waren ook van hout, scheefgetrokken. Het was een hele prestatie, vond hij. De hond krabbelde aan de deur. Misschien was het de hond van de oude nazi geweest. Nu moet je alleen nog maar metamorfoseren.

6

Cleaver was tevreden over de vooruitgang die hij het eerste uur boekte. Hij verkleedde zich, pakte de etenswaren uit, het voorraadje gereedschappen en uitrusting, borg alles op in laden en kasten en op planken. De hond rolde zich op op een mat waarmee hij duidelijk vertrouwd was. Er waren vier kamers in totaal. De voordeur kwam meteen uit op een keuken met kachel, tafel en gootsteen. Bestek en serviesgoed waren oud en rommelig, maar iemand had ze afgewassen. Ze waren grijs, maar niet vuil. De muren waren allemaal ruw betimmerd. En iemand had alle rommel en spinnenwebben weggehaald die hij bij zijn eerste bezoek had gezien. Frau Stolberg, vermoedde hij. Of de jongere vrouw. Of het dikke meisje. Jürgen zou daarentegen de gevallen stenen wel van het karrenspoor gehaald hebben.

Dan ging je een treetje af naar de woonkamer met twee vormeloze zwarte fauteuils, een stenen vloer en een open haard met het versleten tapijtje dat de hond had opgeëist. Het is hier alleen maar zo donker, stelde Cleaver zichzelf gerust, omdat de ramen vuil zijn en er buiten takken tegen de ruiten drukken. Daar hadden de huiseigenaars niets aan gedaan, maar ze hadden dan ook niet veel tijd gehad. Er hing een grote opgezette vogel boven de schouwmantel. Was het een adelaar? Het was vast niet de stads geklede vrouw die had schoongemaakt, zei Cleaver tegen zichzelf, want dan had ze die toon niet aangeslagen toen bleek dat hij hier wilde gaan wonen. Misschien had Frau Stolberg voor zich willen houden dat ze het huis verhuurde. Gooi alles open op een heldere lichte dag, nam hij zich voor, en dan is die geur van vochtige meubels meteen verdwenen. Als lunch sneed hij een stuk worst af en legde het tussen twee plakken Vollkornbrot. Toen de hond kwam bedelen, negeerde hij hem. Als hij geen eten krijgt, gaat hij wel terug naar Trennerhof. Het was ironisch, bedacht Cleaver glimlachend, want toen we dan eindelijk een hond kregen – uiteindelijk gaf ik toch altijd toe – wie kon er toen mee gaan wandelen? Daar had zijn zoon niets over gezegd. De grote Harold Cleaver, meestal. De hond uitlaten, had hij ontdekt, bood een gelegenheid om het soort telefoontjes te plegen dat je niet zo gemakkelijk thuis voerde. Ik denk niet dat Amanda ook maar één keer met het beest is gaan wandelen.

Tegen de muur aan de andere kant van de woonkamer bevond zich een ruwhouten trap naar de eerste verdieping, maar onder de trap zat nog een deur met een knop. Een diepe voorraadkast was uit de rotsen gehouwen waar de achterkant van het huis tegenaan was gebouwd. Het was er koud. Cleaver wachtte tot zijn ogen aan het duister gewend waren en ontwaarde toen rijen naamloze flessen onder een dikke laag stof, een vaatje, een sikkel, een bijl, een schop, een zaag. Hier hadden ze niet schoongemaakt. Nog ander gereedschap. Het was het dikke meisje dat had schoongemaakt, dacht Cleaver, onder leiding van Frau Stolberg, terwijl de stads geklede vrouw in de woonkamer van Trennerhof bij haar in ontbinding verkerende grootmoeder zat. Oma, had ze haar genoemd. Maar ik heb dat gezin Schleiermacher totaal verkeerd ingeschat, bedacht hij. De grote, door spinnenwebben bedekte haken die uit het plafond staken, moesten voor hammen en worsten zijn bedoeld. Of misschien zelfs wild. De schop kon hij gebruiken om de paardenstront weg te ruimen. Hij stelde zich voor dat er een haas hing aan zijn achterpoten. Met een hond kan ik misschien leren jagen. Maar hij was hier niet gekomen om de plaatselijke bevolking te imiteren. Het was geen kwestie van aanpassen, van nieuwe gewoonten aannemen om de oude te vervangen. Integendeel. Ik wil helemaal geen gewoonten.

Toen begon Cleaver aan de trap. Het hout kraakte. Er was een zwak geluid van stromend water te horen. Het is niet veel meer dan een ladder, dacht hij. Bij zijn eerste bezoek had hij alleen zijn hoofd even boven het trapgat uit gestoken. Een typisch trekje dat iedereen opviel aan mijn vader, had zijn oudste zoon geschreven, en dat onveranderlijk irriteerde of amuseerde, afhankelijk van je kwetsbaarheid op dat moment, was dat hij graag de indruk wekte dat hij uit een gesprek meer, véél meer had begrepen dan je van plan was hem te vertellen. Cleaver duwde zijn hoofd in een stoffig zolderslaapkamertje. Je zei bijvoorbeeld dat je moeite had met de voorbereiding van een bepaald tentamen, dat je niet kon slapen, en dan zei hij o ja? alsof hij dwars door dit feit, dit symptoom heen keek, en er een kwellend psychologisch scenario in zag dat alleen maar erger kon worden, van het soort waar hij een documentaire over kon maken, als hij zichzelf maar zou kunnen losscheuren van duizend andere projecten. Er stond een houten eenpersoonsbed tegen de muur links van de trap, tegenover een vuil raampje, dat bijna geheel was verduisterd door dennentakken. Je zei bijvoorbeeld dat een vriendinnetje een vakantie had afgezegd omdat ze ziek was, en meteen zag je, aan zijn veelbetekenende grijze ogen, aan een plotseling samentrekken van de pupillen, dat hij daaruit had afgeleid dat ze een fobie had, dat ze zichzelf ziek had gemaakt om deze stap naar een grotere intimiteit met jou te vermijden.

Voorzichtig wipte Cleaver het slotje van het raam en trok. Na een beetje tegenstand draaide het venster naar hem toe, en liet een wereld van vochtige lucht en hars binnen. Hij stak zijn neus naar buiten. De licht wegnemende bomen rezen omhoog vanuit de diepte van het ravijn achter het zakdoekgrote stukje vlakke grond waarop het huis stond. Om kort te gaan, had zijn oudste zoon geschreven, wist mijn vader véél meer over jou en je vrienden dan je zelf ooit zou weten. Terwijl hij verder uit het raam boog om te kijken of het mogelijk was de dingen in te snoeien, dacht Cleaver aan het incident met het vriendinnetje van zijn zoon. Ik had uiteindelijk gelijk. De jongen was zijn energie aan het verspillen. Telkens wanneer de twee op het punt stonden te gaan samenwonen, verzon het meisje – het was beslist een knap ding – een of andere vreemde ziekte waardoor ze terug naar haar moeder moest. Je gaat niet naar bed met massa's van dergelijke schepsels, zei Cleaver hardop, zonder een zekere vertrouwdheid met het terrein te krijgen. Toen probeerde hij de deur van het kleine kamertje boven de keuken en merkte dat die op slot zat.

Cleaver keek rond naar de sleutel. Bij zijn eerste bezoek had de deur opengestaan toen hij zijn hoofd boven het trapgat uit had gestoken. Het was een oud, roestig sleutelgat. Deze slaapkamer is opmerkelijk kaal, realiseerde hij zich. Er was niets in achtergebleven. Hij herinnerde zich een hoop foto's, spulletjes, kleren, laarzen. Er had een militaire pet aan een spijker gehangen. Nu hing er een kruisbeeld aan dezelfde spijker. Zo wordt elke kamer op zekere manier dezelfde kamer, dacht hij. Of zelfs een kerk. Toen begon hij te vermoeden dat ze alle spullen van de oude man in het kamertje boven hadden opgeslagen en achter slot en grendel gestoken. In plaats van de kamer schoon te maken, hadden ze alle bewijzen weggehaald, maar ook bewaard. Stond het in het contract dat hij had ondertekend dat hij die kamer niet mocht gebruiken? Het uiteindelijke resultaat, had zijn oudste zoon geschreven, was dat je na zo'n persoonlijk gesprek met mijn vader altijd het gevoel had dat er duistere krachten aan het werk waren in je leven, krachten waar je niet van had durven dromen. Maar dat die geheimen voor je werden ontsloten, of misschien alleen voor jou werden uitgevonden, maakte de dingen er niet gemakkelijker op. Integendeel, je voelde je kwetsbaarder dan tevoren. Zijn documentaire over anorexia, ongetwijfeld gebaseerd op de ervaringen van een of andere maîtresse, won een prijs voor zijn 'waarnemingsvermogen en onvoorwaardelijk realisme', maar de waarheid was dat mijn vader er gewoon plezier in had om de melodramatische en hachelijke situaties van anderen als fascinerend en hopeloos te presenteren.

Maeve.

Cleaver rende de trap af, sneller dan verstandig was. Eén plank in het bijzonder protesteerde luidruchtig. Hij liet zich in een fauteuil vallen en keek naar Olga in de andere. Ze stond op het zwarte kussen in haar Tiroler rood en witte klederdracht. Je bent van plan hier maanden te blijven, bracht hij zichzelf in herinnering. Misschien jaren. Het was alsof de pop naar iets vlak achter zijn rechteroor staarde. Er zullen honderden van dit soort dagen volgen. Alsof ze naar een televisie keek. Of naar de opgezette vogel. Zijn vleugels gespreid in stof. En wat vind je er tot dusver van, Olga? vroeg hij hartelijk. Eventjes moest hij ongewild aan een of andere domme realityshow denken: *Paria Cleaver*. Je gedraagt je alsof je alleen bent, stelde hij zich voor, maar in werkelijkheid is er een cameraploeg bezig. De regisseur suggereert dat de pop wellicht voor wat conversatie kan zorgen. Anders zou ik tegen mezelf moeten praten. Er bestaan gemakkelijker fauteuils, vind je niet? zei Cleaver. Een klein psychologisch drama. Realityshow is uiteraard een contradictio in terminis. Hoewel niet zo leugenachtig als een documentaire.

De pop staarde glazig voor zich uit, maar de oude hond deed één oog open toen hij Cleavers stem hoorde. Zijn staart zwaaide langzaam heen en weer, sloeg een keer op het kleed, en toen ging het oog weer dicht. We hebben die verdomde hond na jaren van succesvol weerstand bieden uiteindelijk gekocht, herinnerde Cleaver zich – het was eigenlijk een hele mooie hond – doordat Angela een enorme overredingspoging had gedaan. Zijn dochter had gesmeekt, gepleit, beloofd: het zal me helpen bij het studeren als hij naast me zit, zei ze. Hij kan haar stem nog horen, haar listige glimlachje. Ze moet destijds zestien zijn geweest. Haar tot dan toe briljante schoolprestaties waren plotseling ingestort. Ze was opengebloeid. Cleaver was dol op haar. Je zou alles doen voor Angela, zei Amanda tegen hem toen de aankondiging was gedaan: we nemen een hond, mensen. Waarom vermeldde dat stomme boek van zijn zoon niet dat het Angela's hond was? Waarom voel ik me zo ongelooflijk gespannen? vroeg Cleaver zich af. Je bent nu alleen. Je kunt ontspannen. In plaats daarvan was het alsof er iets bijzonder onaangenaams stond te gebeuren, iets wat niet afgewenteld kon worden. Angela's bezittingen, herinnerde Cleaver zich, waren jaren op haar kamer blijven staan, hoewel niemand de deur op slot had gedaan. Is er iets wat ik niet mag zien? zei hij hardop. Verdomme!

Cleaver sprong op, ging terug naar de vieze stenen kast onder de trap, pakte de bijl, liep haastig het huis uit en naar het ravijn erachter. Er was nauwelijks dertig centimeter glibberige grond hier tussen de vochtige muur van het huis en de afgrond. Het eerste wat ik had moeten doen was een vuur aansteken, zei hij tegen zichzelf, om het huis droog te maken, van mij te maken, om die schimmelige geur kwijt te raken. Maar nu ging hij op een rotsblok zitten en zocht een stevige plek om zijn voeten neer te kunnen zetten tussen de drijfnatte varens en dunne stammetjes en zwerfstenen boven aan het ravijn. Weer een natte broek.

Hij gleed uit, greep zich vast aan een tak, vond toen een stevige plek om te staan, en haalde meteen uit met de bijl om de ergerlijke dennenbomen te lijf te gaan. Er waren er minstens drie die weg zouden moeten. Er moet hier verdomme wat licht komen, riep hij. Hij had het probleem niet vanuit een technisch standpunt bekeken. Hij stond griezelig te wiebelen een paar meter onder het niveau van het huis. Wanneer heb ik ooit een bijl gebruikt? Het blad zonk zo diep in de dunne stam dat hij het eruit moest rukken. Dit karweitje had evengoed tot morgen kunnen wachten, of tot de volgende week zelfs. Je hebt je beddengoed niet eens naar boven gebracht. Maar hij wilde het nu doen. Hij wilde die bomen vernietigen. Het alleen zijn heeft me helemaal niet gekalmeerd, besefte hij. Hijgend keek hij over zijn schouder. De grond verdween in de diepte van het ravijn onder hem. Gelukkig zijn er bomen en zwerfkeien om een val te breken. Zijn voeten stonden stevig. Oké, één dan, zei hij. Ik hak één boom om. Cleaver zwaaide weer met de bijl. Op z'n minst één. Op die manier zal ik iets bereikt hebben. Zal ik mijn stempel gezet hebben.

Rotzak! Cleaver was verrast zowel door zijn eigen kracht als door de ferme weerstand van die ogenschijnlijk magere dennenboom. Het wapen was zwaar, zwaaide woest. Verdomme. Hij zweet. Ik heb grotere kerstbomen gehad dan dit exemplaar, mopperde hij. Hij wist dat hij zijn zelfbeheersing kwijt was. Hij wilde niet weten waarom. Er dreigde iets. Verdomme, verdomme, verdomme! Een voet gleed weg. Hij deelde een furieuze klap uit. Eindelijk klonk er een hard gekraak. De dunne boom draaide en viel zijwaarts tegen de muur net naast het keukenraam. Meteen begon de hond te blaffen. Het ondier was er wakker van geworden. Het beest kwam naar de hoek van het huis gesprongen en jankte, zijn voorpoten net op de rand van de afgrond. Cleaver stond zwaar te hijgen en veegde het zweet van zijn voorhoofd met zijn hemd. De hond die ze hadden genomen – hoe heette die ook weer? – jankte altijd als Angela piano speelde. Per slot van rekening was het Angela's hond. Ivan. Een mooie labrador. Daar had zijn zoon niets over gezegd. Hij had niets gezegd over Angela's bijzondere pianotalent. Alleen de piercings en de tatoeages, de joints en de pillen; allemaal erg overdreven, alsof ze een hopeloze drop-out was. Hij had niet gezegd dat zijn tweelingzus een muzikaal genie was. Als er iemand in dit huis ooit een meesterwerk produceert, was Cleaver gaan zeggen als ze hem ermee plaagden, dan zal het Angela zijn. Het was onvermijdelijk dat een meisje dat keyboard speelde in een band, met een pilletje of twee experimenteerde. Armin doet dat waarschijnlijk ook. Heb ik dat zelf niet gedaan in mijn tijd? Niet vanwege de problemen tussen haar ouders, in godsnaam. Frau Schleiermacher leek een uitstekende moeder. Mijn zoon was jaloers, besefte Cleaver. Waarom was dat nooit in hem opgekomen? Jaloers op mijn relatie met zijn zus. Toen hij probeerde de volgende boom te bereiken, stootte hij zijn enkel. Of die van haar met mij. Hij gleed weg, moest zich aan een lagere stam vastgrijpen, schaafde zijn knokkels. Iedereen eiste mijn aandacht op. De hond blafte. Stil! En die van Angela. Cleaver klemde zijn kaken op elkaar en haalde machtig uit. Waarom heeft hij daar niets over gezegd? Hij heeft een beeld geschapen van Angela, zei Cleaver hardop, dat mij in een zo kwaad mogelijk daglicht moest zetten, een versie die me bijna verantwoordelijk maakte voor haar dood. Angela was geniaal! schreeuwde Cleaver. Hij raakte de boom weer. Deze was dikker dan de vorige. De piano staat nog steeds op de ereplaats in de woonkamer waar de zondagse kranten worden gelezen. Nu nog, op dit moment. Waarom heeft hij niets gezegd over Angela die piano speelde terwijl wij de kranten lazen? Je hebt de herinnering aan je tweelingzus verraden om mij te pakken, etterbuil! Tot zijn verrassing viel de boom om. Was waarschijnlijk rot geweest. Cleaver moest zich snel uit de voeten maken toen het zware ding in zijn richting viel. Er was een verschrikkelijk gekraak te horen. De hond werd wild. Alex! riep Cleaver. Ik zal je Alex noemen. Meteen werkte de dikke man zich op handen en voeten tegen de helling op. De telefoon! Waar heb ik de telefoon gelaten?

Cleaver sleepte zijn koffer de trap op – het zou hier nu een beetje lichter moeten zijn – en maakte hem leeg op bed. Het was nog steeds duister. De mobieltjes zaten in een zijvak. De ruiten zijn smerig, dat is het probleem. Toen hij het raam opendeed, riskeerde hij het rotding te breken. Het klemde in een hoek. Maar hij heeft licht nodig. Mijn ogen zijn zo slecht. Hij zou zelfs de namen op de adreslijst van de telefoon niet kunnen lezen. De grootste boom moest nog steeds omgehakt worden. Dat zal ik morgen doen.

Terwijl hij uit het raam hing boven de wirwar van gebroken takken en de donkere diepe wonde van het ravijn, zette hij de rode telefoon aan. Op de berghellingen aan de overkant waren de dichte wouden slechts onderbroken door rotsen van grijze steen, de witte draad van een waterval. In zijn handpalm lichtte het schermpje op en ging toen uit. De batterij is leeg. Dat wist je! Hij schudde met het ding. Je wist dat hij leeg zou zijn! Nu krabbelde de hond hem achterna de trap op. Rot op! Kan ik niet even alleen gelaten worden. Amanda was laaiend geweest omdat Ivan naast Angela's bed had geslapen. Ik vond het helemaal niet erg. Cleaver had de obsessionele hygiëne van zijn partner nooit gedeeld, dat meteen naar de badkamer rennen na de seks. Hij haatte dat. Edelachtbare, ik voer als gegronde eis tot scheiding aan dat mijn vrouw altijd naar de badkamer rent na de seks. Maar jullie zijn nooit getrouwd.

Terwijl hij nog steeds op het knopje drukte dat zijn telefoon had moeten aanzetten, besefte Cleaver ineens, ofschoon nog vaag, dat wat hem het meest aan het boek van zijn zoon had geërgerd, niet was, of niet alleen was, wát het over het verleden zei, maar het verleden zelf, geheel los van het boek, het verleden waar zijn zoon niets over gezegd had. Hoe kon de jongen over Angela schrijven zonder het te hebben over alles wat gezond en zelfs briljant aan het kind was geweest? Pas nu besefte Cleaver dat de krassen en afgebladderde vernis op de trap het gevolg moesten zijn van deze stinkende hond met zijn lange nagels die zijn vette lijf elke dag achter zijn ouder wordende nazibaasje aan naar boven sleepte. Ga naar beneden, verdomme! Ik wil niemands baasje meer zijn, besloot Cleaver. Ik wil met niemand nog een relatie. Hij probeerde het dier met zijn voet weg te duwen. Hij had de moed niet te schoppen. Hoe cynisch en onnadenkend wreed hij ook was, had zijn oudste zoon geschreven, toch was mijn vader eigenlijk een doetje als er krachtig moest worden opgetreden. Zelfs dat wordt tegen me gebruikt. En ze bekroonden een schrijver die een uitdrukking gebruikte als 'krachtig optreden'! Ik duw het beest krachtig de trap af.

Maar reeds was Cleaver in de koffer op zoek naar de grijze telefoon, zijn kantoortelefoon. De hond lag al op de kale planken naast het bed. De oude nazi sliep met zijn hond, besefte Cleaver.

Hij was een doetje. Het beest was misschien wel vijftien jaar oud. Hij zag er luizig uit. De man had dus niet echt alleen geleefd. Hij had zijn hond naast zijn bed gehad. Hoe lang was het geleden dat Angela was gestorven? Vijftien? Zeventien? Er waren toen allerlei dingen gebeurd die je niet begreep. Het leven veranderde. Maar mijn documentaire over rouwverwerking werd alom geprezen. Hij herinnerde zich vooral het onderdeel over het huisdier dat overal naar zijn overleden vrouwtje zocht. Het was vreemd dat je het woord vrouwtje gebruikte bij honden.

Cleaver zette de telefoon aan. Het is wat mijn zoon níét heeft willen zeggen wat me dwarszit. Goed. Er waren twee streepjes verschenen op de batterij. Waarom ben ik dan van plan hem te bellen? Kom op, kom op, mompelde hij. Geen enkele ontvangst. Praten over wat er echt was gebeurd. Laten we praten. Het er allemaal uit gooien, hem een paar dingen laten toegeven. Laten we het eens echt uitpraten. Hoe kon hij zo'n boek schrijven zonder te zeggen wat er echt gebeurd was? Nu is de batterij wel opgeladen, maar is er geen ontvangst. Cleaver hing uit het raam, met de telefoon op armlengte afstand. De rotzak. Het kozijn drukte in zijn pens. Hij had zijn enkel lelijk geschaafd. Ik heb me flink gestoten. De ellendige rotzak. Niets. Je bent hier gekomen, bracht een stem hem in herinnering, precies om buiten ontvangstbereik te zijn van een mobieltje, en nu hang je hier boven een afgrond van driehonderd meter uit het raam in de hoop een signaal te ontvangen.

Cleaver haastte zich de trap af. Het is de vierde tree van boven die zo onheilspellend kreunt. Hij is er zich nu terdege van bewust dat hij zich irrationeel gedraagt. Waarom? Waardoor ben ik me zo krankzinnig gaan gedragen? Net nu ik eindelijk alleen was. De hond hobbelde de trap weer af. Cleaver wendde zich tot het beest. Rot op, hond! Ga een boek schrijven!

Hij rende het huis uit en begon met fikse tred het karrenspoor omhoog te volgen. Het is het ravijn dat de ontvangst belemmert, besloot hij. Ik pleeg nog één laatste telefoontje. Boven Trennerhof zou er wel iets zijn. Het uitpraten met mijn zoon. Ik ben geen lafaard. Ik zal de confrontatie aangaan. Ik had de confrontatie aan moeten gaan zodra ik het ding onder ogen kreeg. Ik had op z'n minst met hem moeten spreken voor ik vertrok. Wat heeft het voor zin om tekeer te gaan tegen de president van de Verenigde Staten als je niet met je zoon kunt spreken?

Maar nu moest hij stoppen. Hij was buiten adem. Zijn borst doet pijn. Hij heeft een bloedsmaak in zijn mond. Jezus! Zodra hij op een nat rotsblok was gaan zitten, was de hond er weer. Cleaver snakte naar adem. Het stomme beest heeft besloten dat ik zijn baasje moet vervangen. Of haar baasje, als het een teef is. Voor hem zit er geen verschil tussen mij en een stokoude nazi. Geest van de bergen. In zijn documentaire had Cleaver een hond laten zien die steeds huilde als hij de klank van een viool hoorde. Zijn overleden baasje had in een orkest gespeeld. Bij ons thuis had niemand meer op de piano gespeeld sinds Angela's dood. Hij en Amanda hadden er niet op aangedrongen, herinnerde Cleaver zich, dat Phillip en Caroline met hun lessen zouden doorgaan. Angela was de musicus. Angela was dood. De kinderen wilden niets liever dan stoppen. Daar had zijn zoon niets over gezegd. Alex! Cleaver streelde de oren van de hond. De pijn zakte nu weg. De muziek was met haar gestorven, dacht hij. In een stom verkeersongeluk. Hoewel hij ervan overtuigd was dat hij elk moment kon sterven, had zijn oudste zoon geschreven, heeft mijn vader altijd geweigerd om een medische check-up te laten doen. Hij was bang dat theater wel eens realiteit kon worden, of juist dat er geen reden voor paniek zou zijn. Wat ik hem ga vragen – Cleaver stond op – is waarom hij dat jaartje van Angela's rebellie heeft opgeblazen tot zoiets veelbetekenends, en geheel verzuimd heeft om iets te zeggen over het muzikale genie van zijn tweelingzus, de aanmoedigingen die ik haar heb gegeven, de dure synthesizer, de toestemming op reis te gaan met een band toen ze nauwelijks zeventien was. Ze is gestorven omdat ik haar toestemming had gegeven, omdat ik in haar geloofde.

Cleaver begon het pad weer te volgen, een tikje rustiger nu. Hij hield de telefoon voor zijn ogen. Geen ontvangst. Hij voelde zich echt niet goed. De hond waggelde naast hem mee. Die hond heeft net zo'n slechte conditie als ik, dacht Cleaver. Hij is stokoud. Hij zoekt schaamteloos gezelschap, terwijl ik juist alleen wil zijn. Waarom probeer je dan nu te bellen? Hij stopte. Ik zou kunnen braken, dacht hij. Het verlies van een dierbare, had de voice-over in zijn documentaire gezegd, is een vorm van betovering waarbij de persoon die constant aanwezig is in je geest, in werkelijkheid afwezig is.

Cleaver klom door. Hetzelfde kon gezegd worden van een verloren liefde, bedacht hij. Hij had die zin eigenlijk gestolen, herinnerde hij zich nu, met hier en daar een ander woord, uit een of andere huilerige roman over de midlifecrisis. Stierlijk vervelend. Toen hij op de hoogvlakte uit het bos kwam, realiseerde hij zich plotseling dat het waaide. Ik loop te zweten en het is koud. De hond blafte. Toen lichtte het schermpje op. Er was ontvangst. Cleaver stond stil. Het was weer weg.

Hij deed een stap terug, bewoog de telefoon heen en weer alsof het een geigerteller was. Niets. In de verte liet Trennerhof een rookkrans los in de invallende schemering. De wind trok hem oostwaarts mee door het zwakke licht boven het ravijn. Een streepje ontvangst, daarna weer niets. Wat doe ik hier? vroeg Cleaver zich af. De batterij was van twee naar één streepje gezakt. Wanneer ik echt met hem zou spreken zou mijn zoon uiteraard antwoorden dat hij niets over die dingen gezegd had omdat het een roman was. Het is *fictie*, pa. Cursief in zijn stem om me voor schut te zetten. Mijn zoon zit te wachten op dit telefoontje, besefte Cleaver plotseling. Wanneer je een boek schrijft waarmee je een van de leden van je gezin aanvalt, nee, met de grond gelijk maakt, het machtigste gezinslid, dan verwacht je natuurlijk op z'n minst een hard telefoontje. Daar ben je klaar voor. Het is maar een roman, pa. Hij kan de wat hoge, defensieve stem van zijn oudste zoon horen. Er staat een disclaimer in, weet je nog. Het zijn *geen* memoires, pa. De jongere kinderen, dacht Cleaver – Caroline, Phillip – waren erg aan zichzelf overgelaten na Angela's dood. Hij keek aandachtig naar het scherm, wachtte tot het signaal zou verschijnen. Je relatie met hen heeft nooit dezelfde intensiteit gehad. Zodra ik ontvangst heb, bel ik, besloot hij. Noch hij noch Amanda had de kracht gehad om pianolessen verplicht te stellen. Het geluid zou alles verschrikkelijk in herinnering brengen. Anderzijds hadden ze de piano nooit weggedaan. En het was surrealistisch, besloot Cleaver plotseling, en obsceen, dat Amanda Priya op de begrafenis had uitgenodigd zonder dat tegen me te zeggen. Je kan het verleden, mijn verleden, niet zomaar herschikken, zou hij tegen zijn zoon zeggen zodra het ontvangstsignaal verscheen, om je vader in een zo kwaad mogelijk daglicht te zetten, en er vervolgens mee wegkomen door te beweren dat het fictie is. Juist door zijn valsheid verplicht de leugen ons op zoek te gaan naar de waarheid. We zijn nooit echt meer minnaars geworden, herinnerde Cleaver zich. Vanaf dat moment was het een schijnvertoning.

Plotseling wist Cleaver zeker dat hij een verkoudheid aan het oplopen was. Dit wordt nog je dood. De achterkant van zijn nek is ijskoud. Waarom heb ik mijn hoed niet op? Hij keerde om en volgde het pad terug naar Rosenkranzhof. Hij kon zich niet herinneren waar hij zijn hoed had gelaten, mijn mooie grijze, breedgerande hoed. De rotsen, het kreupelhout, de brandnetels en de kleurige mossen, de op de rotsen vastgegroeide wortels, de schimmels op de boomstammen, ze worden al vertrouwd. Zet de telefoon niet af, besloot hij. Laat de batterij leeglopen. Laat doodgaan. Zijn zenuwen bedaren. Je moet elke verleiding wegnemen. De hond draafde naast hem, duidelijk blij met het besluit terug te keren.

Tegen de tijd dat Cleaver het huis bereikte, was het aardedonker. Ik heb zeker niet goed opgelet, besefte hij. Hij had niet gemerkt hoe snel het was gaan schemeren. Zonder een serie afspraken, het strakke schema van studio's en nieuwsprogramma's, heb je de neiging om niet meer op je horloge te kijken. Hij haalde diep adem. Hij had nog een klein stukje te gaan en hij zag nauwelijks waar hij zijn voeten neerzette. Het pad had hier diepe voren. Het was niet goed om tussen de bomen door naar de hemel te kijken; de grond werd er zwarter door. Mijn god. Gelukkig waggelde de hond voor hem uit. Hij zorgt ervoor dat ik nog net iets kan zien in het donker. Zijn vacht glimt. In elk geval vrolijkte het Cleaver op dat hij zich moest concentreren en op zijn stappen letten. Wat is het donker in het woud! Het leek nu al ongelooflijk dat hij van plan was geweest zijn zoon te bellen. Het was begonnen door die afgesloten kamer, herinnerde hij zich. Ja toch? Alex, riep hij naar de hond. Weer had hij dat vage gevoel dat hij zich op verboden terrein begaf. Dat hij betrapt zou worden. Het beest keek om met openhangende bek, zijn ogen zwak zichtbaar. Ik zou natuurlijk gewoon het slot kunnen openbreken, zei Cleaver tegen zichzelf. Hoewel dat nauwelijks zin had als de kamer vol stond met oude troep. Wat kan mij het schelen? Ik heb ruimte genoeg zonder. Het is niet mijn troep.

Hij liep heel langzaam, verzette voet na voet in de ongelijkmatige duisternis. Deze frisse lucht kan alleen maar goed voor je zijn, dacht hij, na Londen, na een leven van studio's en kantoren, taxi's en treinen en vliegtuigen. Hij ademde nogal theatraal, prees zichzelf gelukkig. Waarschijnlijk geen enkele vervuiling. De hond liep een paar stappen door en kwam terug, liep weer door en kwam terug. Hij wil me beschermen. En het was vreemd hoe het dier Cleavers behoefte leek te begrijpen om het een naam te geven, zelfs al was het niet de naam die het altijd had gehad. Toen hij de open plek voor het huis bereikte, stapte Cleaver in de stront die de haflinger had achtergelaten. Hij lachte. Heilige Maria moeder van God, zei hij, en raakte de kralen aan de deur aan toen hij zich de skeletachtige vingers van de oude vrouw in Trennerhof herinnerde. Hij trok zijn schoenen uit op de drempel. Opgevoed als protestant en afgezakt tot atheïsme. Hij glimlachte. Misschien was de enige manier om tot God terug te keren de volledige uitschakeling van het bewustzijn, bedacht hij nogal bizar.

Maar waar had hij de lucifers gelaten? In de donkere keuken stapte Cleaver voorzichtig rond op klamme sokken, liet zijn hand over de verschillende oppervlakken glijden. Ik moet veel systematischer worden. Het houten tafelblad was gevaarlijk ruw. De zaklamp zit nog steeds in een of andere doos. Van nu af aan moet ik weten wanneer het donker wordt, moet ik zeker weten waar alles ligt. Ze lagen niet op de kachel, noch op de trap. Hij tastte weer de oppervlakken af. Iets wat een film nooit echt kan laten zien, zei hij hardop, is hoe het aanvoelt om in het donker te zijn. Ze lagen niet bij de gootsteen. Cleaver was dat probleem al een aantal malen tegengekomen. Je kunt alleen maar zinspelen op de verwarring waar de geest in verkeert in het donker. Weer verwonderde hij zich bij de gedachte aan al die oude radio's, en geen stroom om ze aan te kunnen zetten. Ik bevind me eindelijk buiten het hoogspanningsnet, bedacht hij. Wat er van moge komen. Hij had ooit eens geprobeerd *Spervuur* een paar minuten vanuit een totale duisternis te leiden, alleen maar om iedereen te tonen hoe essentieel het kijken is bij het spreken, hoezeer de kijker méér geïnteresseerd is in de show dan in het praatje. Waarom heeft mijn zoon dat niet in zijn boek gezet? Er hadden drie of vier gasten op twee banken gezeten. Toen de lichten uitgingen, had niemand iets willen zeggen. Er werd zenuwachtig gegiecheld, gefluisterd. Cleaver rechtte zijn rug. Waar zijn de lucifers? De hond piepte. Hij wil eten. Hij stinkt. Zelfs in huis was het koud. Ik moet een vuur aansteken en iets te eten maken. Ik heb me vaak afgevraagd, had zijn oudste zoon geschreven, waarom mijn vader nooit iets aan zijn eetgedrag heeft veranderd. Cleaver ging in het donker op een stoel zitten. Omdat Amanda me bleef voeren als een zwijn, natuurlijk. Omdat we altijd gasten hadden. Omdat het niet sociaal zou zijn om niet te eten, niet te drinken. Omdat ik graag eet en drink. Waar heb ik in godsnaam die lucifers gelegd! Het is hier zo stil, dacht hij. Zonder enige waarschuwing vooraf werd er op de deur geklopt.

Cleaver verstijfde, keek voor zich uit. De grotere vormen van de kamer waren net te ontwaren: de kast, de tafel. Een spoortje licht van het raam, een gedruppel van water uit de tank boven de gootsteen. Dat kon toch geen klop geweest zijn. Dan had de hond geblaft. Alex! fluisterde hij. Waar is een hond dan voor? Het beest verroerde zich niet. Misschien is hij half doof. Er werd nogmaals geklopt, heel duidelijk. Twee harde tikken. Ditmaal stond de hond op en ging verwachtingsvol bij de deur zitten. Toen hij kort blafte, zei een schorre vrouwenstem: Uli! Met een geknars van hout op steen begon de deur open te gaan.

Hallo, zei Cleaver. Een breed silhouet vulde de bleke rechthoek van de deur. Het dikke meisje, realiseerde hij zich. Uli! riep ze. Toen volgde een stroom van woorden. Maar nu schrok ze ervan Cleavers hoofd daar in het donker te zien drijven. Ich kann nicht mein Feuer finden, probeerde Cleaver. Hast du Feuer?

Er was een geritsel te horen en een krachtige lichtbundel zwaaide de kamer in. Uli, zei ze weer, en wees met de lantaarn. Der Hund. Meteen zag Cleaver de lucifers liggen op de vloer bij de andere stoel. Je trapt wel in een enkele hoop stront bij het oversteken van een open plek, en dan slaag je er niet in over een reusachtige doos lucifers te struikelen als je tien minuten heen en weer strompelt op een paar vierkante meter.

De lamp stond op tafel. Hij stak de lont aan die begon te walmen. Het meisje knipte de zaklamp uit. Ze stond stuntelig in de deuropening met afgezakte schouders, een hand opgeheven om met mollige vingers in haar oor te knijpen. In het gele licht kan hij een donkergroene trui ontwaren, een strakke broek over zware dijen. Ze hurkte en pakte de kop van de hond in haar handen. Uli! Dat klinkt als een meisjesnaam. Uli, komm. Ze draaide zich om en wilde vertrekken.

Willst du... begon Cleaver. Het grote meisje aarzelde. Ze is een jaar of zeventien, dacht Cleaver. Ze droeg een ruim vallende blauwe werkkiel. Op tafel walmde de lamp verschrikkelijk. Hij kon niet uitmaken of ze achterlijk was of zo. Ze had een haakneus en vlezige lippen. Geen vrouw was te jong voor mijn vader, had zijn oudste zoon geschreven, geen generatiekloof te diep. Willst du trinken? Ze hoefden niet eens knap te zijn. Wie anders dan Amanda kon zo'n monsterlijke leugen verteld hebben? En met welk ander doel dan een strijd uit te lokken?

Het meisje zette twee stappen in de kamer, pakte de olielamp, ging op haar tenen staan, en hing hem aan een ketting die Cleaver nu voor het eerst aan de middelste balk van het plafond zag bungelen. Het was een zwaar, krachtig lijf, tot aan de dijen verstopt onder ruime kleren. Weer wees ze naar de hond. Ze was aan het uitleggen dat ze op zoek was geweest naar de hond. Ich habe... Wasser, glimlachte hij, Milch, Wein, Whisky. Hij had zijn supermarktflessen op een rijtje op een plank gezet. Und Bier.

Het meisje wierp een snelle blik door de kamer, alsof ze verrast was dat ze de kans kreeg een kijkje te nemen. Weer hief ze haar linkerhand op om aan haar oor te trekken. De hond piepte en probeerde in zijn staartwortel te bijten. Ze vergelijkt de kamer met hoe het eerst was, dacht Cleaver. Er was opperste verbazing in haar ogen te lezen. Haar wangen waren mollig, maar niet lelijk. Kleine ogen, bezorgd. Ga zitten, gebaarde Cleaver vriendelijk. Sitzen Sie, bitte. Hij vroeg zich af of wat hij zei wel begrijpelijk was. Het moest vol fouten zitten.

Het meisje ging plotseling zitten. Ze zei iets wat als een verklaring klonk. Ze boog om de hond te aaien. Het was ongetwijfeld Frau Stolberg die haar haren zo vreselijk kort heeft geknipt. Cleaver herinnerde zich dat Angela was thuisgekomen met een geschoren schedel. Het was alsof ze expres haar vrouwelijkheid verwoestte in een protest tegen haar vaders rokkenjagerij, had zijn oudste zoon geschreven. Ze had er mooier dan ooit uitgezien, herinnerde Cleaver zich. Een vreemde, stralende, kwetsbare schoonheid. Hij ging een biertje halen. Ist das deine Hund? vroeg hij. Het meisje leek het niet te begrijpen. Uli? Jo, Uli.

Cleaver had de flessenopener gevonden. Hij schonk twee glazen in. Het meisje stond op, schoof haar stoel achteruit, en bewoog zich met gebogen schouders in de richting van de woonkamer. Wil je daar naar binnen? vroeg Cleaver. Hij zag nu heel duidelijk dat ze geen nek had. En een weke kin. En ze had een lijfgeur, een dierlijke mufheid die bij de algehele vochtigheid paste.

Kalt, zei ze. Ze sloeg haar armen om een volle boezem en deed net of ze rilde. Feuer. Ze voegde er nog iets aan toe wat op een vraag leek. Cleaver haalde zijn schouders op, trok een niet-begrijpend gezicht. Ze wilde hem niet aankijken: ze ging terug naar de tafel, pakte de doos lucifers, strekte zich om de lamp van zijn haak te tillen en liep naar de woonkamer. Hij volgde. Ze had de lamp aan een andere ketting gehangen en knielde al bij de haard. In een doos lagen gekliefde houtblokken, maar geen aanmaakhout, geen papier, geen aanmaakblokjes. Ze ging snel en precies te werk, schikte de blokken zodat de drie ruwe uiteinden elkaar bijna raakten en legde er toen nog twee op.

De hond kwam erbij en strekte zich uit alsof het vuur al brandde. Cleaver zette haar glas op de schoorsteenmantel. Het rokerige licht maakte alles interessant en zelfs aantrekkelijk. Hij ging in de fauteuil tegenover Olga zitten terwijl het meisje geknield bezig was. Ze streek een lucifer af. Toen hij zijn hoofd bewoog zag hij dat ze hem liet afbranden tot aan haar vingertoppen. Bij de derde lucifer vatte het hout vlam. De drie ruwe uiteinden begonnen tegelijk te branden. Het meisje stond op en draaide zich om. Weer was er iets als bezorgdheid in haar ogen. Danke schön, zei hij. En toen: Ich habe een Tochter... hij wist niet hoe hij moest zeggen, van jouw leeftijd, wat misschien niet eens waar was. Nu had ze de pop gezien. Mooi hè, zei Cleaver meteen, nicht wahr? Sie heisse Olga. Het meisje pakte het glas bier, bekeek het en sloeg het in een teug achterover. Ze wilde vertrekken.

Wie heisst du? vroeg Cleaver. Hij voelde het als een uitdaging haar zover te krijgen dat ze bleef. Bier? Nog een glas? Hij gebaarde naar Olga's stoel. Ich heisse Harry, zei hij. Harry is gemakkelijker dan Harold, dacht hij. Het meisje aarzelde, onzeker. Ze is het niet gewend uitgenodigd te worden, concludeerde Cleaver. Ze hurkte weer bij de hond. Achter haar begon het vuur de kamer in beroering te brengen met flakkerend licht. Cleaver stond op, pakte haar glas en ging terug naar de keuken om het nog eens te vullen. Het was hier haast donker. Wat is dit allemaal vreemd, je eerste nacht op achttienhonderd meter hoogte en je schenkt een jonge vrouw iets te drinken in.

In de woonkamer was alles veranderd in de vloeibare gloed van het vuur. Wie heisst du? vroeg hij nog eens. Seffa, zei ze. Ze keek hem heel even aan. Ze was bang.

Seffa?

Jo.

Ze wendde haar blik af. Ze is niet dom, besloot hij. Nu wist hij niet meer wat hij moest zeggen. Het vuur spuugde een vonk uit en de hond gromde. Het meisje streelde over de vacht van het dier. Voor het eerst gleed er een vage glimlach over haar gezicht.

Ist Uli dein Hund? vroeg hij nog eens.

Nein, zei ze. Nein.

Ze nam de snuit van het dier in haar handen en krabbelde in zijn vacht en begon ertegen te praten in een soort babytaaltje, haar gezicht dicht bij de slechte adem van het beest. Toen zei ze heel langzaam en duidelijk: Aber er schläft in meinem Zimmer.

Cleaver keek toe. Hij herkende die overdreven hartelijke lichamelijkheid, die ruwe, overdreven affectie die mensen aan dieren schenken. Frau Stolberg was te oud om de moeder van het meisje te zijn, besefte hij. Was het de stads geklede vrouw? Seffa! had ze geroepen toen ze over het kerkhof rende.

Ist Jürgen dein Vater? vroeg hij.

Het meisje keek op van de hond, haar ogen vernauwden zich en ze beet op haar lip, bijna alsof ze pantomime speelde. Ze stond op. Toen herinnerde ze zich het bier, hurkte, pakte het glas van de vloer en dronk het weer in één keer uit. Uit de woordenstroom die daarop volgde ving hij het woord nach Hause op... zurück gehen. Uli!

Cleaver volgde haar door de donkere keuken. Waar is mijn hoed, vroeg hij zich af. Die was op een of andere manier een belangrijk deel van zijn imago geworden, alleen in de bergen met een breedgerande, grijze hoed. Waar heb ik hem neergelegd?

Het meisje pakte haar zaklamp van tafel maar deed hem niet aan toen ze de buitenlucht in wandelde. Haar kont is monumentaal, dacht Cleaver, maar de vertrouwdheid maakt haar minder grotesk dan in het begin. Seffa, riep hij. Ze draaide zich om. Es gibt, hij zocht wanhopig naar woorden, ein Zimmer, eh... Hoch, hij wees naar het raampje in het houtwerk boven de keuken. Ein Zimmer geschlossen. Ich kann nicht... Hij maakte een gebaar van een sleutel om te draaien. Ze keek naar hem. Warum? eindigde hij.

Verstehe nicht, zei ze. Ze leek geschrokken, draaide zich weer om.

Achtung, wees Cleaver, Scheisse! Maar het meisje had het niet gehoord. Ze liep haastig weg over het karrenspoor zonder haar zaklamp aan te doen.

Het was merkwaardig, dacht Cleaver later, hoe deze ontmoeting met het meisje hem volledig gekalmeerd had. Ze had hem teruggebracht naar zijn gewone, herkenbare zelf: een hartelijke man van middelbare leeftijd. Het was eigenlijk een opluchting dat ze dik was. Op het harde smalle bed tegenover de gesloten deur luisterde hij naar het geluid van de wind in de bomen. Misschien moet ik mijn oordopjes indoen: dat zou ironisch zijn, boven de geluidsgrens. Aardige jongedame, had hij tegen Olga gezegd toen hij naar de woonkamer terugkwam met een tweede fles bier. Hij was bij het vuur gaan zitten, en verwarmde zijn koude voeten aan de brandende blokken. Niet dat ze in de verste verte vergelijkbaar is met jou, liefje, lichamelijk gesproken. Als Cleaver iets had geleerd dan was het wel nooit complimentjes te maken aan het ene meisje tegenover een ander. Olga's glazige ogen glansden in het licht van de vlammen. Gelukkig had ze geen last van een minderwaardigheidscomplex. Ze was onwrikbaar, zag Cleaver, in haar Tiroler trots.

Hij dronk van zijn bier, starend naar de sintels. Je bent nieuwsgierig naar die familie, besefte hij later, toen hij de gesloten deur nog eens probeerde voor hij naar bed ging. Dat weigerde mijn zoon gewoon toe te geven, dacht Cleaver, toen hij kritiek had op de manier waarop ik zijn vrienden analyseerde: ik ben nieuwsgierig. Iedereen die dat stomme boek las, zou denken dat het pure ijdelheid was waarom ik al die vrouwen had geneukt, of op televisie was verschenen. Soms, had zijn oudste zoon geschreven, had mijn vader drie of zelfs vier affaires tegelijk. Maar je had geen idee van de aard van die relaties, protesteerde Cleaver hardop, de uren dat we hebben zitten praten. Ben ik misschien met ze naar bed geweest, vroeg hij zich af, omdat het de beste manier was om iets over hun leven te weten te komen? Om in bezit te komen van hun geheimen? Nee, Cleaver schudde zijn grote hoofd op het kussen, ik ben met ze naar bed geweest om te neuken. Hij grinnikte. Maar niet alleen. De waarheid was, had zijn oudste zoon geschreven, dat mijn vader bang leek dat hij zou ophouden te bestaan als hij zichzelf niet weerspiegeld zag in de ogen van een jonge vrouw, bij voorkeur op het hoogtepunt, zoals hij ook bang was dat hij in het niets zou verdwijnen als zijn beeld niet voortdurend aanwezig was op de schermen van de nationale zenders. Hij had altijd minstens drie of vier shows en documentaires lopen. Dat was helemaal niet waar, protesteerde Cleaver. Ik was echt nieuwsgierig. Dat was alles.

Toen schoot er een vreemde gedachte door zijn hoofd. Een idee breekt door. Hij herkende die speciale waakzaamheid, die bijzondere mengeling van opwinding en angst: na Angela's dood werden het allemaal dochters voor je. De dikke man lag doodstil op het bed van de oude nazi. Ergens streek een tak tegen het hout van het huis. Ik zal mijn oordopjes nodig hebben, besloot hij. Daarom was het nooit meer serieus geworden, na Angela. Of niet op dezelfde manier. Het waren dochters geworden. Ik zou een boek kunnen schrijven, had Cleaver vaak gedacht, bijna honderd biografieën over de problemen van die vrouwen. Ik heb uren met ze gesproken over hun toekomst, hun vriendjes, hun baantjes. Ik heb het nog allemaal in mijn hoofd zitten. Het is duidelijk, had zijn oudste zoon geschreven, dat mijn vader veel meer tijd had voor zijn serie sletten dan hij ooit voor ons heeft gehad.

Rommelend in het donker vond Cleaver het doosje met zijn oordopjes ten slotte in een zijvak van de koffer. Ik moet ze binnen bereik houden. Maar zodra de wereld gedempt en stil werd, en zijn hoofd weer op het kussen lag, werd hij zich intens bewust van zijn isolement op achttienhonderd meter hoogte, aan de rand van een ravijn. Ik ben helemaal alleen, fluisterde Cleaver. De gedachte veroorzaakte een primitieve waakzaamheid. Misschien is het gevaarlijk om hier oordopjes te dragen. Maar wat voor gevaar kon er zijn? Nu begon hij zich ineens een voorstelling te maken als op een soort topografische reliëfkaart, van Luttach ten opzichte van Bruneck, dan van Bruneck ten opzichte van Bolzano, dan van Bolzano ten opzichte van Milaan, en uiteindelijk, op een nog grotere kaart, van Milaan ten opzichte van Londen, van Chelsea, van Amanda. Vijftienhonderd kilometer. Maar dat was niets. Het was het kronkelige pad van Luttach naar Trennerhof dat het hem deed, de lange klim omhoog door verslindende dennenwouden en steile rotswanden tot aan die hoogvlakte, tot aan dit enorme ravijn. De boerenfamilie in de boerderij snijdt je terugtocht af, fluisterde hij. Frau Stolberg blokkeert de terugweg. En de oude nazi. Het was een stom idee. Hier hang je dan, in een bed boven een afgrond. Gebirgsgeist. Ik heb gelukkig warme voeten, glimlachte hij. Het waren dochters geworden, dacht hij, na Angela's dood waren het dochters geworden. Je kan niet verwachten dat je zoon dat zou inzien. Toch was het raar hoe dat meisje aan haar oor bleef trekken. Even kwam sterk het gevoel terug van Seffa's aanwezigheid, en hoe ze haar bier had opgedronken bij de haard. Toen wist hij dat hij weldra in slaap zou vallen.

7

De meest onverwachte dingen kwamen met onrustbarende hevigheid in zijn herinnering terug. De jaren van het interviewen van beroemdheden, het verfilmen van scripts en van politieke pedanterie smolten weg. Ik ben helemaal niet geïnteresseerd, ontdekte Cleaver, in het lot van Tony Blair. De Bookerprijs was al gewonnen of verloren. Binnenkort, besefte hij, zal ik niet eens weten wie de president van de Verenigde Staten is. Ik moet me op de winter voorbereiden, dacht hij. Op de tweede dag van zijn verblijf op Rosenkranzhof ontdekte hij het gedenkteken voor Ulrike Stolberg. Dat was ook de dag dat hij zijn hoed terugvond.

Hij had veel gerealiseerd in zijn eerste vierentwintig uur. Hij was vroeg opgestaan, had een volle kom graanproducten gegeten, en vervolgens met geruststellende promptheid de buiten-wc met een bezoek vereerd. In een piepklein houten schuurtje aan de andere kant van het open stuk stond een soort metalen cilinder waarop een oude wc-bril was bevestigd met, te oordelen naar de plons, een behoorlijk diep gat eronder. Toen hij weer buiten kwam met de toiletrol nog in zijn handen, overzag Cleaver zijn bezit. De puntgevels van het huis werden nietig door de hoge rotswand erachter. Het grove gras is nat van de dauw. Aan zijn linkerkant dook het landschap het ravijn in, waar in de diepte tussen beboste hellingen een processie van kleine witte wolkjes zuidwaarts slingerde richting Luttach. Aan zijn rechterkant liep het pad rond het huis en de rotsen en klom tussen de dennenbomen door omhoog naar de hoogvlakte en Trennerhof. Toen de herfstzon opkwam boven de bergen aan de oostelijke kant van het ravijn, viel er misschien gedurende een halfuur een schuine straal op de rotswand boven het huis, waardoor de grijze oppervlakte een boterige glans kreeg. De witte takken onder de daklijst glommen als knekels. Daarna draaide ze om de rots, en liet Rosenkranzhof in diepe schaduw achter, en het was pas later op de middag dat ze zo'n minuut of twintig nog een schuine straal op het open stuk wierp, alvorens achter de hoge massa van het Schwarzstein in het westen te verdwijnen. Wie zou er een huis hebben gebouwd, vroeg Cleaver zich af, op een plek die zo weinig zonlicht kreeg? Hij ontdekte een kippenhok en de voorraad houtblokken aan de voorkant van het huis. Het hout is afgedekt door een oud zeildoek. Amanda, herinnerde hij zich, lette altijd erg op de stand van de zon wanneer ze huizen huurden en later kochten. Ik zou een paar kippen kunnen houden, dacht hij, en elke dag een eitje eten, voor de proteïnen.

De hond kwam weer opdagen terwijl hij aan de kant van het ravijn bezig was de overige bomen om te hakken die met hun takken tegen de ramen zwiepten. Deze ochtend ging Cleaver praktischer te werk, berekende hoeken, schatte afstanden in, keek bijzonder goed uit waar hij zijn voeten neerzette op de rotsachtige helling. Toen de bomen waren omgehakt, begon hij hun takken af te zagen, zwierde ze stuk voor stuk naar de open plek, hakte de dunne stammetjes tot brandhout. Het was uitputtend werk voor een dikke man van halverwege de vijftig. Hij veegde voortdurend met een hemdsmouw over zijn voorhoofd. Het blad van de oude zaag was roestig. Zijn zachte handen zaten al snel onder de blaren. Ik had werkhandschoenen moeten meebrengen, zei hij tegen zichzelf, geen wanten tegen de kou.

Toen stond de hond plotseling naast hem te piepen en te blaffen. Alex! Cleaver was blij. Hij had de hele ochtend niet aan het boek van zijn zoon gedacht. Wat betekent een boek in de organisatie van een lang en druk leven als het mijne? Niet Alex, Uli, besloot hij. Uli, kom Uli! De hond wrong zijn neus tussen zijn knieën en kwispelde. Toen hij stopte om te lunchen, gaf Cleaver het dier een stukje worst. Hij overwoog om aan de homp kaas te beginnen die Jürgen hem had meegegeven, maar voelde zich nog niet helemaal klaar voor deze inwijding. Het voordeel van een huis zonder zonlicht, besloot hij, is dat je geen koelkast nodig hebt. Hij herinnerde zich de stank in de kleine melkerij van Trennerhof. Amanda zou dit huis nooit gekozen hebben, dacht hij.

's Middags maakte hij de ramen schoon, een boven, twee beneden. Ik heb geen ramen meer gelapt sinds ik als jongen een extra zakcentje wilde verdienen. Het water werd van een klein bergbeekje in het bos naar het huis afgetakt via uitgeholde houtblokken boven op de rotsen. Door een tuinslang werd het langs de rotswand naar beneden gevoerd, door het dak heen, naar een tank boven de gootsteen in de keuken. Daardoor was er altijd dat gesijpel en gegorgel te horen. Het komt onder in de tank binnen, stijgt tot een overloop en verdwijnt in een andere pijp die, dat vermoedde Cleaver althans, een paar meter lager in het ravijn zou uitkomen. Hij kon geen lappen vinden. Hij gebruikte een vaatdoek die hij zelf had meegenomen en afwasmiddel. Er stond een oude zinken emmer in de trapkast. Het water is ijskoud en het glas goedkoop en dun. Zelfs schoongemaakt leek het nog ondoorzichtig. Wat is het vermoeiend om voortdurend met je armen boven je hoofd te staan! Hij voelde pijn in zijn schouder: misschien mijn borst. Hij zweette weer. Met een leven als dit móét je wel afvallen. Wat zullen mijn vrienden staan te kijken. Cleaver lachte. Hij floot zelfs. Een oud herkenningsmelodietje. Ik heb in elk geval niet aan een inzoomende camera gedacht. Ik heb niet in een denkbeeldige microfoon gesproken.

Tegen de avond stak hij de haard aan. Probeerde hem aan te steken. Hij begreep niet hoe het meisje die drie blokken gisteravond aangestoken had gekregen. Je moet de haard brandend houden, besefte hij. Je moet je altijd kunnen verwarmen. Uiteindelijk gebruikte hij een halve rol wc-papier en een kartonnen doos en stikte bijna in de rook die richting keuken deinde. Er waren hendels die ingeduwd of uitgetrokken moesten worden voor de schoorsteen en de ventilatie. Waarom heeft Hermann me dat niet allemaal uitgelegd? Even kon hij nauwelijks iets zien. Hij haastte zich om deur en ramen open te zetten. De mensen hier konden niet leven zonder houtvuur, konden zich niet voorstellen dat een volwassen man niet vertrouwd was met dergelijke zaken.

Toen het begon te schemeren ging hij bij het vuur in de woonkamer zitten met Uli, en at brood en appels. Hij heeft twee dozen appels meegebracht. Ze geven het huis een lekkere geur. Morgen ga ik koken, meldde hij. Misschien ga ik ooit wel eens iets bakken. De haard leek een bakoven te hebben. Zou een taart lukken? Maar om een of andere reden dacht hij aan Amanda's tuinhandschoenen. Die lagen altijd in een mandje op het raamkozijn van de keuken. Jij lijkt me niet echt een tuinierster, zei Cleaver met een mond vol appel tegen Olga. Maar de pop is natuurlijk op haar paasbest gekleed; ik zie haar niet in haar dagelijkse plunje. Amanda lette heel goed op de stand van de zon, herinnerde Cleaver zich weer, en werd later in haar leven een verwoed tuinierster. Hier zei *In zijn schaduw* niets over. Het is door de manier van knippen en plakken, had zijn oudste zoon geschreven, dat beweerde mijn vader tenminste altijd wanneer hij over zijn documentaires zat te oreren, dat je van de realiteit een goed verhaal maakt, en een leugen. Touché, dacht Cleaver. Hij stelde zich een overlijdensbericht voor: Gedurende de winter van 2004 nam dhr. Cleaver vrij van zijn werk bij de BBC, alvorens terug te keren en de leiding van de redactiekamer weer op zich te nemen in een tijd van opwindende veranderingen en ontwikkelingen. Hij glimlachte. Deze dagen en maanden zullen worden weggeknipt uit het verhaal dat ze over mijn leven maken. In de veronderstelling dat iemand dat doet. Zo nu en dan, wanneer er een zware klus gedaan moest worden, had Amanda haar partner erbij geroepen. Het stuk grond in de hoek achter de paardenkastanje moet omgespit worden, Harry. Er zitten stenen in die eruit moeten. Cleaver weigerde altijd: ik heb geen tijd. Neem een tuinman in dienst, zei hij. Dat zou Amanda nooit doen. Er waren allerlei tuinprojecten waar ze niet aan kon beginnen, klaagde ze, omdat haar niet-echtgenoot ook een niet-tuinier was. Hij wilde haar niet helpen. Hij was totaal nutteloos met zijn handen, onpraktisch en onhandig. Dat was eigenlijk niet waar. Net als mijn beruchte impotentie. Het was iets waar ze graag grapjes over maakte wanneer ze gasten hadden op de zaterdagse barbecues. Ze wandelde vrolijk wijzend en klagend, spottend en verleidelijk met hen over het gazon, terwijl Cleaver achter de openslaande deuren aan tafel wijn inschonk voor het mannelijke gezelschap, verhalen vertelde, hof hield. Hier, zei ze dan bijvoorbeeld, hebben we echt een groot latwerk nodig om de rozen op te binden, maar Harry doet het gewoon niet. Hij ziet het nut er niet van in. Waar of niet, Harry? Ze leidde haar vrienden weer naar de tafel. Daar heeft mijn oudste zoon het pathos van gemist, dacht Cleaver. En de perversiteit. Niets zou gemakkelijker zijn geweest voor Amanda dan een tuinman te zoeken. Hoewel hij natuurlijk wel een heel hoofdstuk heeft gewijd aan mijn tuinschuurtje annex werkkamer in Wandsworth. Toen dacht Cleaver: was het na Angela's dood dat Amanda zo obsessioneel begon te tuinieren? Dat verband had hij nog niet gelegd. Ze had zich ingegraven. Zich begraven.

De hond spitste plotseling zijn oren. Zijn waterige ogen blonken in het gele licht van de olielamp. Cleaver luisterde: Uli! een zwakke kreet. Oo-li! Het dier piepte. Cleaver stond op, ging naar de keuken in het halfduister en deed de deur open. Het leek erop dat het meisje zich overdag niet om de hond bekommerde, maar ze wilde wel dat hij 's nachts op haar kamer sliep. Het dier draafde weg in het duister. Oo-li! De verre stem klonk klaaglijk. Erg leuk kon het niet zijn voor een zeventienjarige op Trennerhof. Cleaver vond het jammer dat ze geen praatje met hem was komen maken. Hij vroeg zich af of de naam Seffa een afkorting was voor iets herkenbaarders. Ik kan het nergens mee verbinden. Seffa, Jürgen, Frau Stolberg, Hermann, Uli, de stadse vrouw, het kralen tellende spook met haar zwarte hoofddoek: ze kwamen van een andere planeet. Dit kan wel eens de eerste dag in je hele leven zijn, besefte Cleaver, dat je met geen levende ziel gesproken hebt, pardon, behalve Olga natuurlijk. Hij maakte een kleine buiging. En zelfs niet veel met jezelf, bedacht hij. Ziel! Cleaver glimlachte. Hij pakte een fles whisky van de plank en een grijs glas en liep de woonkamer weer in. Dus waar ging dat boek van je zoon nu uiteindelijk over? vroeg hij hardop, en installeerde zich in zijn fauteuil. Wat voor beeld was er nu eigenlijk naar voren gekomen? Of had naar voren moeten komen? Cleaver vulde het glas tot de rand en staarde in het vuur.

In zijn schaduw bestond uit drie delen, voor zover hij zich herinnerde. Je gaat hier nu met de grootst mogelijke kalmte en afstandelijkheid over nadenken, besliste Cleaver. Deel een, deel twee, deel drie. Dat zal een belangrijke overwinning zijn. Dan is dat achter de rug. Hij pakte een houtblok uit de doos en legde het in het midden van het vuur. Wat was het leuk om te zien hoe de kleine vlammetjes aan hun nieuwe prooi likten! En wat fascinerend. Als een vuur eenmaal is aangestoken moet je het in de gaten houden.

Misschien had de televisie haar succes wel grotendeels te danken aan het verbannen van kool- en houtvuur uit de bebouwde kom, bedacht Cleaver. De opkomst van de ene vorm van betovering was per slot van rekening bijna gelijktijdig geschied met het verval van een andere. En het was vreemd, vond hij, dat houtblokken veel beter brandden met drie of vier stuks tegelijk, alsof ze samenwerkten, of toch minstens twee, terwijl een houtblok in z'n eentje gedoemd leek om alleen maar te roken en te smeulen. Zeker interessanter dan de beursberichten.

Niet afdwalen! protesteerde Cleaver hardop. Hij nam een slokje van zijn whisky. De supermarkt in Luttach had verschillende merken die allemaal Schots klonken, maar waar Cleaver nooit van had gehoord. Flintock's Gold. Mijn vader, had zijn oudste zoon geschreven – maar dat was in het laatste deel van het boek – was een meester in het afdwalen. Bij een gesprek aan tafel wist hij altijd te voorkomen dat een polemisch debat een hoogtepunt bereikte. Hij had een hekel aan confrontaties, ruzies. Het ene moment zat je geanimeerd te discussiëren over nucleaire ontwapening, en het volgende moment had je het plotseling over het belang van een nieuwe songtekst van Leonard Cohen, of het toenemende aantal lingeriezaken op Kensington High Street. Het was als de truc met de drie kaarten. Niemand begreep waar het vorige gespreksonderwerp was gebleven. Mijn vader had het slinks omgeleid. Hij had de botsing die eraan zat te komen onschadelijk gemaakt. Het gaat erom de tijd te vullen, zei hij graag, niet om te bepalen hoe dat moet gebeuren. Hij was trots op een soort jolige inconsequentie die per slot van rekening slechts het bewijs was van zijn onvermogen om welk principe dan ook aan te hangen of om zich op een of andere wijze te gedragen naar zijn verantwoordelijkheden. Wanneer alles zinloos is, wat kan je dan voor verantwoordelijkheden hebben? De vorm van het geheel, onderbrak Cleaver zichzelf. Hij had die passage in gedachten gehad op weg naar zijn confrontatie met de president van de Verenigde Staten. Concentreer je op de vorm van het geheel, de manier waarop de jongen het heeft ingedeeld, de betekenis die hij aan het geheel heeft willen geven. Deel een, deel twee, deel drie...

Cleaver dronk zijn glas uit. De eerste tachtig pagina's of zo, herinnerde hij zich, hadden als door een met vaseline ingesmeerde lens een karikaturaal beeld geboden van de mythen en legenden van het gezin. De toon was wat critici graag fris plegen te noemen, argeloos, het onschuldige kind dat zich verbaast over de wereld die het ontdekt, terwijl de lezer anderzijds allerlei dingen tussen de regels door kan lezen: onaangename dingen uiteraard, dreigende voorbodes van de onvermijdelijke desillusie, het ongelukkige melodrama waar elk verhaal naar hunkert. In het eerste deel kom ik over als een soort Meester van Wanbeleid, zei Cleaver tegen Olga. Hij bedacht dat hij het boek misschien toch had moeten meenemen en het een beetje zorgvuldiger bestuderen, hoewel ik zonder mijn bril natuurlijk niets kan lezen. Niet alleen heb ik vandaag niets gezegd, besefte Cleaver nu, maar ik heb ook niets gelezen. Geen woord. Noch iemand anders een woord horen zeggen. Hij en Amanda werden in die eerste hoofdstukken voorgesteld als de nogal komische, meer dan levensgrote hoofdrolspelers van een of andere populaire, hoofdstedelijke sitcom, aantrekkelijk, egoïstisch en verschrikkelijk ijdel, met altijd de behoefte aan een bewonderend publiek van beroemde gasten, volledig geabsorbeerd door de haat-liefdeverhouding waardoor ze voortdurend schreeuwden, met serviesgoed smeten, de telefoon opgooiden, en tegen hun onschuldige kinderen vernietigende kritiek mompelden van het genre je vader is een zwijn, ik word nog gek van die vrouw, en ga zo maar door, zonder echter ooit tot een opluchtende uitbarsting te komen. Eigenlijk is het niet waar dat ik geen woord heb gelezen, dacht Cleaver. Hij had minstens tien keer naar de zwarte gotische letters boven de voordeur gekeken: Rosenkranzhof. Terwijl hij zat te kakken, bijvoorbeeld. Het huis van de rozenkrans. Het had geen zin de wc-deur te sluiten. Ik zou de kralen door mijn vingers kunnen laten glijden, dacht Cleaver, en de leugens van mijn zoon aftellen.

Er waren de bladzijden die afrekenden met de vakanties van het gezin. Een jaar in Schotland, waar mijn moeder vandaan kwam, het mythische Galloway, een jaar naar Wales, waar mijn vader vandaan kwam, het mythische Pembrokeshire. Twee mythen die even onverenigbaar leken, had Cleavers oudste zoon geschreven, als het hindoeïsme en de islam, twee verschillende werelden die elkaar ontmoetten in een vonkenregen boven prikkeldraad. Mijn vader had een hekel aan Galloway en onderweg ernaartoe zat hij de hele tijd te zieken door met een gespeeld accent een of andere dronken Schotse nationalist na te doen. Hoe grappiger hij was, hoe razender mijn moeder werd. Deden we echt zo clownesk? vroeg Cleaver zich af. In het derde of vierde hoofdstuk had zijn zoon een pact met Angela beschreven: ze hadden met z'n tweeën in hun duim geprikt en hun bloed vermengd. Tweeling tegen Ruzie, hadden ze zichzelf genoemd. We hadden een hechtere band omdat onze ouders nooit stopten met ruziemaken.

Cleaver pakte de fles van de schoorsteenmantel en vulde zijn glas nog eens bij. Was dat echt waar? Een beetje links van het midden was het stenen blad gebroken en een ontbrekend stukje was vervangen door grof grijs pleisterwerk. Er leken allerlei van dit soort kleine herstellingen gebeurd te zijn in het huis: een eindje draad om de slang waar die de tank binnenging, een poot van de tafel van een andere houtsoort, een lapje in de bekleding van de fauteuil, een kant van een raamlijst vervangen. Had de tweeling niet voortdurend ruziegemaakt? probeerde Cleaver zich te herinneren. Zoals alle kinderen. Hadden zij ook geen dingen naar elkaar gegooid? Hij herinnerde zich een plek waar het behang was beschadigd door een rondvliegende schoen. Toen hij een jaar of tien was, was zijn zoon een mollige, gesloten knaap geweest met een lui achterwerk en een bewonderenswaardig nette slaapkamer, terwijl Angela een mager en chaotisch kruidje-roer-me-niet was. Het boek sprak voortdurend over wij, de tweeling, maar nooit over het feit dat ze uiteraard niet eeneiig waren. Ze kwamen genetisch niet méér overeen dan andere broers en zussen.

Toch had Cleaver het eerste deel van *In zijn schaduw* niet erg gevonden. Integendeel. Het was leuk. De snerende opmerkingen over mijn befaamde meesterwerk waren te begrijpen. Papa zit in zijn schuurtje zijn meesterwerk te schrijven! Zo namen wij tweelingen de telefoon op. Ik kan best wel wat spot verdragen, dacht Cleaver. Er zat zelfs iets Falstaff-achtigs aan de vaderfiguur, een aards plezier in zijn misdaden. Amanda was afgeschilderd als een goede antagonist: streng, prikkelbaar, heerlijk onredelijk. Er was het verhaal hoe ze een afwasteiltje had leeggekiept over een knappe jonge Franse journaliste die ze ervan verdacht te flirten met haar niet-echtgenoot. Het vuile water was inclusief glibberige baconrandjes en aardappelschillen die in het blonde haar van de dame bleven hangen, en bestek dat haar rinkelend in de schoot viel.

Cleaver glimlachte. Bestek dat haar rinkelend in de schoot viel was goed. Zelfs het oude tapijtje was zorgvuldig gerepareerd, merkte hij toen hij zijn laarzen uitdeed om zijn voeten te warmen. Vertel eens wat over je familie, vroeg hij aan Olga. De pop staarde zoals steeds over zijn schouder naar de opgezette vogel. Een van de vleugels van de vogel was gebroken en werd omhooggehouden door middel van twee dunne stokjes, als een vliegtuig uit de Eerste Wereldoorlog. Waren zijn ogen echt, of waren het kralen, zoals die van Olga? Onder een waas van stof keken ze de kamer in, op zoek naar een ondenkbare prooi. Misschien zitten er muizen in huis, dacht Cleaver. Ik moet geen voedsel laten rondslingeren. Hij vond dat de oude nazi hard had gewerkt om het verval tegen te gaan. Waarom was hij hier in z'n eentje komen wonen? Vijftien jaar lang. Waarom had de familie hem niet weer in huis genomen toen zijn einde naderde, toen hij de bomen niet meer van de ramen kon houden? Toen we naar ons huis in Wandsworth verhuisden, had zijn oudste zoon geschreven, waar geen aparte ruimte was voor mijn vader om zijn meesterwerk te schrijven, bouwde hij, of liever gezegd liet hij bouwen, een nogal groot en pretentieus schuurtje achter in de tuin. Het was zo'n lange, smalle tuin, typisch voor Zuid-Londen, van zo'n vijf bij veertig meter. Hij zette er een bureau in, bedekte de muren met boekenplanken, zette er zijn stereo-installatie in en groef een geultje langs het gazon voor telefoon- en elektriciteitskabels. De snoeren werden in de keuken in het stopcontact gestoken. Daar had je dus mijn moeder, die bij het aanrecht de tuin in stond te kijken, mijn vader, die achter zijn bureau in het schuurtje gezeten naar het huis keek, zo'n veertig meter ertussen, en wij, de tweeling, die in het midden speelden en probeerden om hun vijandige blikken onschadelijk te maken. Om mijn vader te melden dat het eten klaar was, trok mama de stekkers van elektriciteit en telefoon er gewoon uit. Ik zou niet weten waarom ík geen eigen werkkamer kan hebben, zei ze tegen wie er die dag ook te gast was. Mijn baan brengt uiteindelijk meer op dan die van Harry. Waar of niet, schat? In die tijd was ze redactrice van de culturele bijlage van *The Guardian*. Dat is omdat jij geen meesterwerk hoeft te schrijven, mama, zei een van ons dan ernstig, en iedereen schaterde het uit. We overwegen een gedeelte van de Berlijnse muur in het midden van de tuin te zetten, zei mijn vader, terwijl hij wijn in grote bekerglazen schonk. Mijn vader maalde niet om wijnglazen. Ik was in Heals gisteren, zei moeder, om te zien of ze geen bureau hadden dat kon worden uitgeklapt tot een tweepersoonsbed. Dan konden we hem zijn eten sturen door middel van een kabel en een windas. Bij haast elk diner kreeg een ander stel gasten zo'n nummertje te zien van de eindeloze oorlogsvoering tussen mijn vader en moeder. En op het moment dat iedereen dacht dat ze echt uit elkaar zouden gaan, werd Caroline geboren. En toen Phillip.

Rosenkranzhof is wel wat meer dan een schuurtje achter in de tuin, dacht Cleaver. De uitdrukking 'malen om wijnglazen' was op z'n zachtst gezegd ongelukkig gekozen. En deze keer kan niemand me intimideren door telefoon en elektriciteit uit te schakelen. Wat kreeg ik koude voeten in dat schuurtje, herinnerde hij zich. Daar had zijn zoons boek niets over te melden gehad, niets over de lange avonden en zware weekeinden waarin hij aan ontelbare artikelen en stukjes en ideeën voor programma's werkte, gezeten op een tweezitsbankje, met een jas aan en een muts op. Waar heb ik mijn hoed gelaten? Hij had altijd problemen met zijn bloedcirculatie gehad, zelfs toen hij dertig was. Waarom is de oude nazi hier gekomen, vroeg Cleaver zich af, in plaats van naar beneden naar Luttach te gaan, of een hele andere plaats? De waarheid is dat ik maar een beperkte tijd aan een meesterwerk heb besteed. En wat als Frau Stolberg de zus van de man was, en niet zijn vrouw? Heeft iemand eigenlijk gezegd dat ze zijn vrouw was? Was het niet merkwaardig dat ze hem zelfs op het eind niet hebben teruggehaald naar Trennerhof? Ze hebben hem hier laten sterven. Nu zit je te fantaseren, waarschuwde Cleaver zichzelf. Waarschijnlijk was de man tot zijn beroerte of hartaanval zo gezond als een hoentje geweest.

Nee, alles in aanmerking genomen, had hij geen problemen met het eerste deel van het boek. Er was een soort goedmoedige verdraagzaamheid in de manier waarop zijn eigen leven en dat van Amanda karikaturaal was weergegeven in een serie van groteske anekdotes. De lezer wist dat er meer achter zat. Het was een luchtige komedie. Maar met de geboortes van Caroline en Phillip veranderde de toon. Het tweede deel kenmerkte zich door schandalen en beschuldigingen, ook al werden de twee jongste kinderen vreemd genoeg nauwelijks genoemd, werden ze nooit fysiek beschreven, en kregen ze nauwelijks een woord te zeggen. Het hele boek, verkondigde Cleaver, is misschien de spreekwoordelijke klaagzang van het oudste kind dat door het jongere kind vervangen wordt in de affectie van zijn vader. Was dat mogelijk? Olga was niet geïnteresseerd. Phillip was zeker de knapste van de kinderen. Maar bijna meteen herinnerde hij zich de opmerking weer: mijn vader begreep altijd meer van een gesprek dan je er in werkelijkheid had ingelegd, ontdekte altijd oneerbare motieven die nooit bij je waren opgekomen. Je begon te praten over het een of andere probleem dat je had, of je zocht misschien alleen maar een beetje vertrouwelijkheid, en steevast had je achteraf het gevoel dat je geestesziek was, dat je je pervers gedroeg, dat je hulp nodig had.

Cleaver keek fronsend naar het vuur, schonk een glas whisky in en dronk het voor driekwart uit. Zijn vochtige sokken zijn warm geworden en stinken. Anderzijds zou het toch krankzinnig zijn om geen poging te doen te begrijpen, om niet te proberen onder de oppervlakte te raken? Er zat toch zeker iets pathologisch aan een oude man die zijn vrouw verliet om anderhalve kilometer verderop in een duistere spelonk te gaan wonen? Dat wilde je begrijpen. Daar zat een verhaal in. Je vroeg je af: was het omdat de echtgenote erop stond bij haar oude moeder te blijven? Dat was banaal. Amanda had ervoor gezorgd dat haar moeder in een verzorgingstehuis werd geplaatst. En Jürgen en Seffa? Er was toch iets pathologisch aan een zeventienjarig meisje dat de aftandse hond van haar grootvader verkoos om mee te slapen? Maar misschien was ze helemaal geen lid van de familie. Hoe kan ik dat weten? Misschien alleen een dienstmeisje. Je hebt geprobeerd het te begrijpen, zelfs toen je wist dat elke verklaring beperkend zou zijn. Is dat niet precies wat mijn zoon met mij heeft gedaan? Hij heeft geprobeerd het te begrijpen en zo de dingen tot een klucht herleid.

Cleaver stond op en stapte door de kamer. De angst komt terug. Zijn geroosterde tenen zijn meteen weer koud op de stenen vloer. Stomme pop. Hij liep snel naar boven om een deken te halen en gooide hem over Olga's hoofd. Toen hij opkeek ontmoette hij de roofvogelblik van de adelaar in het gele licht van de olielamp. Wat is het hier duister! De ogen glommen. Het lijkt wel een kapel met kaarsen. De adelaar was natuurlijk het symbool van het Derde Rijk. Cleaver pakte de pop en de deken, droeg ze door de keuken en gooide ze op tafel. Ik moet de kruimels opvegen, anders krijg ik muizen. Een adelaar is een adelaar, geen symbool. Een dode vogel. Hij zag de foto weer. Bozen, Polizeiregiment. Nog zo'n woord dat hij vandaag twee of drie keer gelezen had. Als de oude nazi in het Polizeiregiment had gediend, moest hij minstens achttien zijn geweest in 1945, wat betekende dat hij in september 2004 tegen de tachtig moest zijn geweest of zoiets. Was Frau Stolberg oud genoeg om zijn zus te zijn? Phillip, bedacht Cleaver, was twaalf jaar jonger dan de tweeling. Frau Stolberg leek een jaar of zeventig. Ze kon zijn vrouw of zus zijn.

Ja, het tweede deel van het boek – Cleaver ging weer terug naar de woonkamer – combineerde een ongelukkig puberaal bewustzijn met de bepaling van de oorzaak van die ongelukkigheid: Harold Cleaver natuurlijk. Na eerst verleid te zijn door de komische helderheid van het eerste deel, en tot een zekere sympathie gebracht voor die zelfgenoegzame feestvierder, werd de lezer nu uitgenodigd getuige te zijn van de gruwelijke consequenties van zijn lelijke, ontregelde leven en terug te deinzen in afschuw. Het deel was opgebouwd rond de groeiend problematische adolescentie van de verteller, zijn problemen met zijn eerste seksuele ervaringen, zijn vele identiteitscrisissen en diepe teleurstellingen (stuk voor stuk toe te schrijven aan de ergerlijk lakse en in toenemende mate ruzieachtige sfeer van het Cleaver-Cunninghamhuishouden), en bereikte een hoogtepunt in de tragedie van de dood van zijn tweelingzus.

Het is een leugen, verkondigde Cleaver krachtig, terwijl hij zichzelf een vierde en erg grote whisky inschonk. De andere fauteuil leek nu ergerlijk leeg. Toegegeven, elke verklaring is beperkend, maar over Angela's dood had zijn oudste zoon niet eens de waarheid proberen te vinden. Het is een moedwillige verdraaiing, riep Cleaver. Je kunt een verkeersongeluk niet toeschrijven aan de turbulente verhouding tussen je vader en moeder!

Hij ging terug naar de keuken, pakte de deken en de pop, bracht de pop terug naar haar stoel, zette haar neer – kijk me aan, verdomme! – ging toen zelf weer zitten en legde de deken over zijn schoot. De avond werd kouder. Olga keek hem nog steeds niet echt aan. Een pop blijft een pop. En wat, vroeg Cleaver plotseling, als er in Rosenkranzhof een of andere overlevende van het Bozen Polizeiregiment kwam spoken, een gefrustreerde oude Nazigebirgsgeist, vastbesloten om de geest van de nieuwe bewoner in bezit te nemen. Wat stom. Hij dronk de whisky uit. Het tweede deel van *In zijn schaduw* kon in grote lijnen als volgt worden samengevat: mijn moeder en mijn vader, maar vooral mijn vader, een bijzonder subtiel soort tiran, waren grotendeels verantwoordelijk voor mijn stuurloosheid en die van mijn tweelingzus, voor ons onvermogen om de toekomst met vertrouwen tegemoet te zien.

Cleaver voelde zich een beetje versuft door de plotselinge kracht waarmee deze onbekende whisky naar zijn hoofd steeg. Hoe ondeugdelijk een verhaal ook is, dacht hij, of ronduit leugenachtig, toch blijft het altijd hangen, zelfs bij de persoon die wéét dat het verzonnen is. Is dat niet het schandalige van al dat geroddel? Zelfs wanneer je wéét dat iets verzonnen is, blijft er toch een spoortje van achter. Modder blijft plakken. Terwijl de ergste katers in vierentwintig uur over zijn. Hij herinnerde zich vaag een erg triest verhaal over incest en kindermisbruik dat hij in zijn begintijd voor een krant had geschreven. Een van pedofilie beschuldigde man – daar ging het over – had bekend en zelfmoord gepleegd, hoewel hij, zoals later bleek, onmogelijk schuldig kon zijn. Hij had zich laten overtuigen door de zogenaamde reconstructies van zijn onder hypnose gebrachte dochter. Vermoedelijk wist hij dat het verhaal niet waar was, maar hij wist ook dat het waar genoeg was. Schrijf een verweer, had Amanda tegen haar partner gezegd. Ze had Cleaver in die achtenveertig uur dat hij het boek had zitten lezen in de gaten gehouden, die achtenveertig uur voor het legendarische en bijzonder confronterende interview met de president van de Verenigde Staten. Hij had nauwelijks geslapen. Elke zichzelf respecterende mythologie, overpeinsde hij, beschikt minstens over twee tegenstrijdige versies van de gebeurtenissen. Ik heb me dat op dat moment niet gerealiseerd, bedacht Cleaver nu, maar ik werd nauwlettend in het oog gehouden; Amanda keek naar me terwijl ik zat te lezen wat mijn zoon had geschreven, wat ze hem over mij had verteld in de wetenschap dat hij het zou opschrijven. Ik was een proefkonijn. Ik was uitgeput. Schrijf een verweer, Harry. Ze drong aan. Ze wilde een confrontatie. Sleep dat ettertje voor de rechter, als je dat wilt. Toch was ze de dag ervoor trots geweest op haar zoon en zijn Bookernominatie. De waarheid is, zei Cleaver opgewonden tegen Olga, dat terwijl mijn zoon zich inbeeldde dat hij met het schrijven van dit boek zijn onafhankelijkheid bewees, zichzelf lossneed van het gezin en mij een kopje kleiner maakte, hij in werkelijkheid gemanipuleerd werd door zijn moeder die een vader-zoonconflict hoopte te doen ontstaan waarin zij weer mijn bondgenoot kon worden. Begrijp je? Wat vind je van die draai? Je bleef achteraf altijd met de angst zitten, had zijn oudste zoon geschreven, dat je onbewuste drijfveer iets heel anders was geweest dan wat je had gedacht. Cleaver duwde zijn voeten in zijn laarzen, liep de keuken door, trok de deur open en liep Rosenkranzhof uit, de nacht in.

Waarom was het altijd zo koud op mijn schuilplaatsen om Amanda te ontvluchten? En ik met mijn arme bloedsomloop! Hij herinnerde zich dat hij rillend uit het schuurtje in Wandsworth kwam, en door de stromende regen naar de ramen keek van het warme huis waar zij aan een of ander artikel werkte terwijl ze tegen de jongste kinderen riep dat ze naar bed moesten. Mijn voeten bevroren in dat schuurtje. Hij typte met handschoenen aan waarvan de vingertoppen waren afgeknipt en gebruikte een laptop zodat Amanda de stekker er niet meer uit zou kunnen trekken. Het waren mijn ijskoude voeten die me weer naar huis dreven. Zo lang als ik me kan herinneren, had zijn oudste zoon geschreven in het tweede deel van zijn boek, sliepen mijn vader en moeder niet alleen in aparte bedden, maar ook in aparte kamers. Vannacht, op achttienhonderd meter hoogte, was de lucht koud en erg vochtig, en hing er een zwaar wolkendek. Het was slim van de jongen om tot het tweede deel te wachten met de introductie van zijn trieste waarheid, om te wachten tot de opgroeiende verteller oud genoeg was om van streek te raken door de gedachte aan de gescheiden levens van zijn ouders. Later, toen we een groter huis hadden, maakten ze er zelfs een punt van op aparte verdiepingen te slapen. Hoewel ik na mijn werk in het schuurtje, herinnerde Cleaver zich, meestal door het gangetje naast het huis sloop, in de auto stapte en naar een of andere kroeg reed. Nadat hij zijn jack dichtgeritst had, raakte hij de rode kralen aan bij de deur van het afgelegen Rosenkranzhof. Ze hingen in een snoer aan twee roestige spijkers. Wie had ze daar gehangen? Hij draaide zich om en begon te lopen. Hij heeft zijn zaklamp niet meegenomen. Er zijn geen sterren, realiseerde hij zich toen hij opkeek in het duister. Mijn hoofd moet helder worden.

Hij stak het open stukje over voor het huis en sloeg het pad in dat in de tegenovergestelde richting van Trennerhof liep. Je bent krankzinnig dat je dit zonder zaklamp doet. Zodra hij zich tussen de bomen achter het wc-huisje bevond, was de nacht net zo zwart als de vorige avond, toen hij terugkwam van het mislukte telefoongesprek. De concentratie zal kalmerend werken, besloot Cleaver. Je ogen passen zich wel aan, zei hij tegen zichzelf.

Bijna op hetzelfde moment versmalde het pad tot een rotsachtige streep die de rand van het open stuk leek te volgen naarmate het smaller werd en achter de berghelling aan zijn linkerkant verdween. Plotseling rook hij een uiterst onaangename geur. Cleaver struikelde en hield zich vast aan een boom. Een dode rat of vogel misschien? Hij hield zijn adem in, zette voorzichtig zijn voet naar voren. Het derde deel van *In zijn schaduw*, bedacht hij, was hele andere koek. De handschoenen waren uitgetrokken. Cleaver merkte dat het pad begon te dalen. Hij had de geur achter zich gelaten. Hij zette stap voor stap, plaatste zijn voeten voorzichtig tussen wortels en stenen. In dat deel werd het boek van zijn zoon een furieuze satire van de ideeën van de vader, een meedogenloze aanklacht tegen zijn smerige rokkenjagerij, een onbarmhartige bespotting van zijn voortdurende aanwezigheid in de media en zijn veronderstelde ziekelijke ijdelheid. Amanda viel buiten het plaatje. Net als Caroline en Phillip en de nu dode Angela. Cleaver wist zeker dat zijn oudste zoon ergens het woord ziekelijk had gebruikt. Mijn vader, had hij geschreven, was niet meer in staat zijn mond te houden over al zijn successen tegen Jan en alleman die kwam eten, alle beroemdheden met wie hij op zeer goede voet stond. Het was *ziekelijk*.

Waar gaat dit naartoe? vroeg Cleaver zich af in het pikkedonker. Een pad voert toch altijd ergens heen? Hij herinnerde zich niet zo'n rood en wit teken te hebben gezien, een van de verschillende aanduidingen die de Tiroler toeristenbond had aangebracht voor ondernemende wandelaars. Hij zou misschien bij een ander Rosenkranzhof aankomen, een andere duistere, afgelegen berghut met zijn eigen teruggetrokken, stokoude bewoner. Of de een of andere onwaarschijnlijke Stube, een afgelegen berghotel. Je ziet een lichtje door de bomen schijnen en wanneer je door een beslagen raam naar binnen tuurt, zie je Hermann die zit te kaarten met al zijn vrienden in hun blauwe werkkielen, klinkend met zware bierpullen. Of misschien een kapel? Mensen bouwen afgelegen kapelletjes in de bergen.

Cleaver struikelde weer. Zijn voet was achter een wortel blijven steken. Hij stak zijn handen uit om zijn val te breken. Niks aan de hand. Het was ongetwijfeld vanwege dat derde deel, dacht hij, dat ze de knaap op de Bookerlijst hadden gezet. Er waren geen paragrafen meer, geen duidelijke indeling, maar citaat na citaat van Cleavers aforismen afgewisseld met een reeks smerige details, kwistige cursiveringen van zijn chaotische leven. Waar had die knul het vandaan gehaald? Allemaal erg avant-garde. Eén grote neuk- en vreetshow, had hij geschreven. Het is fictie, pa, zou hij zeggen als ik hem belde. Amanda was op dit punt van het verhaal niet meer dan een zombie, een slachtoffer waaruit al het bloed en de energie allang zijn weggezogen. Helemaal niet waar!! Zij had die jongen al die apocriefe details gegeven. De jongere spruiten, had zijn oudste zoon geschreven, groeiden nagenoeg helemaal op als wezen, domme beesten in een ideologisch slachthuis. Dat is echt afschuwelijk proza, dacht Cleaver. Het is zo gemakkelijk om zo te schrijven, in een stroom van oververhitte verontwaardiging. Wat het publiek zag, had zijn zoon geschreven, was een welbespraakt, talentvol man, met gevoel voor humor, en een charmant overgewicht: ze konden zich niet voorstellen wat voor duisternis die vriendelijke beroemdheid verspreidde in zijn privéleven, als de tentakels van een reusachtige octopus die zijn zwarte inkt in je ogen spuit.

O alsjeblieft! riep Cleaver. Bespaar me die inktvisanalogie! Wat heeft die jongen in godsnaam tegen me? Ik heb toch genoeg tijd met hem doorgebracht? Hij werd niet verwaarloosd. Maar Cleaver was vreselijk opgewonden geraakt bij het lezen van dit derde deel. Je handen trillen, had Amanda gezegd, toen ze hem met het boek aan de ontbijttafel had zien zitten. Ze was nieuwsgierig. Hij was in observatie. Ik zou er echt nog eens naar moeten kijken, dacht Cleaver. Het was vreemd, bedacht hij nu, hoe zijn zoon in werkelijkheid al een paar maanden voor Angela's dood uit huis was gegaan om te gaan studeren, en derhalve een heel stuk vóór de periode die in dit derde hoofdstuk zo agressief werd beschreven. We hebben elkaar maar weinig gezien in al die jaren. Terwijl het er in het boek op leek alsof vader en zoon voortdurend samen waren, voortdurend elkaars brein bezetten in een soort woedende en uitputtende worstelwedstrijd. Alsof de jongen helemaal niet uit huis was gegaan. Ik heb mijn best gedaan, herinnerde Cleaver zich, om hem een goede start in het leven te geven. Wat ik heb gezegd over de betekenisloosheid van mijn werk, van het werk dat hij wilde doen, was gewoon wat ik geloofde, en waar ik me nu eindelijk naar gedraag. Het tegenovergestelde van ijdelheid, in feite. Zijn kritiek op mijn seksleven lijkt hopeloos onvolwassen voor een man die per slot van rekening nu zelf in de dertig is. Sommige mensen worden als rokkenjagers geboren, punt uit. Vrouwen begrijpen dat soort dingen. De jongen was ongetwijfeld jaloers.

Opeens voelde Cleaver dat de duisternis anders aanvoelde. Er zijn geen bomen meer, besefte hij. De grond is vlakker. Ook de geur was veranderd. De lucht is fris. Er staat een briesje. Cleaver hief zijn voet op om een stap te zetten, maar stopte en tuurde voor zich uit. Zijn ogen drukten tegen het duister. Toen zag hij een lichtje, precies op de plek waar hij zijn aanzienlijke gewicht wilde neerzetten. Het was alsof hij de glinstering van een oog opving dat naar hem opkeek; een oog kijkt naar je op vanaf de grond. Cleaver deed een stap terug. Ik loop te hallucineren. Toen begreep hij dat het een lichtje was van diep, diep beneden. Driehonderd meter of meer. Hij stond op de rand van een afgrond.

Geschrokken ging hij op zijn hurken zitten. Waarom heeft niemand je voor dit gevaar gewaarschuwd? Hij voelde zich duizelig. Omdat niemand verwacht dat een volwassene bij zijn volle verstand 's nachts zonder zaklamp in de bergen gaat wandelen. Je bent niet bij je volle verstand, zei Cleaver tegen zichzelf. Hij moest omkeren en teruggaan. Dit is Kilburn niet of Wandsworth of Chelsea waar je gewoon naar een kroeg kan gaan als je gedachten op hol slaan.

Nog steeds op zijn hurken schoof hij een eindje verder terug van de rand. Om een onverklaarbare reden was het pad moeilijk te vinden. Er hing een zwak lichtschijnsel in de leegte na de rand, maar het woud was ondoordringbaar. Toen zag hij aan zijn linkerkant een galg, die in de leegte scheen te zweven. Dat kan niet. Cleaver tuurde. Hij wist zeker dat er nog net een soort schavot zichtbaar was in de lege lucht, op een afstandje van de rand. Niet mogelijk, besloot hij. Dit zijn symptomen van een serieuze neurose. Mijn vaders dood was op een danteske wijze bijzonder toepasselijk, had zijn oudste zoon geschreven in het laatste hoofdstuk van het derde en laatste deel van zijn boek. Om een lang verhaal kort te maken: hij is in de valkuil gevallen van zijn eigen onstuitbare wens om in de schijnwerpers te staan, de schijnwerpers waar hij zogenaamd zo op neerkeek.

Angstig concentreerde Cleaver zich op het donkere woud. Niet in de afgrond kijken. Laat je ogen wennen aan het donker. Hij liet zich op zijn knieën vallen en bewoog zijn handen langzaam heen en weer over twijgen en dennennaalden. Toen hoorde hij iemand bewegen. Hallo! riep hij zacht. Uli! Seffa! Toen hij zich omdraaide zag hij het schavot weer opdoemen. Griezelig. Seffa! riep hij. Hermann! Eindelijk ontdekte zijn arm een plek waar geen twijgen en stenen lagen, een vlakke plek aarde. Goed.

Hij begon centimeter voor centimeter voorwaarts te bewegen, zette steeds de palm van zijn hand op de grond alvorens te bewegen. Weer was hij ervan overtuigd dat hij voetstappen hoorde. Hoe zou dat nu kunnen? Je bent de enige levende ziel binnen een straal van een kilometer of meer. Haal diep adem. Het nuchtere verstand moet het nu winnen van de nachtmerrie en de paniek. Heel voorzichtig kroop Cleaver naar voren en deed meteen zijn knie pijn door zijn gewicht op een kiezelsteen te laten rusten. Nuchter verstand zou zich nooit naast een afgrond bevinden in het aardedonker.

Mijn vader zat te dineren, uiteraard uitgebreid, zo was zijn oudste zoon zijn verhaal begonnen, in het restaurant van een van Londens bekendste en duurste hotels – ter gelegenheid van een of ander bedrijfsfeestje, een verzameling bobo's van de BBC die hun aandeel in de BAFTA-prijzen vierden – toen plotseling het gerucht langs de rijk gedekte tafels ging dat in een luxesuite op de tweeëntwintigste verdieping van het hotel een Amerikaanse zakenman op leeftijd zijn jonge vrouw, een muzikante, gegijzeld hield onder bedreiging van een pistool; het scheen dat hij dreigde eerst haar, en daarna zichzelf dood te schieten omdat ze hem wilde verlaten. Door een tochtje naar het toilet wist hij dat er een cameraploeg bezig was bij de receptie om de aankomst van een of ander topmodel te filmen, en toen hij zag dat dit dé gelegenheid was voor een hoogst uitzonderlijke publiciteitsstunt, zoals hij kennelijk had opgemerkt tegen de voorzitter van de raad van bestuur die naast hem zat, ging mijn vader de cameraploeg halen – het waren Russen, zo bleek – en spoedde zich naar de plek van het drama vóór de politie arriveerde, voerde hen mee in de lift naar de tweeëntwintigste verdieping, daar het zijn bedoeling was, legde hij uit, om de man op leeftijd over te halen de jonge vrouw meteen vrij te laten. Ik weet precies wat ik moet zeggen tegen een man in die toestand, had mijn vader kennelijk gepocht. Ik weet er alles van, had hij gelachen. Alle kneepjes.

Waarom in hemelsnaam, vroeg Cleaver zich af, en leunde in het pikkedonker met zijn rug tegen een boom, had zijn zoon de toon van zijn boek ineens zo dramatisch veranderd in dat laatste hoofdstuk? Waarom moest mijn dood zo'n klucht zijn? En vooral, waarom moest er zo snel met me afgerekend worden? Het ene moment zit ik nog te dineren met de raad van bestuur van de BBC, en het volgende moment lig ik zo ongeveer in mijn kist, alsof de knaap gewoon niet kon wachten om me te dumpen? We zijn allemaal blij dat hij dood is, had Hermann gezegd over de oude nazi. Of zoiets.

Nadat hij een meter of vijftig voortgekropen was en zeker wist dat hij zich op het pad bevond, voelde Cleaver zich een beetje geruster. Zijn adem ging gelijkmatig. Die galg zou wel een of andere boom blijken te zijn op een vooruitstekende rots of zo, dacht hij. Beter dood, had Hermann gelachen. Die voetstappen had hij zich maar ingebeeld, of het waren de bewegingen geweest van een klein dier, vergroot door zijn angst. Mijn zoon heeft het boek expres naar het surreële laten afglijden, peinsde hij. Naar echte, overduidelijke fictie: de dood van een man die de lezers misschien wel de dag nadat ze het boek uit hadden op de televisie zouden zien. Waarmee hij de zogenaamde authenticiteit van alles wat eerder beschreven was, onderstreepte. Wat een gedraai! Of wilde hij alleen maar de symbolische inhoud van zijn fictieve dood benadrukken? Mijn dood. Maar wat was de symbolische inhoud?

Cleaver werkte zich overeind. Een kort moment van inactiviteit met zijn kont op de natte grond had hem stijf gemaakt. Zijn knieën waren beurs. Ik vat weer kou op mijn nek. Weer keek hij rond op zoek naar een oriëntatiepunt. Het is zelfs moeilijk om rechtop te staan in het pikkedonker. En nu hij erover nadacht was het zelfs niet waar dat lezers hem de avond nadat ze het boek uit hadden op de televisie zouden zien, omdat ik zo ongeveer op de dag dat het officieel is verschenen ben verdwenen. Wat het publiek betreft kan ik heel goed precies zo geëlimineerd zijn als beschreven.

Gelukkig was er hier dichte begroeiing aan weerskanten van het pad. Hij liet zich weer op zijn knieën zakken en kon het pad met zijn handen volgen, de grond aan de linkerkant verdween de diepte van de afgrond in, aan de rechterkant ging het steil omhoog naar het Schwarzstein. Niets, bedacht Cleaver, had het effect van vier whisky's ooit zo snel tenietgedaan als het besef dat hij op het punt stond in de afgrond te storten. Met één whisky meer had ik het misschien niet eens gemerkt. Zou ik dood zijn. Mijn vader, had zijn oudste zoon geschreven, als je de mensen moet geloven met wie hij die avond gedineerd heeft, had minstens anderhalve fles rode wijn op plus drie of vier grote Laphroaigs, alvorens hij zich naar de tweeëntwintigste verdieping spoedde om zich te laten filmen bij zijn bevrijding van de gevangengehouden muzikale jonkvrouw. Ik zou nooit toestaan dat een futiel detail als stomdronkenschap mijn oordeelsvorming in de weg stond, grapte hij altijd.

Dit laatste gedeelte van het boek, herinnerde Cleaver zich, was agressief grappig. Weldra zou hij die onaangename geur weer ruiken aan het begin van het pad. Waarschijnlijk gewoon afval dat iemand gedumpt had. Ik zal een rozenkrans bidden, zei hij tegen zichzelf, zodra ik hieruit raak. Nogal vreemd, want hij had geen idee hoe je een rozenkrans moest bidden. Hij stopte. Waarom had zijn zoon een geniaal musicus gemaakt van de jonge vrouw van de jaloerse oudere echtgenoot, nadat hij eerst elke verwijzing naar Angela's muziek, naar haar geniale keyboardprestaties uit het boek had weggelaten? Ze kwam terug van een optreden op de dag van het ongeluk. Het was een triomf geweest, naar het scheen. Het delirium van een man op leeftijd met een veel jongere vrouw, zei mijn vader tegen de cameraploeg in de lift – ze spraken kennelijk maar een beetje Engels maar ze waren wel begonnen te filmen – is het delirium en het pathos van het ultieme bezitten. Hij sprak alsof hij voorlas uit een script van een van zijn bekroonde documentaires. Alle grote zenders lieten die beelden de volgende morgen zien. Dit is mijn laatste romance, zegt de man op leeftijd tegen zichzelf, zei mijn vader tegen de Russische filmploeg – ondanks de alcohol kwam hij bijzonder professioneel over – maar ook de enige romance waarbij ik, door mijn grotere invloed en ervaring, het voorwerp van mijn begeerte volledig wil bezitten. Het is alsof hij seksuele begeerte en vaderschap versmelt. Begrijp je? Dat deden de Russen niet, maar hun apparatuur draaide; mijn vader oreerde. Ze realiseerden zich inmiddels dat hij een beroemd iemand was. Tederheid is overweldigend in deze verhoudingen, zei mijn vader ernstig toen de lift vaart minderde en er een bel rinkelde, maar dat geldt ook voor het gevoel van verlies wanneer – hij was duidelijk aan het timen dat zijn woorden zouden samenvallen met het openschuiven van de deuren – wanneer de jonge vrouw opgroeit en besluit er in haar eentje op uit te trekken.

Waarom in vredesnaam, vroeg Cleaver zich af, heeft mijn zoon de moeite genomen om dit onwaarschijnlijke verhaal te verzinnen: Cleaver die in de lift staat te praten met een Russische filmploeg? Had hij me niet voor de trein kunnen laten duwen in de metro door Amanda of een of andere ongelukkige ex-vriendin? Of kanker kunnen geven of zo. God weet dat ik zomaar een hartaanval kan krijgen. Het ongelijke stel was in Londen, had zijn oudste zoon geschreven, ter gelegenheid van een zeer bejubeld concert dat het kindvrouwtje de vorige avond had gegeven in Festival Hall. Hoe verwachtte hij in vredesnaam dat ik zou reageren op dat gezwam?

Toen hij tijdens het kruipen de grond aan de rechterkant aftastte, drukte Cleaver zijn hand in iets echt afschuwelijks. Wat aanvankelijk natte dennennaalden leken, bleek rottend vlees te zijn. Was er een zwak schijnsel te zien van twee ogen in het donker? De stank was overweldigend. Waarom had hij dat meters terug al niet geroken? Meteen kwam Cleaver overeind, struikelde tussen de bomen, sloeg het slijm van zijn hand. Een kadaver. Het moest een kadaver of zo zijn. Een tak schramde zijn gezicht. Hij stootte zijn schouder. Toen stond hij eindelijk op het open stuk. Voor hem verscheen Rosenkranzhof. Hij raakte de kralen bij de deur aan. Gezegend Maria, Moeder van God. Je bent belachelijk, snauwde hij.

De olielamp was uitgegaan. De lont zal opgebrand zijn, verdomme. Was er nog een extra lont? De sintels in de haard gloeien nog een beetje. Cleaver vulde de gootsteen met ijskoud water en kneep afwasmiddel over zijn hand. Je hebt deze plek te overhaast gekozen, zei hij later tegen zichzelf, toen hij weer bij het vuur zat met nog een glas whisky. Je hebt altijd alles te overhaast gekozen, je levenspartner, je baan, alsof er zich nooit meer iets anders zou voordoen. Het tocht verschrikkelijk. Je hebt er nooit over nagedacht. Misschien was het uiteindelijk helemaal niet zo absurd om te denken dat ik me van een zwaar diner zou laten weglokken door het vooruitzicht me naar de tweeëntwintigste etage te spoeden om daar een man van zijn plan te doen afzien om zijn jonge musicerende vrouwtje kwaad te doen. Ik doe alles gehaast. Ik denk niet na. Anderzijds was het een van de grootste prestaties van je leven, zei Cleaver tegen zichzelf, toen je ten slotte je behoefte aan romances de kop hebt ingedrukt. Had zijn zoon dat gevoeld?

De videofilm van de Russen, had zijn oudste zoon geschreven in het laatste hoofdstuk van *In zijn schaduw*, laat zien hoe mijn vader zacht en overtuigend staat te spreken tegen een gesloten, matzwart gelakte deur. De microfoon vangt het geluid op van een snikkende vrouw in de kamer. Er is leven na zo'n verlies, zegt mijn vader rustig, vermoedelijk tegen de echtgenoot op leeftijd die erachter staat. Zie het als een uitdaging, zegt hij tegen hem. Je moet veranderen, zelfs al leek alles in het leven geregeld. Je moet een ban doorbreken, een andere prikkel zoeken. De man achter de deur kreunt. Laat haar gaan, en ze zal leren om samen met jou te lachen in de komende jaren, zegt mijn vader. Hij heeft een heel verleidelijke stem. Hij gebaart naar de Russen dat de camera dichterbij moet komen. Ze zal op een andere manier van je houden. Achter de deur is een krassend geluid en een klik te horen. Kom dichterbij, gebaart mijn vader naar de filmploeg. Misschien draait er een sleutel in het slot, gaat de deur haast open. Er valt fel neonlicht op het okerkleurige tapijt van de gang. De ploeg heeft geen tijd gehad om bijverlichting op te stellen. Je zult andere relaties hebben, zegt mijn vader tegen de jaloerse echtgenoot. Zo gaat dat in het leven. Hoe oud we ook zijn, er komt altijd een nieuwe ontmoeting, weet je, een nieuw gezicht. En ze zal je dankbaar zijn dat je haar hebt laten gaan. Weet je? Jullie zullen samen lachen. Op dat moment doet mijn vader een stap dichter naar de deur. Kom op, waarom zou je de deur niet opendoen en een beetje afkoelen, voordat de politie er is met alle onaangename gevolgen vandien. Een vrouw gilt, mijn vader grijpt de deurklink. De camera zoemt in, nogal onhandig. En dan klinkt er een schot, en nog een, en nog een, en versplintert de deur. De camera maakt een slag. Je kunt bloed tegen de muur en het plafond zien spatten.

Wat een goedkope dramatiek, dacht Cleaver, en kroop onder zijn dekbed om te slapen. Uiteindelijk goed afgelopen, besloot hij. Daar schrik je wel even van wakker, zo bijna in de afgrond stappen. Je leert van het leven. Mijn voeten zijn tenminste warm. Maar wat een idee van die knul. Me zomaar overhoop te laten schieten. Als het bedoeld was als provocatie, hoe had ik dan moeten reageren? Door hem te feliciteren met de knaller waarmee hij het boek had afgesloten? Door te klagen dat ik het er veel beter vanaf zou hebben gebracht met het ompraten van die oude bok?

Cleaver staarde door de diepe duisternis van de slaapkamer naar de gesloten deur waar de familie Stolberg de spullen van de oude nazi had opgeborgen. God weet in wat voor rottend schepsel hij zijn hand had gezet. Amanda wilde dat ik zou vechten, besloot hij. Misschien had zijn zoon dat ook gewild. Een fikse stennis over het verleden. Maar dat had de jongen kunnen krijgen wanneer hij dat wilde door gewoon de telefoon te pakken en met me te praten. In elk geval ben ik slimmer geweest dan hij, besloot Cleaver, door te verdwijnen. Op dat punt heb ik ze verslagen, glimlachte hij in zichzelf, en zakte verbazend aangenaam in slaap. *Zij* zullen *mij* moeten komen halen, feliciteerde hij zichzelf. En niet andersom. Het was vreemd dat ze er zo lang over deden.

8

Er is geen spiegel in Rosenkranzhof. Cleaver werd wakker met de stijve nek die hij de vorige dag al verwacht had. Hij kan zijn hoofd nauwelijks naar links of rechts draaien. Hij lag in bed in het grijze licht te luisteren naar de wind die tekeerging tegen de ruiten. Een van de grote talenten van mijn vader, had zijn oudste zoon geschreven, was dat hij kon slapen wanneer en waar hij maar wilde. Omdat ik altijd een zuiver geweten heb, grapte hij onvermijdelijk als moeder over haar slapeloosheid klaagde. En dat was in zekere zin waar, dacht Cleaver. Waar ben ik nu schuldig aan? Hoewel het hem soms verbaasde dat hij nooit gestraft was. Er ging een koude luchtstroom door de kamer, merkte hij. Over zijn hoofd heen. Het huis is een tochtgat. Ik zal een ronde moeten maken en alles afdichten met stroken vilt of plastic, zoals oude mensen doen.

Terwijl hij zijn nek masseerde besefte hij dat hij zich een paar dagen niet geschoren had. Hoe zie ik eruit? Hij wilde niet naar Trennerhof gaan om melk te halen en de indruk wekken dat hij al een wildeman aan het worden was. Maar er is geen spiegel, besefte hij. Hij speurde in gedachten het huis rond. Er is geen badkamer in de juiste betekenis van het woord. Jaren aan een stuk, avond na avond, had Cleaver voor een helder verlichte spiegel gezeten in de Wood Lane Studios terwijl een van zijn make-upmeisjes zorgvuldig de adertjes en blosjes wegpoederde, om van een glimmende thuisgebakken strooppudding, zoals zijn oudste zoon het had verwoord, een gladde supermarktcake te maken. Tot dusver de humor van de shortlistschrijver. Dit voor de consumptie van een nog homogener publiek, merkte het boek op met zijn karakteristieke zelfvoldane superieure toontje. De knaap had de mogelijke humor gemist, bedacht Cleaver, van hoe ze de haren uit mijn neusgaten hadden geplukt, mijn wenkbrauwen hadden geëpileerd, mijn kale kop hadden ingesmeerd zodat die niet zou glimmen.

Hij stapte uit bed, liep naar het raam, maar zag alleen maar een schim weerspiegelen tegen de lichter wordende dag erachter. Hij kan zichzelf niet zien. Maar waarom zou je je druk maken om je uiterlijk als je besloten hebt alleen te leven? De boeren van Trennerhof zijn bepaald geen prime-timepubliek. Cleaver keek uit over de kloof. De complexe kleurverglijding van het lichtgrijs en groen van de hogere heuvels naar de donkere dennen en schaduwen diep beneden begint vertrouwd te worden. Zal ik die ooit kunnen verkennen? vroeg hij zich af. En hij vroeg zich af of er een spiegel was in de afgesloten kamer. Had de oude nazi zich om zijn uiterlijk bekommerd? Uit een oude trots misschien, dromend van een onwaarschijnlijke terugkeer naar de maatschappij, naar de dagen van het exercitieterrein en het Polizeiregiment van Bozen? Had hij ook last gehad van een stijve nek? Heel voorzichtig probeerde Cleaver zijn hoofd heen en weer te draaien. Niet doen! Voor iedereen die hem alleen maar als televisiepersoonlijkheid kende, had zijn oudste zoon geschreven, moet mijn vader er heel natuurlijk hebben uitgezien in zijn onvermoeibare fotogenieke beminnelijkheid; hoe konden de kijkers zich voorstellen wat voor moeite deze zware eter, drinker en roker moest doen om altijd dat ene, geruststellende beeld van zichzelf te laten zien?

Cleaver kon niet dezelfde kleren aan die hij gisteren had gedragen. De broek was vuil van over het pad te kruipen. Om nog maar te zwijgen van het zweet dat hij had geproduceerd tijdens het omhakken van die bomen. Hij deed de stoffige kast open. Je hebt een Londens pak, en drie sets van het soort overhemden en broeken dat je in de winkels in Bruneck kon vinden: geruit flanel en grove bruine denim. Ik zal pannen met water moeten koken om me te scheren en om mijn kruis en oksels te wassen, en de was te doen. Tenzij het me een rotzorg zal zijn en ik gewoon dezelfde kleren weer aantrek. Was dat een oplossing? Deze reis werd verondersteld een exit te zijn uit alle moeite, dacht Cleaver, de ontdekking van zeeën van meditatieve ruimte ver voorbij de stress van gezinsproblemen en een briljante carrière. Nu lijkt het erop dat al mijn creativiteit zich zal moeten richten op gewoon overleven: waarin warm ik water op, waar hang ik een waslijn. Of zou ik eraan kunnen wennen dat ik stink? Hij legde zijn vuile kleren op een hoopje. Bracht de oude nazi zijn vuile was naar Trennerhof? vroeg hij zich af. Kwamen ze hem zijn eten brengen? Terwijl hij nog steeds uit het raam zat te kijken, stelde Cleaver zich voor hoe Seffa over het pad kwam stappen met een mand aan haar arm en Uli achter haar aan. Het meisje was dik, maar niet onoverkomelijk lelijk. MIT ESSEN, had Frau Schleiermacher geschreven, 450 euro per maand. Waarom heb ik dat niet aangenomen? Cleaver wist zeker dat ze hem aantrekkelijk had gevonden. Echtgenoot of geen echtgenoot. Verdomme, riep hij. Verdomme verdomme. De enige reden waarom je hier zit is dat je hier in je dooie eentje leeft. Niet terugkrabbelen.

Terwijl hij zijn nek stijf rechtop hield, trok Cleaver zijn laatste set schone kleren aan. Dat een jasje vuil is doet er eigenlijk niet toe, vond hij. Natuurlijk is de melk niet gepasteuriseerd, bedacht hij, proevend van zijn graanproducten. Het smaakte een beetje zuur. Hij at het toch op, en bezag de paar voorwerpen die zich binnen zijn gezichtsveld bevonden: de beroete haard, een heksenbezem, zijn rugzak en, door zijn ogen maar niet zijn nek te bewegen, de oude foto van de jonge soldaten in drie lange geüniformeerde rijen: een eenheid, een vechtmachine. Toen lichtte de grote man een dij op. De uitvinding van de atomische klok, had zijn oudste zoon geschreven, uiteraard een citaat van Amanda, was overbodig, gegeven de regelmaat van mijn vaders darmperistaltiek. Cleaver stond op. Big Ben, beweerde moeder, zou gelijk gezet kunnen worden op het doortrekken van de wc beneden. Want mijn ouders hadden niet alleen gescheiden slaapkamers, maar ook gescheiden wc's. Hun geuren mochten zich niet vermengen. Ik moet me even excuseren, verontschuldigde Cleaver zich tegenover Olga, en pakte de rol wc-papier. Gescheidener dan dit kan je niet raken, dacht hij.

Buiten blies de wind door een strakke lucht. De boomtoppen bogen onder de druk. Misschien wilde de jongen me uiteindelijk alleen maar met mijn benen op de grond zetten, dacht hij. Waarom niet? Hij kan er niet tegen dat mensen zoveel met me op hebben. Hij heeft er genoeg van om zoon-van te zijn. Toch heb ik nooit beweerd iets anders te zijn, merkte Cleaver op, dan een stevige homp vlees, tuk op succes. Toch?

Als ik er zelf een verslag van zou maken, besloot hij, wat ik nooit zal doen – hoewel hij zich vanochtend nogal stierachtig voelde – zou het probleem zijn om de lezer deze centrale tegenstelling duidelijk te maken: de honger naar een roem die je monsterlijk leeg wist, de onaflatende ijdelheid, ondanks de wetenschap dat alles inderdaad ijdel was. Maar wat moest je dan met het leven? Daar zat de crux.

Ik zou er eigenlijk trots op zijn, dacht Cleaver, nog steeds op de wc gezeten en over het open stukje naar Rosenkranzhof starend, als ik naar de tweeëntwintigste verdieping zou rennen om een man ervan te weerhouden een vrouw te vermoorden, een jonge vrouw bovendien, en een talentvol musicus in het bijzonder. Hij moest een voet tegen de deur zetten om de wind er niet mee te laten slaan. Was dat eigenlijk niet bewonderenswaardig? Het stonk. En ik zou het evenmin alleen voor de publiciteit hebben gedaan. Hoewel je je moeilijk kon voorstellen welke zichzelf respecterende journalist géén gebruik zou maken van een filmploeg als die daar ter plekke was.

Ze kunnen gewoon niet geloven dat ik verdwenen ben, zei Cleaver een paar minuten later tegen Olga, toen hij de rol wc-papier terugzette. Zo zit dat. Om zeker te weten dat hij bestond, had zijn oudste zoon geschreven, moest mijn vader zijn gezicht ongeveer dagelijks op het kleine schermpje zien. Niet op de televisie zijn was alsof hij zichzelf niet in de spiegel kon zien. Nou, ik heb nu geen spiegel, verkondigde Cleaver. Hij nam de moeite niet om zich te scheren. Ik heb genoeg aan een degelijk bezoek aan de plee om me eraan te herinneren dat ik besta, lachte hij. Ze zullen ons moeten komen halen, zei hij tegen Olga. Ze zullen ons op heterdaad moeten komen betrappen, lieve pop! Tenzij, bedacht hij plotseling – en weer was er die verontrustende ervaring dat er zich een waarheid aan zijn brein opdrong – tenzij ik er onbewust altijd op gerekend heb dat er uiteindelijk niets is wat een man eerder tot mythe, beroemdheid of legende kan maken, dan deze plotselinge, totale en permanente verdwijning.

Stijve nek of niet, Cleaver wilde absoluut bij daglicht het pad zien dat hem bijna zijn leven had gekost de vorige nacht. Hij liep snel om het open stuk heen. Is het mogelijk dat die broek al losser zit dan toen ik hem aanpaste in Bruneck? Nee. Hij veegde een spinnenweb weg dat over het pad gespannen was en kwam bijna meteen de bron tegen van de stank die hij zo walgelijk had gevonden. Een dier was in een strik gevangen. Een draad kronkelde op de bodem van een nauwe spleet. Wat voor dier was het? Geen haas of vos. Een marmot misschien. Hij had er foto's van gezien op het toeristenkantoor. Het harige beest was half opgevreten en Cleaver zag waar zijn hand de afgelopen nacht in de ingewanden was gezakt.

Hij liep snel door. De oude nazi zette strikken, realiseerde hij zich. Hier en daar zouden nog meer dieren onopgegeten liggen te verrotten. Hij ving de dieren vermoedelijk om ze op te eten. Moet ik die vallen bestuderen? Als je ergens leeft, betekent dat dan dat je verplicht bent op zekere manier te leven? De wouden waren vandaag vol van geluid door de kracht van de wind. Het was stimulerend. Toen hij haastig heuvelafwaarts liep, zag Cleaver tot zijn verbazing dat het pad dat hij in het donker met de grootst mogelijke moeite had kunnen volgen, ooit een serieus pad was geweest, ongetwijfeld een voortzetting van het pad dat naar Trennerhof leidde. Het werd alleen niet gebruikt; de treden en het sporadische plaveisel waren overwoekerd. Op het steilste punt waren er zelfs restanten van een ijzeren leuning tegen de rotswand. Mensen hebben hier tijd aan besteed, dacht Cleaver.

Toen stapte hij naar de rand. De onbelemmerde wind blies hem bijna omver. De diepte was ontzagwekkend. De afgrond opende zich tot ver, ver beneden hem, waar de Ahrn zichtbaar was als een glinsterende draad door een klein dorpje. Cleaver merkte dat de grond onder zijn voeten zorgvuldig geplaveid was. Hier was aandacht aan besteed. De galg was een grote driehoekige stellage met een groot, roestig wiel. Dit moest een soort platform zijn geweest om te laden.

Toen zag Cleaver het gezicht van een meisje. Aan zijn linkerkant, waar de rand tot nauwelijks een meter breed versmalde, was een houten ovalen plaat vastgeschroefd tegen de rotswand. Onder een vierkant stuk doorzichtig plastic zat een foto. Ulrike Stolberg. Een plastic roos, aan de plaat bevestigd met een eindje ijzerdraad, maakte een snorrend geluid in de wind.

Terwijl hij dichterbij kwam, zich zenuwachtig bewust van de verschrikkelijke diepte naast hem, kon Cleaver niet uitmaken of het zijn ogen waren die niet wilden focussen of dat de kleine foto wazig was. Het is een pasfoto. Het meisje had blond haar, een rechte neus. Hij kon nog net twee data lezen: 20.4.1965 – 21.6.1990. Toen voelde hij plotseling een enorme angst; een krachtige emotionele schok. Ik ga vallen. Ze moet hier gestorven zijn, mompelde hij. De eerste rots die je zou raken was minstens zestig meter lager. Cleaver huilde toen hij het pad weer op strompelde. Pas toen hij bijna terug was op Rosenkranzhof voelde hij zich veilig genoeg om te stoppen en op adem te komen. 1990. Hij stond met zijn rug tegen een boom geleund. Hoe vaak had hij dat jaar vervloekt.

Toen hij het open stuk weer overstak, besloot Cleaver dat hij de melkkan zou halen en meteen naar Trennerhof zou gaan om hem te laten vullen. Wie was Ulrike Stolberg? Maar in dat geval zou hij het bord met kaas dat ze hem hadden gegeven ook moeten terugbrengen. Het stond nog op tafel. Een scherpe pijn herinnerde hem aan zijn stijve nek. Eerst moet ik die kaas kwijtraken. Je kunt kwalijk teruggeven wat je hebt gekregen. Cleaver keek naar de korrelige grijze klomp onder het plastic. Het zag eruit als iets doods. Hij voelde zich gedesoriënteerd, gehaast, hoewel niemand me verwacht. Zijn hart bonst. Hij weet dat hij terug zal moeten naar die rand en die foto. O, die stomme kaas! Maar hij moest eten. Hij graaide het Schwarzbrot uit de kast.

Zodra hij de folie eraf had gehaald, vulde de kamer zich met dezelfde doordringende stank die hem op Trennerhof had overvallen. Het leek op een soort zelfopblaasbaar ding dat het hele huis vulde. Scherpe kaas. Desondanks smeerde Cleaver een laagje van het spul op zijn donkere brood. Hij stond bij de tafel. Het verkruimelde in grijze en groene klontertjes. De deur rammelde in de wind. Waarom eet ik? Je hebt geen honger. Hij propte het voedsel in zijn mond. Hij had nu erge haast om naar Trennerhof te gaan. Zijn nek deed pijn bij het kauwen. Wie was Ulrike Stolberg? Toen gingen reuk en smaak een scherpe verbinding aan en schoten omhoog in zijn neus. Het was raar om iets te herkennen wat je kende – ja, het is kaas – en toch is het totaal anders en sterker dan welke kaas ook die hij ooit gegeten had. Hij klemde zijn kaken op elkaar. Het ruikt naar slechte seks! Begrijp je wat ik bedoel, Olga? Cleaver schaterde het uit. Wat ben je toch een onverbeterlijke oude viespeuk! Tegelijkertijd was hij er zich van bewust dat door die herdenkingsplaat te zien, de herinnering aan dat afschuwelijke jaar hem in zijn hart geraakt had. Ik ben hulpeloos, mompelde hij. Ik ben er nooit overheen gekomen.

Hij stond bij de tafel zijn brood te vermalen met pijnlijke kaken door zijn snelle kauwen. Het lijkt wel of er iemand aan de deur staat te rammelen om binnen te komen, dacht hij. Om Rosenkranzhof in te komen. Cleavers hand beeft. Hij voelt de tocht in zijn nek. Mijn arme nek. Mijn vader beweerde altijd, had zijn oudste zoon geschreven – dat was in het laatste deel van het boek – dat microfoons die moesten worden vastgehouden lelijk waren, dat ze een geïmproviseerde en amateuristische indruk gaven. Hij wilde er per se een op zijn lijf dragen, zei hij. Maar de waarheid was dat zijn hand trilde als een blad in de wind. Jezus, wat een waardeloze analogie! riep Cleaver. Mijn vader wilde niet dat de mensen zouden zien hoe onvast hij was. Wat heeft het voor zin om Mister Charmant te spelen als je hand trilt? Dat is niet *cool*. Zodat ik me vaak heb afgevraagd, had zijn zoon geschreven, wat voor schuldgevoel er achter dat beven lag. In het hart, herhaalde Cleaver. Zag de jongen dan echt niet wat er gebeurd was? Het beven had er niets mee te maken. Mijn hand beefde al toen ik nog een tiener was, waarschijnlijk beefde hij al in de wieg. Hij beet weer in de kaas. Hij kreeg een soort mist voor zijn ogen. Is het nooit in hem opgekomen dat heel die desillusie, die zure afbraak van mijn eigen prestaties, begonnen is in de herfst van 1990? Maar in plaats daarvan smeerde *In zijn schaduw* het uit over mijn hele leven. Alsof ik als nihilist geboren ben. Alsof de puberteit van de tweeling verpest was door iets wat in feite pas was begonnen nadat Angela's leven zo abrupt tot een einde was gekomen.

Cleaver dwong zijn voedsel naar beneden en liep naar de deur. Het leek erop dat wanneer je je van de dagelijkse routine verwijderde, je de meest intense crisissen van je leven voortdurend opnieuw moest beleven. Meneer Cleaver, de dokter nam hem even apart na de autopsie, er is iets wat u moet weten over uw dochter. Alstublieft niet, protesteerde Cleaver. Hij greep de rammelende deurklink beet. Misschien luisterde men wel elke dag naar de beursberichten, dacht hij, om dat soort stemmen niet te horen. De Hang Seng in plaats van jezelf op te hangen. Nee, je moet het bord afwassen voor je gaat, besloot hij, of het op z'n minst schoonvegen. De jonge vrouw moet gestorven zijn door van de rand te vallen, dacht hij. Bijna op de dag drie maanden voor Angela. Misschien speelde ze met het draaiwiel. Er moet een bepaalde manier zijn geweest om dingen naar boven te hijsen of naar beneden te laten zakken bergop- en bergafwaarts, vanuit Rosenkranzhof. Vreemd. Cleaver liep snel over het pad. En dat gevoel tussen beslissing en dwang om naar Trennerhof te gaan was ook vreemd. Waarom? Maar woorden zijn zo arrogant zoals ze de wereld indelen, en vooral de geest. Ze is gesprongen, zei Cleaver tegen zichzelf, ze is gesprongen.

Wer war Ulrike Stolberg? vroeg hij. Er was niemand in de melkerij. De wind sloeg de deur dicht toen hij hem losliet. Onder de dakgoot rammelden en kletterden allemaal van die belachelijke trofeeën die de Tirolers absoluut aan hun muur in de wind moeten hangen: een oude zeis, een houten juk van een ploeg, een karrenwiel, ruw uitgesneden dwergjes en clowntjes. Hij liep naar de voorkant van het huis, naar de kamer waar hij het contract had ondertekend. Harry Cleaver. Ik heb ondertekend met de naam die mijn vrouw me heeft gegeven. Angela zei altijd paps. Mag ik naar het concert, paps? Toe nou! Ik ga anders toch wel, hoor. O, alsjeblieft! Zijn ogen prikten in de wind. Zijn jack stond bol. Toen hij het plateau was overgestoken op de plek waar het pad de kloof uit kwam, had hij zijn rug naar de wind moeten keren. Hij had nog steeds een scherpe nasmaak van de kaas in zijn mond. Het had zijn verhemelte geprikkeld. Dit is de smaak van hier, dacht hij. De bergpieken om hem heen tekenden zich verschrikkelijk scherp en onbeweeglijk af onder de uitgestrekte hemel, de voortsnellende wolken. Cleaver opende de poort en liep over het binnenerf naar de grote eetkeuken. Hallo! Het rook weer naar houtvuur en soep. Hij moest vechten om de elementen buiten te houden. Hallo, riep hij. De stoffige oude radio's, de grote haard en grote stenen tafel leken uit een andere tijd te stammen, nog ouder dan het kruisbeeld. Ist jemand da? Hij heeft de melkkan en het bord in zijn hand. Frau Stolberg?

Jo, zei een stem zacht. Het is een krakende stem. Cleaver liep om de tafel heen naar waar de oude dame ineengedoken bij het vuur zat, met haar rug naar de deur. Dezelfde rode kralen waren rond haar knokkels gewikkeld. Dit gezicht is bijna een lijk, dacht Cleaver. Ze keek met lege blik langs hem heen, een straaltje speeksel liep uit haar mondhoek. De vrouw mompelde iets. Er beweegt maar één kant van de mond. Ze vraagt me wie ik ben, besloot Cleaver. De woorden waren niet te onderscheiden. Hij had nog nooit zo'n papierachtige huid gezien, zo grijs. Als je tegen haar aan zou vallen, zou je hand meteen in haar verrottende ingewanden zakken. Ich bin Cleaver, zei hij. Hij wist niet hoe hij de huurder moest zeggen. Ich will die Milch nehmen. Von Rosenkranzhof, zei hij.

De oude vrouw schrok. Adelheid! riep ze. Het was gekraak. Ze heeft geen kracht meer. Adelheid! De oude vrouw is bang, dacht Cleaver. Kan ze me zien of niet? Ze leek naar hem te kijken, maar zonder iets te zien. Kralen en knokkels beefden in haar schoot. Hoe kon mijn zoon de overduidelijke verandering in mij niet hebben gezien na Angela's dood? Ik was briljanter, meer mezelf, rustelozer, alsof ik in de leegte tolde. Wer war Ulrike Stolberg? vroeg hij botweg. Het was altijd een virtuoze voorstelling, na Angela's dood. Het hoofd van de oude vrouw zakte schuin. Ze spitst al haar zintuigen op mij. Wos welln Sie? Ze begon te spreken. Ze vroeg iets. Maar hij zag aan haar verhoogde waakzaamheid dat ze zijn vraag goed genoeg had begrepen. Wer war Ulrike Stolberg? Ik heb haar foto gezien. De rechterhand van de vrouw greep de leuning van haar stoel. Ze probeerde op te staan.

Herr Cleaver, zei een stem.

Cleaver draaide zich om. Frau Stolberg verscheen hoekig en tanig achter hem in een eenvoudige bruine jurk met schort, min of meer dezelfde kleren als Frau Schleiermacher droeg. Wat zal ze denken van mijn duidelijke staat van opwinding? vroeg hij zich af. Zijn ogen traanden. De grote vrouw stak een hand uit om de melkkan en het bord aan te nemen. Haar mond stond vastbesloten onverschillig. Kommen Sie bitte, zei ze.

Terwijl ze hem naar de melkerij leidde om zijn melkkan te vullen en een nieuw stuk kaas op zijn bord te leggen, begon Frau Stolberg met een langzame, strenge, afkeurende stem tegen Cleaver te praten, hoewel hij geen idee had wat ze feitelijk aan het zeggen was. Ze weet heel goed dat ik het niet versta, dacht Cleaver. Maar vreemd genoeg maakte dit dat hij haar beter begreep. Ze leest me de les, besefte hij, ook al gaan de woorden over het weer, of de melk. Ze zet me op m'n plaats.

Hij nam de tot de rand toe gevulde kan aan en het bord. Wo ist Jürgen? vroeg hij. Was het een soort grap om hem zo'n volle kan te geven, terwijl ze heel goed wist dat hij Rosenkranzhof nooit zou halen zonder te morsen? Zelfs al had ik een vaste hand. Bei den Kühen, zei Frau Stolberg. Auf wiedersehen, Herr Cleaver. De vrouw had iets van Amanda, dacht hij, met haar bewuste kilte. Amanda had ook van die glinsterende ogen.

Toen Cleaver zich al had omgedraaid om te vertrekken zei hij: Heute morgen, ich habe die Fotografie... hij wist niet hoe hij de zin moest afmaken. Afgrond en rand en diepte waren geen woorden die hij veertig jaar geleden in de schoollessen Duits had geleerd. Die Fotografie... Ulrike Stolberg ge...sehen. Hij hoopte dat er in zijn stem medeleven doorklonk, gedeelde smart zelfs. Frau Stolberg had zich al omgedraaid naar de gootsteen, aan de andere kant van de kamer. Das ist eine alte und traurige Geschichte, zei ze.

Was Ulrike de dochter van Frau Stolberg? Nog geen honderd meter van Trennerhof verwijderd, zette Cleaver zijn melk naast een laag stenen muurtje dat beschutting bood tegen de wind. Ergens is het gerinkel van een bel te horen. Dat moeten de koeien zijn. Hij hief zijn hoofd op. Ze was in 1965 geboren. En Frau Stolberg is ergens in de zeventig. Dan moet ze dus... waarom kan ik dat niet uitrekenen? Waarom kost het me altijd zoveel moeite om de levens van mensen naar het verleden door te trekken? Dertig en nog wat. Dan zou ze best de moeder kunnen zijn. Ulrike was de dochter. En de stads geklede vrouw een andere dochter. Je hebt niet het recht om herinneringen van anderen zo op te wekken, zei Cleaver tegen zichzelf. Alleen maar omdat je eigen herinneringen zijn verstoord. En Seffa? Hij hoorde de bel weer rinkelen. Seffa is van een andere generatie. De koeien bevonden zich aan de andere kant van het plateau, misschien een stuk of twaalf, grazend op de lagere berghellingen van de Speikboden. Ik heb niets te doen, dacht Cleaver. Hij bedekte de kan met het bord, schermde ze goed af van de wind en begon te lopen.

Dit is een spectaculair weids panorama, mompelde hij, om zich heen kijkend; veel spectaculairder dan welk breedbeeldscherm ooit zou kunnen laten zien. Dit zijn banale bedenkingen. Het leven is geen ingeraamd ding, zei Cleaver tegen zichzelf. Zoals een boek of een televisiedocumentaire. De natuurlijke wereld is uitgestrekt. En toch, wanneer de twee jaartallen samengebracht worden – 1965-1990 – beginnen mensen zich een beeld van dat leven te vormen. Eine alte und traurige Geschichte, had Frau Stolberg gezegd. Een oude, droevige geschiedenis. Uw dochter was in verwachting, had de dokter hem gezegd. Cleaver liep over het plateau de heftig blazende wind in. Die blijft maar blazen. Misschien weet u wie de vader is en wilt u hem inlichten. Zijn ogen zochten de berghelling af. Jürgen werkt aan de omheining, staat gebogen bij een paaltje. Het lijkt raar dat er een omheining nodig is zo hoog in de bergen. Vermoedelijk moeten de koeien op stal blijven als het begint te sneeuwen. Of wanneer iemand besluit om jouw verhaal te vertellen, jou in te ramen, zoals zijn oudste zoon dat bij hem had gedaan, dan is het alsof de twee jaartallen er al staan. Of het al voorbij is. Hij móést mijn dood wel uitvinden, bedacht Cleaver. Hij keek om zich heen naar het grootse landschap, de kleurige vlakken, de rotspartijen, de rijen grijze pieken achter het plateau. Dichterbij was een drenkplaats voor de koeien, donker rimpelend in de wind. Wanneer alles gezegd en gedaan was, wie kon het dan nog schelen hoe het afliep?

Jürgen had hem zien aankomen, maar bleef nu met gebogen hoofd zitten. Pas toen Cleaver op een paar meter afstand was, besefte hij dat er een kloof van een meter of vijftien diep meteen achter het hek lag. De koeien moesten beschermd worden. Guten Tag, zei hij. Hij bleef staan kijken. De man bromde een antwoord. Hij gebruikte een moersleutel om een draad aan te trekken rond een nieuw gesneden paal. Wo ist der Hund? vroeg Cleaver. De man krabde met dikke vieze vingers in het haar boven zijn oor.

Hij zat op zijn hurken en droeg het onvermijdelijke blauwe hemd van de landbouwer. Uli ist mit Seffa rausgegangen. Hij haalde drie spijkers uit zijn zak, stak er twee tussen zijn lippen en begon de derde er met een hamer in te slaan. Terwijl ik op de televisie zat te oreren, waren er overal ter wereld mannen dit soort eenvoudige klusjes aan het doen. Jürgen werkte snel, geconcentreerd. Amanda's rozenrek was er nooit gekomen. Wanneer de spijker er haast was ingeslagen, werd de kop met twee snelle slagen omgebogen om de draad vast te zetten.

Wollen Sie was trinken? vroeg Jürgen. Hij liep naar een tas die aan de vorige hekpaal hing en diepte er een fles uit op. Door het besmeurde glas was een doorzichtige vloeistof zichtbaar. Setzen Sie sich. Jürgen strekte zich demonstratief op zijn rug uit op het grove gras alsof hij zijn rust hard had verdiend. Het is niet zijn eerste slok van de dag, dacht Cleaver. Wind, riep Jürgen, viel Wind. Verstehen Sie? Hij schudde lachend een zware vuist tegen de lucht. Und wo ist Seffa? vroeg Cleaver. Luttach, antwoordde Jürgen. Hij begon iets uit te leggen. Cleaver begreep het niet. De man ging overeind zitten en begon te gebaren alsof ze een spelletje woorden raden deden. Hij hield de teugels vast van een denkbeeldig paard. Hermann? Jo-jo. Zijn hand bewoog zich neerwaarts, alsof hij een heuvel af ging. Mit dem Käse? Verstehen Sie? Den Käse verkaufen. Hij zette een elleboog naar buiten en hield met een vinger en duim zijn neus dicht boven getuite lippen, alsof hij ervan walgde. Zweimal in der Woche. Een grappige man, dacht Cleaver. Jürgen bood de fles aan en hij nam een teug. Stevig spul. Terwijl hij zijn mond afveegde, herhaalde hij: Oké. Pferd. Käse. Luttach. Geht Seffa für die... Shopping? Mit dem Hund. Jürgen brulde van het lachen. Auf Deutsch! Sehr gut! Hij leek Hermann na te doen.

De man nam nog een bijzonder lange teug van de fles. Hij hield hem in de lucht, zwaaide ermee naar een lichtbruine koe die op een paar meter afstand van het gras stond te plukken. Willst du trinken, Isabella. Willst du? Sie heisst Isabella. Isabella! Plotseling riep Jürgen: Willst du was trinken, mein Liebchen? Willst du tanzen? Met een verbazingwekkende behendigheid sprong de man overeind en rende naar het beest toe, met gespreide benen als een clown en zwaaiend met de fles. Isabella, willst du trinken? Toen de koe haar kop ophief, duwde hij de geopende fles onder de neus van het dier. Trink, trink!

De koe snoof en liep weg. Jürgen kwam grinnikend terug, stond stil om nog een slok te nemen. Cleaver vroeg zich af waarom hij zo geamuseerd was door 's mans fratsen. Misschien omdat ik al een paar dagen niemand heb gezien. Hij dacht dat de drank schnaps was. Jürgen drukte de fles weer in zijn handen. De alcohol steeg recht naar zijn hoofd. Seine Käse ist sehr gut, verkondigde Cleaver. Pas nu besefte hij dat hij zijn stijve nek helemaal was vergeten. Jo-jo. Jürgen ging weer liggen. Unser Käse ist wunderbar. Hij bracht drie vingertoppen bijeen en kuste ze met gespeelde verrukking, ging toen plotseling rechtop zitten en riep naar de koeien: Isabella, danke schön, Gabriela, danke schön, Lucia, danke schön. Hij begon pollen gras te plukken en naar de dieren te gooien. Unser Käse ist wunderbar! Wat doet een man anders als tijdverdrijf op een plek als deze, vroeg Cleaver zich af, dan het bedenken van Italiaanse namen voor zijn koeien. Und Seffa? vroeg hij. Wie kommt Seffa... zurück? Zu Fuss! riep Jürgen. Weer sprong hij op en zette een paar waggelende stappen, waarbij hij de tred van het dikke meisje overdreven nabootste door zijn voeten plat neer te zetten. Drei Stunden, mit der Einkaufstasche. Hij voegde een zware tas bij zijn pantomime, sputterde en zuchtte en schaterde het uit. Heute morgen... probeerde Cleaver. Hij moest een grote mentale inspanning leveren. Heute Morgen, ich habe die Fotografie Ulrike Stolberg gesehen. Jürgens glimlach verdween. Hij stond stil in de wind, zijn kaken plotseling zwaar. Wer war sie? vroeg Cleaver. Jürgen keek weg. Ulrike ist vor vielen Jahren gestorben, zei hij. Hij plukte aan het vel onder zijn nek. Meine Frau, voegde hij eraan toe. Cleaver schudde zijn hoofd. Zijn vrouw. Waarom had hij in hemelsnaam dat verband niet gelegd?

Ihr Hut, zei Jürgen. Cleaver begreep het niet. De man nam zijn eigen petje af en liet het zien. Hut. Hij zette het weer op, deed alsof het een cowboyhoed was, streek een denkbeeldige rand glad. Ihren Hut haben Sie am Trennerhof gelassen. Cleaver begreep het. Hij wilde zeggen dat het hem speet, maar hij wist niet hoe. Seffa ist Ihre Tochter? vroeg hij. Jürgen keerde zich om en keek hem aan. Zijn ogen waren rood van de wind en de alcohol.

Natürlich, zei hij met onverwachte nadruk.

Waarom wil ik dit soort vragen stellen? vroeg Cleaver zich af, toen hij de berghelling weer afdaalde. Er zullen wel meer jonge vrouwen gestorven zijn in 1990. Het was na de val van de Berlijnse muur. Hij stond even stil. Dat was in november '89. Afdalen is zwaar voor de knieën. Het licht leek nu verblindend, misschien door de schnaps. Je wilde zo gauw mogelijk weer het woud in. Het zou interessant zijn, dacht Cleaver, om te weten waarom de wind zo kreunde op deze rotsachtige hoogten. Een rustgevend geluid vergeleken bij het gieren van een kettingzaag. Een of andere lugubere wrijving tussen vluchtig en vast, spiritueel en materieel. Er is geen geluidsgrens, zei Cleaver tegen zichzelf. Daar kom je nooit boven. Toen hij naar boven keek, zag hij een zwarte vlek langzaam boven het ravijn achter Trennerhof cirkelen. Hij keek: een havik of zo. Zoals de adelaar aan de muur van de oude nazi. Hij zeilt op de elementen, sierlijk wachtend op zijn prooi. Wanneer de vogel zijn prooi vangt, is er het pathos van het slachtoffer dat wordt verscheurd en opgegeten; wanneer hij niet doodt, is er het pathos van de mislukte aanvaller, de geduldige honger. Filmers zouden hun leven geven om dergelijke beelden te schieten. Maar wat hebben die morbide gedachten voor zin? vroeg Cleaver. Was het echt de moeite waard om in je eentje te leven als je alleen maar van die akelige gedachten had? En hoe kan je zo kalm zijn, zo zonder enig plan of doel, en tegelijkertijd zo verschrikkelijk opgewonden, zo kwetsbaar? Angela, zei hij zacht. De havik cirkelde nog steeds rond.

Ich habe mein Hut gelassen, zei hij tegen Frau Stolberg. Hij kwam haar bij de poort tegen. Haar glinsterende ogen vertelden hem dat hij niet welkom was. Wat kan mij het schelen, dacht Cleaver. Hij was blij dat hij zich niet geschoren had. Ik hoef op niemand indruk te maken. De vrouw ging de kamer uit en verscheen weer met de breedgerande grijze hoed. Waarom heeft ze me die niet eerder gegeven? Wo ist Seffa? vroeg hij. Und der Hund? Frau Stolberg leek geen haast te hebben om antwoord te geven. Net als toen hij haar voor het eerst had gezien op de begrafenis, werd hij getroffen door een vreemde starheid in haar blik. Mijn vader, had zijn oudste zoon geschreven, zou nooit de gedachte kunnen accepteren dat een vrouw aan zijn charmes kon weerstaan, zelfs als hij die vrouw niet eens zou willen verleiden. Wat een flauwekul, zei Cleaver tegen zichzelf. Er waren honderden vrouwen aan wie hij helemaal geen aandacht had geschonken en van wie hij ook niets had verwacht. Hij nam de bol van de hoed in zijn rechterhand en boog zijn kale hoofd om hem op te zetten. Seffa ist nicht hier, zei Frau Stolberg. Cleaver wachtte. Hij wist zeker dat ze nog iets anders te zeggen had. Langzaam en duidelijk sprekend meldde de vrouw uiteindelijk: Seffa darf nicht zum Rosenkranzhof gehen. Cleaver keek haar aan. Es ist verboten, zei Frau Stolberg.

Cleaver ontdekte dat het onmogelijk was om zowel de melkkan en de kaas te dragen, als zijn hoed op zijn hoofd te houden. De wind blies hem af. Hij zette kan en bord neer om erachteraan te gaan, waarbij hij een grote scheut melk morste. Sehr schön, aber unpraktisch, had Frau Schleiermacher gezegd. Ik heb die hoed gekocht om me een imago te geven in de bergen, besefte Cleaver. Hij verfrommelde hem en stopte hem in zijn jaszak. Die hoed had me het uiterlijk moeten geven van iemand die zijn afgelegen bergbestaan tot een succes heeft gemaakt. Ik zag de camera's al aankomen om de tv-persoonlijkheid te filmen die kluizenaar was geworden, maar met schwung. Plotseling was Cleaver uitzinnig van woede. Lila dassen waren zijn favoriet, had zijn oudste zoon geschreven. Op een lichtgeel shirt. Of andersom. De kogels die hem doodden waren eerst door een wit smokingjasje gegaan. Zou het kunnen, vroeg Cleaver zich koortsachtig af, dat het meisje het verkeerd begrepen had toen hij naar boven had gewezen en Zimmer had gezegd? Natuurlijk niet. Ik ben oud genoeg om haar grootvader te zijn. Alleen die gedachte al zette Cleaver weer op scherp. Wanneer heb ik me daar druk om gemaakt? Zou ik teruggaan naar Trennerhof en het uitpraten met Frau Stolberg? Seffa mag niet naar Rosenkranzhof gaan, had ze gezegd. Verboten. Het was verboten. Hij had niemand verteld dat Angela zwanger was geweest. Zelfs niet Amanda. Hij wilde het niet. Toch had hij altijd de last van dat geheim gevoeld, op dezelfde manier als hij vroeger de last van een verhouding had gevoeld. Wie was de vader? Jürgen leek wel vriendelijk, vond Cleaver. Behalve toen ik die vraag stelde. Natürlich, had hij gezegd. Waarom had hij zo agressief geleken, bijna kwaad? Ze kunnen toch echt niet denken dat ik een bedreiging ben. Maar wat doet het ertoe? Je wilde toch met niemand contact hebben, en al helemaal niet met een dik, onhandig plattelandsmeisje? Hadden ze ook maar enig idee over het soort vrouwen waarmee Cleaver in Londen was omgegaan?

Terug in Rosenkranzhof zette Cleaver de melk en kaas in een koel hoekje uit de buurt van de haard en vertrok meteen weer. Hij liep snel naar de smalle richel, waarbij hij een lelijke snee opliep aan de oude ijzeren reling. Wat hadden ze gebruikt om hier in en uit te laden? Zonder ook maar een blik op de foto van de dode vrouw te werpen, ging hij op de rand van het stenen platform zitten en liet zijn benen in de leegte bungelen. 1990. Juni, niet oktober. Was het in 1990 dat de oude nazi in Trennerhof was gaan wonen? Vijftien jaar zou net ervoor zijn. Ver beneden waren twee andere pylonen te zien. Toen vroeg hij ineens: waarom heeft Angela's dood me zo diep, zo voorgoed geraakt? Om die vraag te beantwoorden ben je naar Zuid-Tirol gekomen. Misschien. Op de richel gezeten werd hij een beetje misselijk van de grootsheid van de lege ruimte onder hem. Ik zou niet zo gereageerd hebben als een van de anderen was gestorven, dacht hij. Het leek vreemd dat hij dat nu pas kon toegeven. De gedachte was nog nooit bij hem opgekomen. Je hebt nog een andere dochter, had Amanda hem vriendelijk gezegd. We hebben nog een dochter, Harry. En nog twee zonen. En ik zou ook niet dezelfde gevoelens over Angela hebben gehad als ze toen, op dat moment, niet was gestorven. Dat was ook waar. Op de drempel van het vrouw-zijn. Uw dochter was zwanger, meneer Cleaver. Es ist verboten!

O God! Zonder op zijn veiligheid te letten stond Cleaver op en krabbelde het pad weer op. Heen en weer, heen en weer over deze paden. Ik ga nu direct naar Trennerhof en vraag waarom. Wat heb ik gedaan? Waarom zou het meisje me niet mogen bezoeken? Ik wil haar niet eens zien. Maar toen hij het open stuk bereikte, beende hij recht op Rosenkranzhof af, klom de trap op, liep de slaapkamer door, hief zijn voet op en gaf een enorme trap tegen de gesloten deur. Als ze me een huis verhuren is het van mij, verdomme! Dan mag ik alles zien wat erin zit. De trap deed een pijnscheut omhoogschieten tot in zijn nek. Het hout splinterde, maar gaf niet mee. Hij had de benedendeur kennelijk niet achter zich gesloten, want de wind stormde ineens het huis binnen. Er waren flapperende, rammelende, slaande geluiden te horen. Er leek wel een kudde dieren de keuken binnen te komen. Cleaver hief zijn voet en trapte nog eens, zodat heel zijn gewicht bij de deurkruk tegen de deur terechtkwam. Die vloog open. Cleaver verloor zijn evenwicht en viel voorover. Meteen begon er iets aan zijn hielen te trekken. Niet in staat om zijn stijve nek om te draaien, hoorde hij blaffen. Uli, riep hij. De hond stond voor zijn gezicht en likte zijn wang. Ulrike, fluisterde Cleaver. Hij voelde zich dwaas en krabbelde overeind om de kamer te bekijken.

Deel twee

9

Ik durf te stellen, meneer de president, dat u het begrip vrijheid alleen in negatieve betekenis ziet, namelijk vrijheid van ketenen. Cleaver werd wakker door het geluid van voetstappen. Misschien was er het spreekwoordelijke krakende takje geweest. Meteen was hij op zijn hoede. Het had geen zin om naar het slaapkamerraam te gaan. Aan de overkant van het ravijn bescheen de zon nu de verderop gelegen berghellingen. Het moest na drieën zijn. Ik ben in slaap gevallen terwijl ik zat te debatteren met de president van de Verenigde Staten. Als er bij ons thuis iets strikt verboden was, had zijn oudste zoon geschreven, dan was het mijn vader wakker te maken tijdens zijn middagdutje. Wie kan het zijn? Cleaver voelde zich verward. Had hij dat echt tegen de president gezegd? Er liep wel degelijk iemand rond het huis. Genie moet zijn rust hebben, zei moeder dan. Ik zou in de kamer van de oude nazi uit het raam kunnen kijken, zei hij tegen zichzelf. Dat keek uit op het open stuk. Maar als Jürgen of Seffa het zien, weten ze dat ik daar heb ingebroken. Iemand zal de schade moeten repareren.

Toch liep hij op blote voeten over de plankenvloer van de slaapkamer en stapte door de versplinterde deur. Ik hoop echt dat het Seffa is, besefte hij, of Hermann, of zelfs Frau Schleiermacher. Dat was onwaarschijnlijk. Het kwam niet in hem op de trap af te rennen en op de persoon af te gaan, wie het ook mocht zijn. Hij moest zich een weg banen door de dozen en rommel. Hij had de kamer niet opgeruimd. Er stond een krat met lege flessen. Wat dwaas dat hij die avond, een maand geleden, had gedacht dat hij hier een of ander geheim zou aantreffen. Maar de accordeon was een leuke vondst geweest.

Nog voor hij bij het raam was, zag hij dat er een man met een kleine rugzak om zijn schouders de deur van zijn wc inspecteerde aan de andere kant van de open plek. Een man van achter in de dertig misschien. Hij had iets plechtigs en bedachtzaams over zich. Hij had een scherpe neus, een bril, dun blond haar. Cleaver keek toe. Zo te zien een wandelaar. Een man met een slungelachtig uiterlijk. Wat deed hij hier zo ver verwijderd van het vaste pad? Er zijn geen wegwijzers of rood-witte pijlen rond Rosenkranzhof. Het staat op geen enkele kaart. De man tilde de klink op, opende de deur op een kier, deed hem toen snel weer dicht, schudde zijn hoofd. Cleaver grinnikte. Maar hij dook opzij toen de wandelaar zich omdraaide om naar het huis te kijken. Naarmate de stilte toeneemt, in twee, drie dagen, een week, nog een week, merk je dat je die niet nodeloos wilt verstoren. Je wilt je mentale energie niet verspillen. Ik raakte aan iets belangrijks toen ik in slaap viel, herinnerde Cleaver zich. Nu is hij het vergeten. Over de aard van vrijheid. Dit hele avontuur heeft te maken met de mogelijkheid van vrijheid.

Hij stond een tijdje met zijn rug tegen een grote kast geleund, klem gezet door de onderzoekende blik van de indringer die liep rond te neuzen bij zijn huis. Ik was graag naar beneden gegaan om een praatje met Seffa te maken, al was het alleen maar om mezelf gerust te stellen dat ze geen verschrikkelijke dingen over me verzonnen. Waarom deed dat ertoe? Hij gluurde weer even door de stoffige ruit. Beschütze, O Maria, dieses Haus, verkondigde een verkleurd gebloemd borduurwerkje dat ernaast aan de muur hing, und alle die da gehen ein und aus.

De man richtte een camera op het huis. Weer deed Cleaver snel een stap terug. Hij stootte zijn voet aan een grote houten trol en kwam half vallend half zittend op de plankenvloer terecht. De trol kraakte tegen de kast. Hij was ruw gesneden uit een omgekeerd stuk boomwortel en droeg een pijp tussen verwrongen lippen en een hoedje met veer. Zijn ogen waren van glas. Net als die van Olga.

Cleaver bleef heel stil zitten, probeerde het geluid van de indringer te horen. Het was verontrustend dat er zo'n spanning ontstond door de onverwachte aanwezigheid van een ander menselijk wezen. Wanneer vrijheid positief wordt uitgedrukt door een groep mensen – bijvoorbeeld in het evangelisch christendom, meneer de president – dan wordt vrijheid onvermijdelijk dwang. Was dat de zin die hij had geprobeerd te vormen? U wilt een vrouw misschien geen abortus laten plegen. U wilt niet dat homo's zekere rechten hebben. Het probleem was, had zijn oudste zoon geschreven, dat mijn vader weliswaar altijd en overal in slaap kon vallen, maar dat het minste geluid volstond om hem wakker te maken. Je hoefde maar de trap af te rennen of een bal tegen de garagedeur te laten stuiteren en je werd beschuldigd van hoogverraad. Je had de rust onderbroken waar mijn vaders ongrijpbare meesterwerk van afhing. Je was schuldig!

Hij moet mijn kleren aan de waslijn aan het fotograferen zijn, dacht Cleaver, de geruite hemden en de corduroy broeken. Het was een toerist die beelden verzamelde van het typische Tiroler leven: het stoïcisme van een leven zonder voorzieningen op achttienhonderd meter hoogte. Hij zal de zoeker zo instellen dat hij de stenen erop krijgt die de houten dakpannen op hun plaats houden, en het sliertje rook dat uit de schoorsteen komt. Het had Cleaver de hele ochtend gekost om zijn weinige kleren te wassen, de vuile kledingstukken over elkaar te wrijven in lauw water. Verbazingwekkend hoe vermoeiend dat was. Hij betwijfelde of ze nu wel schoon waren. Beschütze zal wel Zegen betekenen, besloot hij met een blik op het stoffige borduurwerkje, terwijl hij wachtte tot hij de man hoorde vertrekken. Zegen dit huis. Misschien had de stads geklede vrouw dit voor haar vader geborduurd toen ze uit Trennerhof was vertrokken, jaren geleden. Ze hield van hem ondanks zijn strijd met haar moeder. Was Ulrike de dochter of de schoondochter? vroeg Cleaver zich af. Misschien had Ulrike het geborduurd. Wat overdreven leutig was dat stukje over het middagdutje geweest, dacht Cleaver: die losgemaakte bretels op zijn vette pens, Caroline en Phillip als peuters die bang worden van zijn gesnurk. Een schrijver ziet een mogelijkheid voor een karikatuur en hij kan er niet aan weerstaan: de bladzijden schrijven zichzelf, op Disneymanier. Per slot van rekening heb ik hetzelfde gedaan met mijn documentaires. Het publiek is er dol op. Alles past. Is dat vrijheid van uitdrukking? Wanneer ik zeker weet dat de man weg is, besloot Cleaver, ga ik naar beneden en loop achter hem aan, dan kom ik hem misschien op het pad weer tegen, zogenaamd toevallig.

Hij keek naar de scheve tronie van de trol. In al zijn rimpels zat stof. Het was een dikke trol met een knoestige wipneus. In een hand hield hij een bijl. Je dacht dat je iets belangrijks zou vinden toen je de deur intrapte, herinnerde Cleaver zich. Wat een rare bui had hij die dag gehad. Iets over Ulrike Stolberg, een familietragedie die deze mensen in een ongemakkelijke stilte verbond, een geest van de bergen. Hij hoorde nu beslist weer voetstappen, maar ze leken zich niet te verwijderen. Deze indringer heeft iets bedachtzaams en verkennends. Hij zoekt iets. Cleavers handen waren zwart van het stof op de vloer. Toen je de grote kast opendeed, herinnerde hij zich, was je ervan overtuigd dat er een SS-uniform in zou hangen. Als een man een nazi is, dan moet hij worden herleid tot zijn nazisme. Er war ein Krimineller, had Frau Schleiermacher gezegd. Maar in plaats daarvan was er alleen maar die sombere trol geweest, met zijn gezicht naar de muur gekeerd, en de accordeon met zijn rood-witte band. Alles is traditioneel in Tirol. Alles hoort bij elkaar: de kruisbeelden en rozenkransen en ruwhouten meubels, de rood-witte Tiroolse vlaggen. De trol was ongetwijfeld hout aan het hakken.

Cleaver stond moeizaam op. Als je achter de man aan gaat, zal je hem natuurlijk teleurstellen. Ondanks de grijze baard die hij heeft laten staan en zijn steeds bossiger wordende ongeëpileerde wenkbrauwen, is Harold Cleaver duidelijk geen echte Tiroler; hij is een abnormaliteit, een bedrieger, een vluchteling. U hebt het altijd over vrijheid, meneer de president, als een ontvluchten van de dwang, het afwerpen van de ketenen – islam, communisme – het recht om te kiezen, alsof dat het einde van het probleem was. U hebt het nooit over het leven gekozen na de vlucht, of het soort onbewuste collectieve ethos waarin mensen zo samenvallen met hun conventies dat vrijheid gewoon niet aan de orde is. Ja, hij had geprovoceerd, dat herinnerde hij zich nu. Zij het in iets andere bewoordingen. Nou, ik weet zeker dat een man niet vrij is als ik hem met ketenen zie sjouwen, had de president vlotjes geantwoord. Had hij het wel begrepen? De indringer hees zijn rugzak op zijn schouders, stopte de camera in een zak, en wandelde het pad af dat naar de richel leidde, de oude kabellift, de foto van Ulrike Stolberg. Wat zou hij daarvan denken? vroeg Cleaver zich af. Tenzij hij hierheen is gekomen om mij te zoeken.

Die gedachte bracht Cleaver tot actie. Misschien hebben ze me gevonden! Hij rende de trap af, rekening houdend met die vierde trede. Hij heeft zijn zaken nu op orde. Hij leeft volgens een strenge routine. De haard mag nooit uitgaan. Met elke dag die verstrijkt verliest de late herfstzon van zijn warmte. Houd je kleren in elk geval droog. Hij heeft een droogrek boven de haard gehangen. Hij legt brandhout in de keuken, drie of vier dagen voor hij het nodig heeft. Hij moet zijn voeten niet koud laten worden. Elke ochtend maakt hij een wandeling van twee of drie uur. Hij is omhooggeklommen naar de Speikboden, naar het noorden, naar de in de wolken liggende berghellingen van het Schwarzstein, naar het zuiden over de hoogvlakte achter Trennerhof. Daar was hij die achtergelaten dekbox tegengekomen. Het zou leuk zijn geweest om dat naar voren te brengen in het debat met de president. De koe wordt de box ingeleid, meneer de president – eigenlijk een soort kleine kooi – en met kluisters vastgezet om het voor de stier gemakkelijker te maken haar te penetreren. Cleaver had wel eens van dergelijke dingen gehoord maar er nooit echt een gezien. De holle buizen waren lichtgeel geschilderd. Hij had zijn hand over de verroeste structuur laten glijden, verwonderd over het grove, huisvlijtachtige uiterlijk. Er zaten rubber wielen onder zodat het ding verplaatst kon worden van boerderij naar boerderij, waar er een beest tochtig was. Er zaten stangen op een gemakkelijke hoogte waar de stier zijn voorpoten op kon laten rusten terwijl hij neukte. Dit alles ten behoeve van de vlees- en melkproductie. Maar was de koe ongelukkig, meneer de president, wanneer ze de box in werd geleid? Hebben koeien überhaupt veel keuze? Of wij? Er waren beslist dagen geweest waarop Cleaver seks als noodzakelijk had beschouwd. Ik voelde me ertoe verplicht.

Ongeveer om de vier dagen nam hij een douche. Hij had ontdekt hoe de oude nazi gedoucht had. Cleaver noemt de vorige bewoner nog steeds de oude nazi, zelfs al bevond er zich geen enkele oorlogstrofee in de afgesloten kamer, maar alleen dozen met kleren en rommel, de zeer welkome accordeon, en een koebel met een kleurrijk geborduurd lint die hij aan een spijker in de keuken heeft gehangen en die hij van tijd tot tijd graag eens luidt. Olga! Lunch is klaar! Tijdens zijn dagelijkse wandelingen klepte en klingelde het van de koebellen in de hoger gelegen bergweiden. Meer dan eens heeft Cleaver zich afgevraagd of de boeren misschien bang zijn van de stilte. Of dat de bellen een soort gebed zijn. Haalden de boeren de bel van de koeiennek voor de rituele paring in de dekbox? Of bleef het ding aan één stuk door klingelen onder de stierenstoten? De dekbox was achtergelaten, dacht Cleaver, omdat ze tegenwoordig natuurlijk kunstmatige inseminatie gebruiken – kost minder – op ongeveer dezelfde manier als ze krankzinnigen tegenwoordig in bedwang houden met injecties in plaats van met dwangbuizen. Er groeide onkruid rond de afbladderende gele stangen en er zaten roestvlekken op de voegen. Maar dat neemt alleen het trauma en het genot weg uit de gebeurtenis, denkt u ook niet, meneer de president, het gevoel van echt geleefd te hebben, hoe onplezierig ook? Of heb ik het nu tegen Amanda? Het was zo raar hoe Amanda hem altijd had opgewonden, en toch was hij eraan gewend geraakt geen seks met haar te hebben. Moeder vertelde graag tegen gasten aan tafel, had zijn oudste zoon geschreven, dat kunstmatige inseminatie, zodra het goedkoop en betrouwbaar was, een veel beschaafdere manier zou zijn om een gezin te stichten.

Met een zekere vindingrijkheid had de oude nazi een kleine slang afgetakt van de grotere buis die het bergwater naar de keuken voerde. De slang kwam aan de achterkant van het huis langs de rots naar beneden en was op hoofdhoogte zo omgebogen dat hij een halve meter naar voren stak, en bevestigd aan een ijzeren stang die diep in een smalle spleet was geslagen. Er was een eenvoudig kraantje aan bevestigd. Cleaver had geleerd dat hij zich helemaal moest uitkleden en onder de slang moest gaan staan – er lag een ruwe, grote steen onder – en het kraantje openzetten. Het was een sterke, stevige straal. Het ijskoude water brandde op zijn schedel en over zijn rug. Hij kon het juist lang genoeg uithouden om zijn oksels en kruis in te zepen en af te spoelen. Als iemand zich ooit ergens schuldig over voelde, dacht hij, dan was dit dé manier om te denken dat je boete had gedaan. Het water plensde op zijn harige pens. Het vlees werd gekastijd. En ik verlies gewicht, merkte Cleaver. Ik word strakker.

Nu hij de voordeur had geopend en had gecontroleerd of de kleren aan de waslijn droog waren, bedacht Cleaver dat als hij over een minuut of tien een douche zou nemen, de indringer, wanneer die terugkeerde van de richel – want een wandelaar kon alleen maar terugkeren als hij eenmaal het einde van het pad had bereikt – de bewoner van Rosenkranzhof naakt onder het ijskoude water zou aantreffen. Zijn stereotiepe indruk van de primitieve pittoreske Tiroler zou bevestigd worden. Hij kon tevreden naar huis. Tenzij, natuurlijk, de man in deze bibberende vleesmassa de tv-bekendheid zou herkennen naar wie hij op zoek was, en meteen de foto nemen die volgend weekend in een van de zondagse tabloids zou verschijnen.

Wat voor dag is het vandaag? vroeg Cleaver zich af. En waren dergelijke exhibitionistische fantasieën niet gewoon weer zo'n bewijs van zijn pathetische ijdelheid? Je wilt niemand zien of spreken om de draad van je kostbare overpeinzingen niet kwijt te raken, maar tegelijkertijd hunker je ernaar naakt gefotografeerd te worden voor de *Sunday Mirror* zodat de zeer weinige mensen (vrouwen) die in een positie zijn om erover te oordelen zullen zien dat je een beetje rechter staat dan vroeger en een paar kilo's bent kwijtgeraakt op de koop toe. Cleaver lachte. Het moet maandag of dinsdag zijn, besloot hij, de dagen waarop Seffa naar Luttach ging. Anders zou Uli hier geweest zijn. De hond brengt de meeste middagen door bij het vuur in Rosenkranzhof alvorens zijn oren te spitsen en te piepen om eruit te mogen wanneer hij kort na het invallen van de avond vanaf Trennerhof de verre roep van het meisje hoort.

Ga ik de confrontatie met die indringer nu wel of niet aan? vroeg Cleaver zich af. Hij rommelde wat rond in de keuken, zette een pan weg en bekeek de pakjes met kruidenierswaren op de plank naast het raam om te zien wat hij die avond kon eten. Pasta e basta. Deze onverbeterlijke lekkerbek, zoals zijn oudste zoon hem altijd noemde, heeft in feite helemaal geen saus of parmezaan nodig. Of seks trouwens. Er was een beetje boter om het naar beneden te laten glijden. Toen hij een kastdeur dichtdeed werd Cleaver zich – ongebruikelijk – bewust van de stilte van het lege huis om zich heen. Ik dacht dat ik daar inmiddels overheen was.

Hij ging terug naar de woonkamer. Olga, popje, we moeten de provisiekast bijvullen. Een van ons zal zijn schuilplaats moeten verlaten en naar Luttach moeten gaan. Twee of drie dagen geleden had Cleaver zijn pop mee naar buiten genomen om het stof van haar jurk en omslagdoek af te kloppen. Die oude trol zal nooit een steentje kunnen bijdragen, lachte hij. Ze gaf geen antwoord. Die bijl is puur voor de show. Nou, moet ik met die indringer gaan praten of niet, vroeg Cleaver zich af. Trollen, wist hij, werden verondersteld in steen te veranderen door het zonlicht. Olga zat met haar permanente glimlach in de stoel, naast de accordeon. Wat denk je? Een mogelijk plan, dacht hij, was gewoon te gaan zitten en een paar akkoorden uit het oude instrument te persen. Het kon niet anders of de indringer zou het horen, waardoor hij zelf kon bepalen of hij zou aankloppen om de bewoner van Rosenkranzhof te ontmoeten of niet. Misschien heeft hij inlichtingen nodig. Waar zou hij logeren, zo ver verwijderd van alles? Maar zodra hij een paar noten hoort, besefte Cleaver, zal de man weten dat de accordeonist in kwestie niet uit Tirol komt.

Cleaver hief het ding op schoot. Het was zwaar. Hij stak zijn handen onder de draagbanden en spreidde zijn vingers over het klavier. Meteen voelde hij een lichte spanning, alsof hij op het punt stond in het spotlicht te treden. Je ontspant je niet als je speelt, paps, klaagde Angela altijd. Ze was er snel mee gestopt om haar vader te vragen haar op de piano te begeleiden bij het zingen. Waarom ontspan je je niet, paps? Ze schudde haar hoofd. Maar dat doe ik wel, lachte Cleaver. Ik ontspan me wel. Hij verscheen verdorie bijna elke dag op tv. Mijn hand beeft, dat is alles.

Hij zocht in zijn geheugen, concentreerde zich en speelde een paar noten. Should auld acquaintance be forgot... Het was moeilijk om de armbeweging te combineren met de vingers op de toetsen. Het geluid klonk eerder amechtig dan klaaglijk. Een van de akkoordknoppen bleef hangen. De dag dat de Stolbergs dat horen, dacht Cleaver, weten ze dat ik heb ingebroken in hun kamer. Dan zal je eens wat horen. Hij vroeg zich af hoe ver het geluid van het instrument 's avonds opsteeg in het ravijn, als Seffa de hond riep. Maar misschien zou Seffa het niemand vertellen als ze het hoorde. Het is belachelijk – ineens was Cleaver kwaad op zichzelf – dat je maar blijft denken dat Frau Stolberg het meisje verbiedt om je te gaan bezoeken. Maar wanneer hij naar boven ging om melk te halen was Seffa nooit in de buurt, op welk tijdstip van de dag hij ook ging, alsof ze haar verstopten, alsof ze hem vermeed. Het was ook raar hoe Jürgen en Frau Stolberg hem die grijze kaas bleven opdringen. Hij had daar niet om gevraagd. Met een rauwe ui erbij de laatste keer, die heen en weer rolde over het gebarsten bord. Sehr gut, man muss beides zusammen essen, had Jürgen nadrukkelijk gezegd, wijzend op de ui. Zijn ruwe hand maakte een gebaar om aan te geven dat de ui fijngehakt moest worden. Als dit een sprookje was, vertelde Cleaver Olga, dan zou ik te laat merken dat ik vergiftigd werd, of een soort verandering had ondergaan door dit mysterieuze voedsel. Dat ik horens en hoeven had gekregen. Of dat ik het dodenrijk niet meer kon verlaten. Er zou een mirakel nodig zijn om het proces te keren. Een kus natuurlijk. Wat was er miraculeuzer dan een mooie vrouw die een kus geeft aan een oude dikke vent die volgestopt is met grijze kaas en rauwe uien? Maar Jürgen had gelijk. De twee voedingswaren gingen heel goed samen. Ze prikkelden het verhemelte. Cleaver perste er een paar noten uit. A-a-nd ne-ver come to mind! Should auld acquaintance... Godverdegodver. Hij zette het instrument neer, pakte zijn jasje en hoed en spoedde zich naar buiten. Hij zou de confrontatie met de man aangaan.

Cleaver liep de open plek voor Rosenkranzhof over, en wandelde doelgericht het pad langs de richel af. Hij was al ruim twee weken niet meer deze kant op geweest. Het had geen zin. Ik ben de laatste dagen bijzonder kalm geweest, bedacht Cleaver, sereen bijna. Of niet soms? De lucht was zacht en mistig. Nee, het ergerlijke aan dat lied van Burns, besloot hij, was dat het eigenlijk heel de pathetiek van een verloren vriendschap wilde laten proeven, van vergetelheid, terwijl het daar anderzijds juist verontwaardigd over deed. Should auld acquaintance be forgot... De woorden wentelden zich in de beschrijving van de uitroeiing van emotie – vergeten vriendschap – om er vervolgens des te beter op te kunnen terugvallen, ongetwijfeld met de hulp van een paar flinke glazen.

Een man die de wereld echt heeft verlaten, zei Cleaver tegen zichzelf, vastberaden achter de indringer aan stappend, die zich echt heeft teruggetrokken en de samenleving de rug heeft toegekeerd, zou zichzelf er niet op moeten betrappen dat hij van alle stomme liederen uitgerekend Auld Lang Syne loopt te neuriën. Hij zag dat de botjes van de marmot naast het pad schoongeplukt waren. De stank was verdwenen, hoewel de schedel nog steeds in de lus van de strik zat. Oude vriendschap kon verrekken.

Is er iemand, Cleaver stond stil om het zich hardop af te vragen, wie dan ook, die ik, Harold Cleaver, op dit moment graag zou zien of spreken, na een maand in Zuid-Tirol, na een hele maand in mijn eentje? Niemand. Ik heb mijn gehechtheid aan mijn mobieltje geheel overwonnen. Anderzijds natuurlijk, en vooral dankzij het feit dat zijn levenspartner van Schotse afkomst was, was Auld Lang Syne een van de weinige melodietjes die Cleaver op de piano kon spelen. Het enige argument ten voordele van een Schotse oudejaarsavond, stelde mijn vader graag – en het had Cleaver echt plezier gedaan deze opmerking aan te treffen in het boek van zijn zoon – is dat het dé ultieme maatstaf biedt voor melodramatische sentimentaliteit. Mijn vader was briljant, had zijn oudste zoon geschreven, in het nadoen van de dronken, sentimentele Schot. Schenk nog 's een glaasie in, knul, zei hij dan. Mijn grootvader stond model. Maar wanneer moeders familie naar Londen kwam, werd hij altijd samen met hen dronken en kleunde Auld Lang Syne op de piano en zong uit volle borst.

Dat was waar, dacht Cleaver. Hij had dat eerste gedeelte van het boek helemaal niet erg gevonden. Mijn vingers vinden de melodie automatisch, merkte hij, wanneer ik een klavier aanraak. En het was vreemd, bedacht hij voor de honderdste keer, hoe het boek van zijn zoon compleet was voorbijgegaan aan de kwestie muziek. Een van de weinige plezierige dingen met Amanda waren hun gesprekken geweest over de karakterverschillen tussen hun kinderen. Heel vroeg hadden ze hun zoons koppigheid aan de piano opgemerkt. Hij wilde absoluut indruk maken, maar raakte verstrikt in zijn eigen partituur. Als hij een fout maakte stopte hij meteen en begon het stuk weer van voren af aan te spelen. Het moest goed gebeuren of niet. De jongen was gefrustreerd. Hij sloeg de klep van de piano dicht. Of als hij het eenmaal goed gespeeld had, wilde hij het niet nog eens spelen. Hij had het gedaan. Hij wilde het risico niet lopen het weer te verpesten.

Maar Angela speelt terwijl ze speelt, had Amanda opgemerkt. Het meisje stoorde zich niet aan fouten. Angela nam haar fouten op in het stuk. Of ze lachte en speelde door. Meneer de president, mompelde Cleaver, het probleem is dus niet vrijheid in de negatieve betekenis van bevrijding van ketenen, maar het vermogen om het juiste juk te kiezen, jezelf een partituur op te leggen die je echt wilt spelen. Daar had zijn zoon problemen mee. En ikzelf trouwens ook. Denkt u ooit wel eens, meneer de president, aan het algehele doel van de samenleving waar u leiding aan geeft, de Amerikaanse samenleving? Het volstaat beslist niet om negatief te zijn. Iets dergelijks had Cleaver de man zeker gevraagd. Het was de laatste vraag van het interview. Ik geloof dat Amerika een grote opdracht heeft, had de president gezegd. Hij had op de automatische piloot geantwoord. Was over de onverbiddelijke spreiding van democratie begonnen.

Angela leek in de partituur te kruipen, herinnerde Cleaver zich. Hij beperkte haar, natuurlijk, maar ze bracht er ook veranderingen in aan. De partituur werd Angela. Misschien is dat de betekenis van talent. De helft van de tijd dat ik achter mijn keyboard zit, paps, speel ik Bach, giechelde ze. De jongens van de band hebben er geen idee van! Toen hij veertien was had Cleavers oudste zoon geweigerd om door te gaan met pianolessen. Als hij het liedje niet zelf kan verzinnen wil hij niet spelen, had Amanda opgemerkt. Dat heeft hij niet van een vreemde, voegde ze eraan toe.

Grüss Gott, zei een stem. Cleaver keek verbaasd op. De indringer bevond zich op slechts een paar meter afstand en kwam met ferme pas op hem af gelopen. Grüss Gott, antwoordde Cleaver. Het was de gebruikelijke Tiroolse groet. De man glimlachte, voelde zich op zijn gemak. Het verdachte gedrag dat hij rond het huis had vertoond was verdwenen. Hij liep met krachtige tred en energiek zwaaiende armen, zat er kennelijk helemaal niet mee dat hij een doodlopend pad had gevolgd, en leek zich evenmin ongerust te maken dat hij zich ergens in een uithoek bevond op achttienhonderd meter hoogte, en nog maar een uurtje of zo voor het invallen van de avond. Was het een Engels gezicht? vroeg Cleaver zich af. Hij stond stil en keek de man na, die een spijkerbroek droeg en een mouwloos geruit jack, moderne wandelschoenen. Het feit dat hij Grüss Gott zei, wil niets zeggen. Hoe heeft hij me zo kunnen besluipen? Cleaver stond in tweestrijd of hij nu verder naar de richel zou lopen of omkeren en de man volgen. Hij aarzelde, stond stil op het overwoekerde pad tussen de slanke dennenbomen en brandnetels en rotsblokken. Het weer was absoluut kouder vandaag. Kouder en feller. Misschien is hij een broer van de Stolbergs, van Jürgen en de stads geklede vrouw. Jammer dat die zo snel was vertrokken. Er hangt een geur van winter in de lucht, van sneeuw zelfs. Of van Ulrike en de stads geklede vrouw. Hoewel Cleaver uiteindelijk dacht dat de achternaam Stolberg op de herdenkingsplaat betekende dat Jürgen de zoon was van Frau Stolberg en Ulrike de schoondochter. Dan was deze man haar broer, en van tijd tot tijd komt hij eens langs vanuit een nabijgelegen dorp om naar de plek te kijken waar zijn zus is gestorven. Een soort pelgrimstocht. Het is je reinste waanzin, zei Cleaver tegen zichzelf, om jezelf van de wereld af te snijden en vervolgens je tijd door te brengen met het verzinnen van duistere romances over een paar primitieve boeren van wie je niets weet.

Hij liep verder naar het einde van het pad. De zon was al verdwenen achter de donkere massa van de Schwarzstein aan zijn rechterkant. Het dal lag in de schaduw. De glooiingen van het land ver onder hem gingen zacht in elkaar over, evenals het grijs en groen van bladeren en rotsen. Er hing een beetje mist. Het was bijna alsof de wereld zacht en dragend zou zijn als water, als je je nu in de leegte zou storten. Ze moeten die kabellift geïnstalleerd hebben, had Cleaver onlangs geconcludeerd, om houtskool van de hoger gelegen bossen naar beneden te transporteren. En Rosenkranzhof was zo dicht mogelijk bij de richel gebouwd door houtskoolbranders. Wat ze produceerden stuurden ze naar beneden in ruil voor proviand uit het dorp. Rosenkranzhof was dus helemaal niet geïsoleerd geweest, maar had juist deel uitgemaakt van de plaatselijke economie. Ik kan er nooit achter komen of ik gelijk heb, dacht Cleaver.

Elke keer dat hij naar Ulrike Stolbergs foto keek, zag ze er anders uit. Vandaag zijn haar gelaatstrekken kalmer en dromeriger.

Misschien was de wandelaar haar jeugdliefde geweest en kwam hij hier zo nu en dan *for auld lang syne*. Wie is er nu overdreven sentimenteel? Cleaver glimlachte. Hoewel hij de gedachte maar moeilijk van zich af kon zetten dat de jonge vrouw zelfmoord had gepleegd omdat iemand haar tegen haar wil in een dekbox had trachten te duwen. Trollen ontvoerden jonge maagden. Angela was zwanger geweest toen ze stierf. Ik heb niet geprobeerd te weten te komen van wie. Ik had het te druk met het verwerken van de waanzin dat Amanda Priya op de begrafenis had uitgenodigd. Cleavers oudste zoon zat toen op de universiteit. Ze hadden er nauwelijks een woord over gewisseld. Ik heb hem aangemoedigd in zijn studie, herinnerde Cleaver zich, hoewel het dwaas was van de jongen om politieke wetenschappen te kiezen. Voor zover hij zich herinnerde, maakten houtskoolbranders grote vuren en bedekten ze dan bijna helemaal met aarde zodat het hout binnenin niet verbrandde, maar heel langzaam in houtskool veranderde. Hij had daar iets over voorgelezen aan de tweeling toen ze klein waren, misschien uit *Swallows and Amazons*. Daarna braken ze de berg open en stuurden de houtskool met de kabellift naar beneden.

Cleaver wierp nog een laatste blik op het verlaten schavot met het roestige wiel. Er steeg een heel zwak geluid op uit het dal. Van stromend water misschien, of misschien van verkeer, heel in de verte. Waarom deed die wandelaar de deur van mijn wc open? Juist toen hij zich omdraaide om te vertrekken, ving Cleaver de geur op. Misschien kwam het briesje even uit een andere richting. Ja, de geur was onmiskenbaar. Hij liep naar de andere kant van de richel. Precies tussen de bomen, vlak voor de afgrond, zag hij de veelzeggende tissues liggen. Hij schudde zijn hoofd. Geen wonder dat de man een glimlach op zijn gezicht had toen hij voorbijdraafde. Hij was een hele last kwijt.

Maar hoe heb ik het in mijn hoofd kunnen halen, vroeg Cleaver zich af op de terugweg, dat uitgerekend ík iets over vrijheid te zeggen had tegen de president van de Verenigde Staten, terwijl ik dagelijks alle dwangmechanismen van de televisie accepteerde? Hij was boos dat de richel op zo'n manier misbruikt was. Je gaat niet zitten kakken bij gedenktekens, dacht hij. Hoe kun je beweren dat je de president echt hebt ontmoet of de confrontatie met hem bent aangegaan, als ons hele gesprek geconditioneerd was door de beperkingen van tijd, geluid, belichting en make-up? Nadat ik mijn eindexamen had gehaald, had zijn oudste zoon geschreven – nu moest Cleaver even tegen een boom leunen om op adem te komen – ging ik naar mijn vader in de Wood Lanestudio's om een laatste keer met hem te overleggen wat ik zou gaan studeren. Ik was in een goed humeur en bereid om mijn mening te herzien. In elk geval wilde ik het uitpraten met hem. Maar bij de receptie wilden ze me er niet door laten. Er werden eindeloze telefoontjes gepleegd naar verschillende studiomanagers. Er waren verscherpte veiligheidsmaatregelen. Ten slotte werd ik onder begeleiding door kilometerslange gangen gevoerd en binnengelaten in een helderverlicht kamertje waar mijn vader werd geschminkt, gezeten naast een heel klein Indiaas vrouwtje, kennelijk een actrice, die met hem over Bollywood zou praten. Ze had een boek geschreven met de titel *Klinkend klatergoud*. Ik wilde onder vier ogen met hem praten, maar het Indiase vrouwtje was ongerust over de timing van de korte pauzes waarin een andere vrouw zou gaan zingen. Papa, ik heb drie A's, zei ik tegen hem. Angela had haar examen niet eens gedaan. Het make-upmeisje poederde de rode vlekken onder zijn ogen weg. De jongen is geniaal, zei mijn vader tegen het Indiase vrouwtje, en hij gaat het allemaal verspillen aan politieke wetenschappen! Tijd, riep iemand, tijd! Toen ze zich de gang op spoedde struikelde het Indiase vrouwtje over de drempel en mijn vader pakte haar arm. Een jaar later was ze op de begrafenis van mijn zus.

10

Bij Rosenkranzhof was geen wandelaar te bekennen. Cleaver nam een douche, ook al had hij gisteren nog gedoucht. Ik begin door te draaien, dacht hij. De kloof was nu in diepe schaduw gehuld. De kou bezorgde zijn gezette lijf een schok. Wat had zijn zoon in hemelsnaam bezield om Priya's boek zo'n belachelijke titel mee te geven? Hij droogde zichzelf ruw af en haalde zijn kleren van de waslijn. *Klinkend klatergoud* nog wel! Zijn broek zou op het droogrek gehangen moeten worden. Hij vulde de haard bij. Waar zouden ze het houtskool voor hebben gebruikt, vroeg hij zich af, beneden in het Ahrndal? Misschien was er een smelterij. Phillip had altijd gezegd dat hij een vak wilde leren, met zijn handen wilde werken.

Zonder aanwijsbare reden kreeg Cleaver ineens een vaag wellustig idee. Hij zou de rozenkrans van de voordeur halen en hem gebruiken om de namen af te tellen van alle vrouwen die hij had gehad. In plaats daarvan ging hij naar de fauteuil en pakte de accordeon weer op. Om een of andere reden had hij geen zin om te eten. Hij voelde zich beverig. Die trol is een hopeloze gesprekspartner, zei hij tegen Olga. Gedraagt zich alsof hij in een hotel zit. Hij ging zitten en legde een arm om het meisje. Als een gast, had zijn oudste zoon geschreven, of een van ons kinderen, geen zin had om zo'n voorstelling van mijn vader bij te wonen tijdens het eten, dan werden we er altijd van beschuldigd dat we ons gedroegen alsof we in een hotel zaten. Maar omdat communicatie met de manager onmogelijk scheen, wilde ik het liefst zo snel mogelijk uitchecken.

Welke liedjes kende Cleaver nog meer behalve Auld Acquaintance? Daar sloeg zijn zoon de plank helemaal mis, herinnerde hij zich. Het was Amanda die mij ervan beschuldigde dat ik me gedroeg alsof ik in een hotel zat, toen ik zo vaak weg was. Maar als het je eigen huis is, mag je je gedragen zoals je wilt, *n'est-ce pas*? En zijn zoon, voor zover Cleaver zich herinnerde, stond bepaald niet te popelen om te vertrekken, en had met zeer veel tegenzin het huis verlaten toen het tijd werd om naar de universiteit te gaan. Amanda had zijn kamer opnieuw willen behangen en Angela had er graag haar keyboards en versterker in gezet, maar *le petit prince*, zoals ze hem noemden, stelde het tot het laatste moment uit. Hij wilde niet weg. Cleaver was vergeten hoe ze zijn oudste zoon altijd hadden genoemd: *le petit prince*. Het maakte de jongen razend.

Hij kon spelen: Rock of Ages, Abide with me, Oh my Darling, Guantanamera en Don't Cry for me Argentina. Treurige liedjes waren beslist gemakkelijker. En Amazing Grace. Cleaver luisterde sceptisch naar de geluiden die de trekzak maakte naarmate hij zijn armen heen en weer bewoog. Het lijkt alsof je nooit echt gelooft in wat je speelt, klaagde Angela altijd. En toen zijn oudste zoon dan eindelijk echt was vertrokken, naar Durham (de jongen had geweigerd om zelfs maar een poging te doen voor Oxbridge), belde hij elke dag naar huis. Om met Amanda te praten. Cleaver had geen idee waarover. Is moeder thuis? vroeg hij, als zijn vader opnam. Het eindigde ermee dat zijn kamer niet opnieuw werd behangen of aan Angela werd gegeven.

Geërgerd duwde Cleaver de accordeon opzij. De Boeddha bracht zijn tijd niet door met te blijven hangen bij Auld Acquaintance. Of Amazing Grace. Hoe kon je in dergelijke liedjes geloven? Genade zo oneindig groot, dat ik die 't niet verdien, het leven vond! Hij haatte dergelijke emoties. Misschien, dacht hij, kon een achttienjarig meisje zichzelf met hart en ziel overgeven aan zo'n lied, er probleemloos volledig achter staan, maar niet een man die wist wat Cleaver wist, niet een man die dat meisje had begraven. Liedjes zijn een voertuig om emoties binnen te gaan, dacht hij, merendeels ongewilde emoties. Maar het was eigenaardig hoe dicht Angela's beschuldiging bij die van Priya kwam: je laat me nooit in de buurt van je echte leven, van waar je echt in gelooft. Auld Acquaintance is een soort dekbox, lachte Cleaver, die het brein stilhoudt terwijl het wordt verkracht door een of andere roofzuchtige emotie. Misschien rinkelt er een bel. En door die emotie brengt het lied je dicht bij andere mensen, zoals toen iedereen zo ontroerend Abide with Me zong op de begrafenis: Blijf mij nabij, wanneer het duister daalt. Inclusief de minnaar van zijn partner en haar Schotse familieleden. Het was afschuwelijk.

Toen herinnerde Cleaver zich dat andere vrouwen hem er ook van hadden beschuldigd afstandelijk en koud te zijn. Met al je vriendelijkheid, had Sandra rustig gezegd, blijf je angstaanjagend koud. Vrouwen hadden er een handje van, had Cleaver gemerkt, om zeeën van tijd met luchthartig gebabbel te vullen, om dan ineens met een loodzware, kernachtige opmerking uit de hoek te komen. Als ik met jou ben, had Giada hem in het hotel bij de skilift verteld op nog geen tien kilometer van hier – Sonnenblick, herinnerde Cleaver zich nu dat het heette – dan is het alsof ik alles heel anders zie. Ik voel me rustig en objectief, zei ze, geëmancipeerd zelfs, alsof ik alles van een afstandje zie. En dat is echt prettig. Maar ik voel ook dat het verkeerd is.

Cleaver herinnerde zich dit gesprek heel duidelijk, al was het maar omdat hij zich plotseling realiseerde, terwijl zijn jonge vriendinnetje die middag zat te praten, dat ze hem vertelde dat hun verhouding was afgelopen. Die vakantie in de bergen was het einde. Mijn laatste verhouding, besefte hij nu. Ik begrijp nu, zei Giada tegen hem, waarom mijn vader altijd de pik op me heeft. Jij kunt mijn familie zo goed verklaren. Ik zie hoe ik tegen de journalistiek aankijk, waarom ik zo geobsedeerd raak door iets. Ze zweeg. Hij keek naar haar. Ik mag dan koud zijn geweest, dacht Cleaver, maar ik wist altijd meteen wanneer een meisje me de bons gaf. Het is alsof mijn leven een verhaal was dat je me voorlas, zei Giada, een verhaal dat eindelijk zin had. Na het skiën 's morgens hadden ze de middag in bed doorgebracht, wijn gedronken en gepraat. Maar op een of andere manier helpt het niet, zei ze. Begrijp je? Het helpt me niet leven.

Er was geen hapering in haar stem geweest. Haar besluit stond vast. Het leidt nergens toe, zei ze. Je bent zo scherpzinnig en vriendelijk, maar je gaat nergens heen, je wil me nergens mee naartoe nemen. Ik sta altijd weer terug bij af. Maar we zitten in Zuid-Tirol! had Cleaver spottend tegengeworpen. Hij zou zich nooit verzetten tegen een vrouw die hem wilde verlaten. Misschien genoot hij wel van die momenten. Precies, antwoordde ze. We zitten hier op een verdomd koude berg ergens in niemandsland.

Vind jij dat ik koud ben? vroeg Cleaver plotseling aan Olga. Afstandelijk? Hij worstelde zich overeind. Het huis was in het duister gehuld en het werd kil. Hij zou de rozenkrans gaan pakken. Hij had het vuur niet aangemaakt en hij had er ook geen zin in, maar hij stak een lange splinter in de haard om de olielamp aan te steken. Anders werd het moeilijk de trap op te gaan. Hij knipte de lont bij, draaide de vlam lager. Wie had die rozenkrans aan de deur gehangen? Ik parasiteer op een omgeving waar ik niets van weet, bedacht Cleaver, goochelend met de hendels van de haard. Maar elkeen voedt zich met het lijk van een eerdere wereld.

Cleaver beklom de trap en zette de olielamp op zijn nachtkastje. Je hebt vanavond niet gegeten, bedacht hij. Je hebt je tanden niet gepoetst. Je hebt geen brandhout naar binnen gebracht. Je hebt de kaas niet op zijn plaats gezet. Laat het verval maar beginnen. Want anders is het leven hier toch maar de ene na de andere dag hetzelfde, enzovoort, enzovoort, de tijd afstrepen, in jezelf praten. Laten we ons maar laten afglijden, besloot Cleaver plotseling. Misschien is dat wat we proberen te bereiken. Ik zou zwaar aan de drank kunnen gaan. In dat geval was een uitstapje naar een supermarkt vereist.

Hij ging op bed liggen en stak zijn gespreide vingers in het snoer van de rozenkrans. Hoeveel kralen waren er? Vijf stukken van telkens tien. Niet genoeg, glimlachte hij. Susan een, Elaine twee, Hilary drie, Avril vier. Beginnen was altijd gemakkelijk. Of moet ik zeggen ave Avril? Ongetwijfeld riekt dit naar heiligschennis. Dan had je Katie, Louise, Janice. Er hadden een paar pornografische blaadjes gelegen in de afgesloten kamer van de oude nazi. Nogal onschuldige dingen. Niks sado-maso. Cleaver had ze naast zijn bed gelegd. Hij had niet gemasturbeerd, daar had hij geen behoefte aan, maar hij kon ze toch ook niet zomaar weggooien. Hij bladerde er nu wat in, bij het licht van het lampje. Ave lieve Connie en Ruth en een zeker charmant meisje in Nottingham. Deze beelden volgen ook de geijkte wegen, dacht hij. De meisje-op-meisjefoto's. Twee-meisjes-een-man, twee-mannen-een-meisje. Uiteraard heeft Cleaver een paar eigen privékiekjes – ave Denise vooral – foto's die hem goed van dienst zijn geweest in de loop der tijd. Ave

Patricia. Maar daar gaat het hem nu niet om.

Dat koud zijn, dacht Cleaver ineens, had dat uiteindelijk ook niet met vrijheid te maken? Had de Boeddha zijn zoon geen naam gegeven die boei of keten betekende? Hij betastte de kralen. Wanneer hij zijn vrouwen probeerde te tellen, had hij steeds de indruk dat hij er eentje oversloeg. De belangrijkste. Ave Susan-twee en Marilyn en de Roemeense vrouw die zijn werkkamer schoonmaakte in Farringdon Street. Die was toen al op middelbare leeftijd. Ik was in de twintig. Waarschijnlijk al dood. Maar hij kon er ook wel tien hebben overgeslagen. Per slot van rekening heeft Cleaver nog nooit twee keer achter elkaar dezelfde uitkomst gehad. Soms bleef hij bij de tachtig steken, soms ging hij door tot een stuk in de negentig. Misschien heb ik sommige meisjes dubbel geteld. Daarom was het zo'n goede manier om in slaap te vallen. Het brein begon in donkere gangen op ontbrekende vrouwen te jagen. Soms stopte je om naar het geluid van hun stemmen te luisteren. Soms slaagde je er niet in om voorwerp, omstandigheden en naam met elkaar te verbinden en telde je ze alle drie: de dochter van de ambassadeur, de roodharige met de kleine borsten, het moment bij het zwembad na het tuinfeest. Nu krijg ik de honderd nooit meer rond.

Maar het was niet zozeer het aantal dat Cleaver vanavond dwarszat. En hij wil helemaal niet graag in slaap vallen. Het is nog erg vroeg. Nee, wat nu een echte prestatie zou zijn, besloot hij, was die vrouwen in chronologische volgorde te zetten; om te zien of er een zekere progressie in zat. Als ik ze op volgorde krijg, zei Cleaver tegen zichzelf, en het was nogal een rare gedachte, zal ik misschien begrijpen wat het allemaal te betekenen had. Misschien hebben de vrouwen me hierheen geleid. Misschien komt een vrouw me weer halen.

Hij sliep de laatste nachten met de ramen dicht. Het donkere glas reflecteerde de laag brandende vlam van de lamp. Het was het soort licht waar vrouwen graag bij vrijen, vloeibaar, zacht en beweeglijk: het licht dat het meest op de geest lijkt, een observatie waarmee Cleaver ooit hoge punten had gescoord. Om een of andere reden dacht hij aan die lelijke trol en zijn verstijfde bijl. Ze sleepten hun maagden weg aan het haar. En aan Amanda. Amanda. Zou hij haar ooit kunnen terugzien? Of zou het zijn als de terugkeer van iemand die de laatste sacramenten al had gekregen en afscheid had genomen? Niemand wil je terug als ze je nalatenschap al verdeeld hebben. De vloeibare geest, dacht Cleaver, voelt opluchting wanneer hij zich in een goedgevormd vat kan installeren, een project, een analogie, een thuis; en wederom opluchting als hij uitgeschonken wordt. Vrij is. Vrij om een ander vat te zoeken. Een andere vrouw. Ave Tracy en Jane. Wie was er eerst? Hij had geen idee. Die vroege verhoudingen, en hij telde Monica en Sarah en Isabel af, waren beslist weinig meer geweest dan een vrijheidsverklaring tegenover Amanda. Je hebt er nooit echt over gedacht om met me te gaan samenwonen, had Isabel gezegd. Dat was in de tijd dat Amanda zijn platencollectie op straat had gegooid. Het meisje vroeg het zich zonder bitterheid af. Ze begreep gewoon niet waarom hij zich zoveel moeilijkheden op de hals had gehaald als hij toch nooit van plan was geweest om van huis weg te gaan. Olga en de trol zijn broer en zus, zei Cleaver ineens tegen zichzelf. Hoe komen dergelijke gedachten toch in mijn hoofd op?

In elk geval kon hij zich bijna niets herinneren van die vrouwen. Chronologie leek irrelevant. Het enige wat hij kon bedenken waren kleurrijke incidenten, rare plaatsen waar ze de liefde hadden bedreven: in een trein, in een badkamer in Broadcasting House, in de Heath, 's nachts. Er was bijvoorbeeld dat gedoe geweest met het vakantiehuis van Martha's ouders in de buurt van Hove, waar ze door het wc-raampje van de bovenverdieping moesten vluchten toen haar vader en *zijn* maîtresse in de vroege uurtjes waren aangekomen. Cleaver lachte zachtjes in het zwakke licht. Martha was helemaal over haar toeren geweest. Ze bewonderde haar vader enorm, en bovendien had ze haar enkel lelijk verstuikt door van het dak van de portiek af te glijden. Annalisa, telde Cleaver, en Susan-drie. Hij liet de kralen door zijn vingers glijden. Om de tien was er een grotere kraal om de delen van elkaar te scheiden, en de tel bij te houden. Dit zintuiglijke gedoe van betasten en tellen, dit gemompel van de geest en wrijven van de huid had iets subtiel bevredigends. Het werkte kalmerend. Hij begreep dat mensen dit prettig konden vinden, en hun tijd met gemompelde gebeden of vrouwen doorbrachten.

Priya is zo'n grotere kraal, besefte hij. Meteen was hij op zijn hoede. Hij pakte de rozenkrans stevig vast. Priya is het keerpunt. Cleaver beet op de binnenkant van zijn lip. Maar ineens oversprin-gen naar Priya zou betekenen dat hij er minstens een dozijn over-sloeg. Dat geeft niet. Priya is de andere vorm die de overgang tus-sen het ene en het volgende gebied aangeeft. Maar ik doe het niet. Cleaver wil niet aan Priya denken. Tel haar en ga door. Dit is een telling van de gesneuvelden, makker. Ik kan me alles herinneren van Priya, besefte hij, in tegenstelling tot de anderen, maar ik wil het niet. Iets trok aan zijn brein. Amanda's greep op hem was ver-slapt. Hij kwam halfdronken thuis en ze trok hem naar zich toe in een omhelzing op de trap. De kamers van de kinderen stonden open. We hadden al jaren niet meer gevreeën. Neuk me, neuk me, neuk me, fluisterde Amanda. Ze wist dat dat hem opwond. Op ze-ker moment zal ik toch aan Priya moeten denken, dacht Cleaver. Laat oude liefde roesten, zei een andere stem. Er waren natuurlijk andere meisjes geweest tijdens het Priya-tijdperk. Niet meer aan denken. Amanda's omhelzing was verslindend. Hij zag de vloei-ende verlichting van Priya's appartement, de gouden en groene kleden die aan de muren trilden. Ze drapeerden altijd een rode nachtjapon over de lampenkap. Hij kan haar goudkleurige, naar hem toe gekeerde lichaam zien vanaf de bank. Priya was echt iets anders. Toen had de telefoon gerinkeld. Het is omdat Angela stierf terwijl je bij Priya was.

Cleaver ging overeind zitten. Even dacht hij dat hij weer voet-stappen had gehoord. De olielamp brandde regelmatig in de ka-le kamer. Er was het voortdurende gemurmel van water te horen over het dak richting keuken. Sommige avonden was het lawaai-eriger dan anders. Angela is gestorven toen je bij Priya was. Zijn handen hielden de kralen nog vast, maar hij weet dat hij ze nu niet meer nodig heeft. Op de begrafenis heb je Angela *en* Priya verlo-ren. Gedaan met tellen. Cleaver liet zich achteroverzakken op bed. Waarom voel ik me zo uitgeput? Wie had kunnen denken dat het zo moeilijk was om alleen te zijn? Zo lawaaierig.

Hij lag stil te wachten, alsof hij een aanval verwachtte, of een geestverschijning. Na Priya herinner je je alles van je vrouwen. Dat besefte hij nu. Of liever gezegd, je meisjes. Tussen de verschil-lende talkshows in. Of bedoel ik na Angela? Ik herinner me ze vanwege hun problemen, hun families, hun complexen. Het was heel anders dan met de vrouwen ervoor. Waarom? Het waren meestal banale complexen. Allisons vader wilde dat ze in het familiebedrijf in waterdichte stoffen kwam werken, maar zij wilde naar Parijs om iets met haar Frans te doen. Waarom kan ik niet kiezen? jammerde ze. Vaderlijke minnaar Cleaver had geprobeerd haar te helpen. Het meisje waste haar handen en geslacht dwangmatig.

Hij zou vanaf dat moment meerdere meisjes tegelijk hebben. Dat was ook anders dan ervoor. Hij probeerde ze allemaal te helpen. Hij probeerde hun leven te verklaren. Mijn vader begreep altijd meer uit een gesprek dan je erin had gestopt, had zijn zoon geklaagd. Hoewel ik er uiteraard niet meer mee omging als ze geen seks wilden. Anna's vader moest een niertransplantatie hebben. Ze wilde zelf een nier afstaan. Het was een obsessie geworden. Cleaver bracht haar ervan af. Ik zou het niet willen als je mijn dochter was. Er was de ingewikkelde situatie waarin Jeannie zich had bevonden met enerzijds haar baas en anderzijds haar oom. Soms haalde Cleaver hun problemen door elkaar. Mary's vader had zelfmoord gepleegd. Het is waanzinnig te denken dat jij daar schuld aan hebt, zei hij.

Maar waarom had hij naar zoveel droevige verhalen geluisterd? Alsof je geen eigen verhaal had. Hadden de minnaressen vóór Priya geen zorgen gehad? Dat zal toch niet. Vroeger had hij graag erotische details uitgewisseld met vrienden. Met Simon en Clive. Hij luisterde niet naar droevige verhalen. Maar nu niet meer. Hij bedreef nog steeds met plezier de liefde, maar daar ging het eigenlijk niet om. De Geile Samaritaan, had Sandra hem genoemd. Maeve noemde hem oom, oom Hal. En de e-mails die Cleaver zich herinnerde. En daarna de sms'jes. Wat was dat tijdrovend geweest, al dat medeleven. Mijn vader had ontelbare verhoudingen, had zijn oudste zoon geschreven, met zijn verschillende studiogroupies. De jongen had geen flauw idee. Hij kon alleen maar denken in termen van de vieze oude man, een gemakkelijk stereotype voor een bestseller. Een van de redenen dat ik gestopt ben met het lezen van porno, had Cleaver uitgelegd aan Giada, was dat de standaardbeschrijvingen van seks niets zinnigs meer te melden hadden. Hij herinnerde zich het meisje dat voortdurend telefoontjes aannam van haar achterlijke zusje, zelfs tijdens het vrijen. Cathy. Waarom kon me dat niet schelen? Ze lag over hem heen met haar zus te praten aan de telefoon. En ondertussen lag zijn eigen telefoon te trillen op het nachtkastje.

Wat was mijn brein diep verankerd in al dat elektronische verkeer, herinnerde Cleaver zich. Het smsbericht maakt een verhouding zeker gemakkelijker, maar dat betekent nog niet dat het een instrument voor de vrijheid is. Wat was het web dik geworden. En Amanda stuurde hem ook berichtjes. Aan één stuk door. BOOTS, verscheen haar naam op het schermpje. Drink koffie bij georgie xxx. gezien wie cannes heeft gewonnen xxx. Welk beeld er ook van hem geschetst werd in *In zijn schaduw*, Cleaver was beslist vriendelijker voor zijn partner geweest na Angela's dood. En zij voor hem. Het verlies heeft ons dichter bij elkaar gebracht. Het was een briljante zet van Amanda, besefte Cleaver nu, om ons beider minnaars getuige te laten zijn van ons gezamenlijk lijden, om hen alle twee uit te nodigen op de begrafenis. Welke verhouding kon zo'n onthulling overleven? Ook Larry was een soort geest geworden, dat had Cleaver gevoeld. Maar in tegenstelling tot Priya had hij de moed niet gehad om de doden hun doden te laten begraven. Dag Harold, had Priya gezegd. Een gewoon afscheid. En ze was weg. Maar Larry bleef spoken. Misschien begrepen die latere meisjes dat ik hun problemen wilde horen. Voelden ze dat ik meer wilde dan alleen seks. En dat is waarschijnlijk de reden waarom ze zich aan me gaven: per slot van rekening was ik niet bepaald aantrekkelijk. Ik wilde droefheid, dacht Cleaver. Vrolijke seks en smart. Ik heb zeker niemands problemen opgelost. Ik maakte eerder deel uit van hun patstelling. Ze begrepen meteen dat een relatie met Cleaver nergens toe zou leiden. Je wilde dat het echte verhoudingen waren – dat was waar – juist opdát ze nergens toe zouden leiden. We hebben zoveel potentieel, had Sarah verzucht.

Potentieel! Cleaver lag stil. Zijn lippen vormen nu woorden: de dood van een jonge talentvolle vrouw, fluisterde hij in het schemerdonker van de stoffige kamer, een talentvolle en zwangere jonge vrouw, bovendien nog je dochter ook, is min of meer hetzelfde als de dood van alle zin *tout court*, of niet soms? De muziek die Angela nooit meer zou spelen, de liefde die Angela nooit zou kennen. Dat was het moment waarop je geest zich begon los te maken van de wereld, toen je aan je reis begon naar Rosenkranzhof. Je kon een talkshow niet meer serieus nemen na Angela's dood. Niet echt. Je wilde niet vechten om Priya te houden. Mogelijkheden waren een illusie, dat was de waarheid. Het heeft geen zin, zei hij tegen Giada. En Sandra en de anderen. Elke keer, met elk meisje, proefde je de dood van die mogelijkheden, van wat niet kon zijn, de dood van die jonge vrouw. Hij koos ze absoluut jonger na Priya. Liefde was het sterkst aanwezig, besloot Cleaver, wanneer het zowel dichtbij als onmogelijk was, wanneer ik het proefde en het al verloren was gegaan in de onwerkelijke ruimte van een hotelkamer. Een toekomst die niet mocht zijn.

Cleaver herinnerde zich een meisje dat zich zo zenuwachtig maakte om langs de receptiebalie van het Kensington Palace Hotel te komen, dat ze er altijd buikloop van kreeg. Ze was zo dankbaar dat hij het niet erg vond. En toch ben je niet gestopt met die talkshows. Hij beet op zijn lip. Of seks. Je bent niet gestopt met je als een vrolijke kwant te gedragen, of schijnbaar te gedragen. Mijn vader waakte streng over een beroemdheid die hij volgens eigen zeggen minachtte, had zijn oudste zoon geschreven, ongetwijfeld omdat het hem een constante aanvoer van onschuldige jonge vrouwen garandeerde. Hij had Melanie vijfduizend pond gegeven om haar opleiding op de toneelschool te kunnen afmaken. Wat zouden de critici ervan denken als de jongen dat in zijn boek had gezet? Haar vader was rijk, maar stond erop dat het meisje zelf voor het geld zou zorgen. Ik wil dat je je mogelijkheden benut, had Cleaver tegen haar gezegd. Ze was nauwelijks volwassen, op de rand van. Hoeveel jaren waren er zo voorbijgegaan? Je moet een ander vriendje zoeken als je een gezin wilt stichten, had hij tegen Sandra gezegd. Hij hield er nu een aantal formuleringen op na. Je zou een gezin moeten stichten, zei hij tegen haar. Het had iets plechtigs, een ceremonieel verlies. Sandra was van hen allemaal degene geweest die hem het best had begrepen, en het minst accepteerde wat ze begreep. Laten we er samen vandoor gaan, drong ze aan. Schrijlings op zijn dijen gezeten, smeerde ze MIJN MAN op zijn buik met menstruatiebloed. Hij herinnerde zich hoe ze een hand tussen haar dijen stak en het bloed op zijn buik smeerde.

Angela is gestorven toen ik bij Priya was.

Cleaver schudde zijn hoofd. De kamer bedrukte hem. Er is een hele maand voorbijgegaan en je hebt niets bereikt, verkondigde hij. Op het dak murmelde het stromende water zijn gebeden. Je hebt geen vooruitgang geboekt. Een maand in stilte geleefd en je hoofd zit nog steeds vol interviews, protesten, beschuldigingen. Je ziet een achtergelaten werktuig midden in een adembenemend landschap staan en je denkt meteen aan de raadselachtige kwestie van vrijheid, dwang en seksualiteit. Je denkt aan jezelf. Idem dito toen hij twee grote lelijke kevers op elkaar had zien kruipen tussen de dennennaalden. Eindeloze overpeinzingen.

Cleaver probeerde stil te liggen en zich op de kleine geluiden van het huis te concentreren. Ergens kraakte iets. Als ik het landschap als een geheel zou kunnen zien, besloot hij, wanneer ik aan het wandelen ben of voor het raam sta, als ik het geheel zou kunnen zien, dan zouden die stem en dat verleden er misschien in kunnen oplossen en zouden mijn gedachten tot rust komen. Of je gewoon concentreren concentreren concentreren op de meest simpele concrete waarheden – een rots, een boom – en dat verdomde ding echt in je kop krijgen. Was dat de eerste of tweede dag niet de bedoeling geweest? Om eenvoudige, stille dingen en vormen te beschouwen, al het lawaai uit te schakelen, de televisie en het verkeer en de sms'jes, om echt te zijn waar je was met de dingen om je heen, om alle verkeerde vormen van bewustzijn uit te schakelen, verkeerde belangstelling uit te schakelen voor dingen waar je je niet mee verbonden voelde, de ontwikkelingen in Soedan, adoptie door homo-ouders? En toch was het brein een maand later, in een stille kamer verlicht door een rokerige olielamp, rumoeriger dan alles wat het had verworpen. Het brein was oorverdovend. Praatte de oude nazi tegen de trol? vroeg hij zich af. Het was de waterval diep in het woud. Is dat een oplossing of een symptoom? Ik moet stoppen met tegen Olga te praten, besloot Cleaver. Ik moet haar zien kwijt te raken. Per slot van rekening was het niet mijn idee om haar mee te nemen. Ze is me opgedrongen. Hij herinnerde zich de lach van Frau Schleiermacher. Ihr Mann ist ein Jäger, grinnikte Hermann. Een jager. Bang, bang. Ik sluit haar op in de kast samen met de trol, dacht Cleaver plotseling. Of mik ze alle twee over de rand van de afgrond. Alsjeblieft Harry. Het was Amanda's stem. Hij hoorde het heel duidelijk.

Nu is Cleaver aan het zweten. Heb je aan je kalmerende pillen gedacht, Harry? Wat kent ze me goed. Drink thee met Larry. wou dat jij het was. Hoeveel berichten moest ze hem deze laatste weken niet gestuurd hebben, zonder te weten of hij ze wel las. Hoeveel interviews zal mijn zoon hebben gegeven. Misschien heeft hij de prijs wel gewonnen. Is hij beroemd. Zijn ze het aan het verfilmen. Als ik hem bel zal hij blijven volhouden dat het fictie was. Het is maar een roman, pa. Hij verwacht dat ik bel. Als je je niet kunt concentreren op één enkel visueel beeld, besloot Cleaver – hetgeen per slot van rekening moeilijk was in dit flakkerende licht van de lamp – dan kan je misschien een enkel woord herhalen. Eén woord, steeds opnieuw herhaald, zou de stroom doorbreken. Hij veronderstelde dat dat de bedoeling was van een mantra. Een soort koevoet om uit de val van je gedachtewereld te breken. Zelfs u, meneer de president, hebt ooit een serieus drankprobleem gehad. Waar of niet? U had hulp nodig. Trol. Cleaver begon. Het woord had een aangename ronde doffe klank. Trol, trol, trol, trol, trol, trol.

Cleaver betastte de kralen van de rozenkrans. Mantra's en kralen konden niet ver van elkaar liggen. Bestonden er geen gebedswielen, voortgeblazen door de wind, of in beweging gebracht door bergstroompjes? Een beetje zoals de koebellen. De wereld was in een gebedsmachine veranderd. Gebeden die gedachten doden, zei Cleaver tegen zichzelf. Misschien was dat wat religie deed. Trol, trol, trol, trol, trol, trol. Het leek ook een beetje op pop. Trol, trol, trol, pop, pop, pop. Maar een monnik levert geen commentaar op de mantra die hij herhaalt. Toen raakte het topje van zijn vinger een van de grotere kralen aan. Angela, fluisterde Cleaver. Angela, Angela.

Er werd hard op de deur geklopt beneden.

Engländer! riep iemand. Engländer!

11

Cleaver haastte zich de trap af. Hij was opgelucht dat hij uit zijn eigen gedachten werd weggeroepen; die stem klonk erg dringend. Hij stapte zwaar op de vierde tree van boven. Engländer! De tree versplinterde. Zakte door. Cleavers voet schoot erdoorheen en hij viel naar voren. De olielamp vloog uit zijn hand, stuiterde op de stenen vloer en veroorzaakte een vlammengordijn tegen de muur. Toen hij op zijn handen landde, werd hij getroffen door het beeld van de opgezette adelaar, hel verlicht boven de immer zelfingenomen Olga. Tegen de tijd dat hij was bekomen van de schrik, was de vlammenzee geslonken tot een fel brandend vuurtje tegen de dichtstbijzijnde fauteuil. Water, dacht hij. Hij zat te trillen. Engländer! Wo ist Seffa? Iemand bonkte op de deur. Ik moet hem op slot hebben gedaan.

Cleaver worstelde zich overeind. Een scherpe pijn schoot omhoog vanuit zijn enkel. Bij het licht van de vlammen hobbelde hij hijgend om de fauteuils heen, de keuken door, en trok de knip van de deur. Jürgen stormde naar binnen. Wo ist Seffa? De man begon op dringende toon te praten. Feuer, bracht Cleaver uit. Hij hinkte naar de gootsteen en draaide de kraan open. Jürgens kleren roken naar de koeienstal. Zijn ogen waren rooddoorlopen. Toen hij besefte wat er aan de hand was rende hij naar de woonkamer. Toen hoorde Cleaver het geluid van zware laarzen op de trap. Achtung! riep hij. Hij hoorde de man struikelen, maar kennelijk overleefde hij het. Seffa, riep hij, Seffa! Cleaver hobbelde juist terug naar de fauteuil met een kom water, toen Jürgen naar beneden kwam gerend met de open slaapzak die op het bed had gelegen.

Een hoek van de bekleding had vlam gevat. Olga bleef lachen naar de vlammen. Cleaver gooide het water op de stoel en Jürgen smeet er de slaapzak overheen. Het licht ging uit. Jürgen drukte de geruite slaapzak rond het vuur, duwde zijn lijf ertegen. Cleaver, gedesoriënteerd, snoof rook op. De kamer komt vol rook te staan. Hij begon moeizaam naar het raam te lopen. Hij kan nauwelijks op zijn rechtervoet staan. Wo ist Seffa? vroeg Jürgen. Hij krabbelde overeind. Op een of andere manier kwamen de twee mannen met elkaar in botsing. Er hing een geur van koeienstront en alcohol en chemische dampen. Toen ging er een zaklantaarn aan in de keuken. Er krulde rook in de lichtstraal. Jürgen, Herr Cleaver? Het was Frau Stolberg. Wo ist Seffa? Ze leek streng, maar bezorgd. De stem was afgemeten. Wo ist sie? Jürgen duwde het raam open. Das weiss ich nicht, zei Cleaver. Ik weet het niet.

Er was geen reservelamp. Waarom had Cleaver zich niet voorbereid op zo'n noodsituatie? Jürgen nam de zaklamp over en ging de brandplek bekijken. Mehr Wasser, zei hij. Frau Stolberg was aan de trap begonnen in het weerkaatsende licht van de zaklamp. Seffa! riep ze. Haar stem werd harder, ze produceerde een hele woordenvloed. Achtung, zei Cleaver. De trap! Jürgen zei ook iets. Seffa! riep Frau Stolberg.

Cleaver draaide de kraan weer open. Terwijl de kom volliep, duwde hij het raam open. De lucht was koud, het water ijzig. Hij had nu tijd om zijn eigen zaklamp van de plank te pakken. De lichtstraal trilde in zijn hand. Ik sta te beven. Hij hobbelde terug, met de zaklamp tegen de kom gedrukt.

Nu werd de kamer weer verlicht door een vlammetje, maar het was alleen maar Jürgens aansteker die over het hout van de haard speelde. De rook werd dunner. Kommen Sie doch, zei hij tegen Cleaver. Het was vreemd om voetstappen te horen boven zijn hoofd. Frau Stolberg moest de ingetrapte deur hebben gevonden, misschien ook de pornografie naast zijn bed.

Seffa ist nicht hier, zei hij tegen Jürgen. Ich habe nicht Seffa gesehen. De houtblokken vatten eindelijk vlam. Jürgen stond op en riep iets tegen Frau Stolberg. De vrouw kwam voorzichtig naar beneden. Ze sprak aan één stuk door. Ze was boos. Jürgen goot het water over de verbrande bekleding van de fauteuil. Mijn slaapzak is geruïneerd, dacht Cleaver. Hij liet zich zwaar zakken in de stoel tegenover Olga. Herr Cleaver. Frau Stolberg bereikte de onderste tree en kwam iets tegen hem zeggen. De kamer flakkerde van de vlammen die nu oplaaiden in de open haard. Ze deed haar zaklamp uit. Haar blik was zo star als op de begrafenis, haar rug stijf rechtop in een zware jas. Ze droeg een zwarte hoofddoek. Wo ist Seffa? vroeg ze nog eens.

Sitzen Sie, zei Cleaver. Hij gebaarde naar de fauteuil. De pop kon naar de vloer verhuizen. Entschuldigung, probeerde hij uit te leggen. Die... trap ist brochen... gebrochen. Jetzt. Ich bin ge... Hij had geen idee hoe het verder moest. Drinken? vroeg hij en wendde zich tot Jürgen. Hij wist zeker dat de man het zou begrijpen. Trinken? Maar Frau Stolberg begon weer snel te praten. Jürgen ging naar het raam, trok het open, stak zijn hoofd naar buiten en riep met bulderende stem: Seffa! SEFFA!

Cleaver voelde de koude lucht naar binnen stromen. De deur stond ook open. Ze denken dat ik het ongeluk misschien in scène heb gezet om het meisje de tijd te geven er via een raam vandoor te gaan, realiseerde hij zich. Hij protesteerde: Es ist vier Wochen ich sehe nicht Seffa. Hij stak zijn vingers op. Vier weken. Ik heb haar niet gezien. Seffa ist nicht hier. Willst du Whisky trinken? Es gibt eine Flasche in der Kuche.

De twee begonnen weer te praten bij het licht van de haard. Jürgen droeg een zwaar leren jack en het petje dat hij ook bij het melken droeg. Het meisje is verdwenen, dacht Cleaver. Misschien is ze niet teruggekomen van het boodschappen doen in Luttach. Hij voelde zich overweldigd. Dat moest het gevolg zijn van al die dagen niemand gesproken te hebben. Hoe konden ze gedacht hebben dat ze bij hem was? Wo ist der Hund? vroeg hij. Het was grotesk. Hij moest het herhalen voor ze naar hem wilden luisteren. Der Hund? Het was niet waarschijnlijk dat het meisje een verkeersongeluk had gehad. Ze gaven geen antwoord. Frau Stolberg had niets gezegd over de kapotte deur boven.

Terwijl hij moeder en zoon met elkaar zag praten bij het licht van de open haard, had Cleaver sterk de indruk dat Frau Stolberg het meest bezorgd was van de twee; Jürgen glimlachte zelfs, alsof alle gevaar was geweken nu het meisje niet bij Cleaver was. Het was een raar idee van Frau Stolberg geweest. Heeft het meisje af en toe op mij gezinspeeld om te verbergen wat er werkelijk aan de hand was? vroeg Cleaver zich af.

Es gibt, begon hij, nein, es gab... hoe zeg je dat... ein anderer Mann hier, heute. Een andere man, herhaalde hij in het Engels. Waarom hij ertoe had besloten dit te zeggen wist hij niet. Nu luisterden ze wel naar hem.

Wer war das? wilde Frau Stolberg weten.

Een wandelaar, zei Cleaver. Hij wist het woord niet. Ein Junge, am Fuß, mit Rugzak. Er ist am... Hij had geen idee hoe hij moest zeggen naar de richel gegaan. Unter gegangen. Unter? Cleaver worstelde zich overeind, hopte naar het raam en wees voorbij de wc naar het pad. Daar.

Plotseling waren de Tirolers aan het ruziën. Frau Stolberg leek zeer vastbesloten. Ze deelde bevelen uit. Wat kon de knappe wandelaar met de onaantrekkelijke Seffa te maken hebben? vroeg Cleaver zich af. Waarom heb ik die informatie gegeven? Hij hinkte terug naar zijn fauteuil.

Sie isch mei Tochto! riep Jürgen. Opeens werd er een persoonlijkheid zichtbaar in zijn gezicht, alsof hij er voor de eerste keer echt bij was. Zijn ongezonde ogen glinsterden. Sie isch *mei* Tochto!

Frau Stolberg keek naar hem. Dochter? vroeg Cleaver zich af. Jürgen schreeuwde nog een zin waarin zeker het woord Engländer voorkwam. Het leek met minachting te worden uitgesproken. Cleaver moest zijn nek omdraaien om hen te volgen omdat ze nu door de keuken liepen. Hij kwam weer overeind maar moest zijn hele gewicht naar zijn linkervoet verplaatsen.

Sem gea i alluon, zei Frau Stolberg. Het klonk als alleen. Jürgen was buiten zichzelf. Toen Cleaver om de fauteuil heen liep zag hij nog net dat de man voor het Bozen Polizeiregiment ging staan en naar het glas spuwde. Zonder een woord pakte Frau Stolberg haar zaklamp en liep de nacht in.

Cleaver lichtte zijn ski-jack van het haakje en wilde haar achterna gaan. Een zware arm versperde hem de weg. Das macht nichts, Engländer. De boer lachte nogal zuur. Hij had stoppels van twee dagen op zijn kin. Net als op de dag dat hij hem was tegengekomen toen hij het hek boven Trennerhof aan het repareren was, vroeg Cleaver zich af of Jürgen niet een tikje aangeschoten was, of gek.

Wo ist sie gegangen? gebaarde hij naar de deur, hoewel hij best wist waar de vrouw naartoe was.

Das macht nichts, zei Jürgen hoofdschuddend.

Hij had kennelijk geen enkel probleem met het donker, want hij liep om de tafel heen naar de plank waar Cleaver zijn flessen had staan. Toen hij de whiskyfles ontkurkte, zag hij de koebel. Wie schön! Hij rinkelde er krachtig mee. Mariangela! Bruna! Puttane! Hij rinkelde met de bel, lachte schor, nam een diepe teug en bood Cleaver de fles aan. Hoewel hij eigenlijk geen trek had, nam Cleaver ook een teug. Er was iets prettig onstuimigs aan de man. Omdat mijn vader, had zijn oudste zoon geschreven, uiteindelijk nooit de moed kon opbrengen om helemaal te breken met conventie en reputatie – waarom zou hij anders zo lang voor de BBC hebben gewerkt, waarom zou hij anders zo lang zijn blijven hangen in een liefdeloze relatie? – voelde hij zich altijd aangetrokken tot waanzin, tot mensen die de uitersten opzochten. Hetgeen vermoedelijk verklaart waarom zijn talkshows zoveel succes hadden.

Entschuldigung, Tatte, zei Jürgen. De boer was weer voor de foto van het Bozen Polizeiregiment gaan staan. Toen hij de fles ophief, was Cleaver ervan overtuigd dat hij hem door het glas zou smijten. Maar in het weerkaatsende licht van het vuur in de andere kamer, zette Jürgen daarentegen de hals van de fles tegen het glas en lichtte de bodem een stukje op zodat er een straaltje whisky over de strenge jongemannen van zestig jaar geleden sijpelde. Ha! Das ist gut, Tatte, nicht wahr?

Hij praat op zo'n manier dat ik het kan verstaan, begreep Cleaver. Tatte zal vader betekenen. Hij spreekt alles zorgvuldig uit. Dat kan alleen maar voor mij bedoeld zijn. Jürgen lachte weer en hief zijn elleboog op om zowel whisky als spuug weg te vegen. Hij wreef hard, brommend en lachend. Dit is pantomime, dacht Cleaver. In de verte klonk Frau Stolbergs stem zwak door de koude lucht. Seffa! Wat hoopte ze te bereiken met naar de richel te gaan; en wat als ze de verse drol van de wandelaar rook en dacht dat het Cleaver was geweest? Verrückt! Jürgen wees met een wijsvinger op zijn slaap en draaide hem komisch heen en weer. Sie ist verrückt!

Terwijl hij nog steeds van de fles dronk, liep Jürgen de woonkamer weer in. Ze moesten kennelijk op Frau Stolberg wachten. Het was bijna middernacht. Vielleicht ist Seffa in Luttach, zei Cleaver langzaam. Is ze in Luttach gebleven. Jürgen luisterde niet. Hij pakte Olga, ging zitten in de nog smeulende fauteuil en zette de pop naast zich neer. Ein hübsches Mädchen! Mmmsmak! Hij gaf de pop een kus op haar voorhoofd, bukte zich, pakte de accordeon en begon meteen krachtig te spelen.

Cleaver hupte achter hem aan en besefte dat hij het recht had om zich beledigd te voelen door een huisbaas die midden in de nacht zijn huis kwam binnenstormen en hem er min of meer van beschuldigde met zijn onmogelijk dikke dochter te rotzooien. Hadden ze gezien dat de rozenkrans niet meer aan de voordeur hing? Vooral omdat hij dit huis had gekozen om helemaal alleen te zijn. En nu werd hij godbetert uit zijn slaap gehouden door accordeonmuziek, door sentimentele volkswijsjes. Om nog maar te zwijgen over de kapotte trap, de gesneuvelde olielamp, de geruïneerde slaapzak. Maar zijn enige bedenking was dat als Jürgen zo ontspannen accordeon kon spelen, er nauwelijks echt gevaar voor Seffa kon zijn. Hij moet weten dat ze een vriend heeft, ergens in Luttach, dacht Cleaver. Hij is mee komen kijken of ze hier was om zijn moeder een plezier te doen. Waarom was de oude dame er zo van overtuigd dat het meisje naar Rosenkranzhof was gekomen?

Jürgen speelde met verve, stopte af en toe om een teug uit de fles te nemen. Het was alsof de man erop had gewacht een accordeon in zijn handen te krijgen. Zijn sterke onderarmen trokken en duwden. Het waren liedjes waar je op kon dansen op dorpskermissen. Jürgen tikte met zijn voet op de grond en glimlachte naar Cleaver, naar Olga. Ruwe, sentimentele dingen. De muzikant had er geen moeite mee. Toch is ook deze man aan het overacteren, besloot Cleaver. Hij merkte dat hij Jürgen aandachtig zat te bekijken. Het haar in zijn ruwe nek was niet weggeschoren. De oren waren groot en stonden wijduit. Je overdrijft een liedje, dacht Cleaver, om jezelf niet te laten overmeesteren door een storm van emotie, om jezelf in de hand te houden. Het meisje zit veilig en wel beneden in Luttach, besloot hij.

Mein *hübsches* Mädchen! Jürgen wreef zijn stoppelbaard tegen Olga's gezicht. Hij duwde de whiskyfles naar Cleaver. Trink! Cleaver nam een teug. Jürgen zette een ander wijsje in, overdreven meeknikkend op de wijs. Hij wil dat zijn moeder het buiten hoort, besefte Cleaver plotseling. Dat is het. Hij wil haar laten weten dat hij zich geen zorgen maakt, dat het geen zin heeft dat zij daar 's nachts rondloopt. Toch was het *zijn* vrouw die gestorven was op de richel.

Warum... begon Cleaver. Hij moest zich concentreren om de juiste woorden te vinden. Jürgen trok komisch een borstelige wenkbrauw op. Dit zou echt prima televisie opleveren. Mijn vader, had zijn oudste zoon geschreven, nodigde altijd de wildste mensen uit voor zijn talkshows, zodat hij de woeste energie kon bespotten die hijzelf ontbeerde. Zijn charisma was het charisma van iemand die altijd een stap terug zet van de rand, terwijl hij ironisch applaudisseert voor hen die de duik nemen. Warum ist... Ihre Vater... hier gekommen... in dieses Haus?

Jürgen stopte met spelen en plaatste een ruwe hand theatraal achter een rood oor. Cleaver herhaalde zijn vraag. Waarom? Waarom was de oude nazi hiernaartoe gekomen. Jürgen trok een raar gezicht. Weer maakte hij het gebaar van een ronddraaiende vinger tegen zijn slaap en schudde tegelijkertijd zijn hoofd in gespeeld verdriet. Verrückt! Gek.

Hoch, Cleaver gebaarde naar boven, es gibt ein... hij wist het woord niet... Trol, zei hij. Jürgen zat weer te drinken. Trol, ein kleiner Mann. Mit Pfeife. Cleaver deed of hij een pijp rookte, een bijl rondzwaaide. Jürgen veegde zijn mond aan zijn mouw af. Dezelfde mouw die de foto had schoongeveegd. Hij lachte, jo, jo. Der Troll! Hij liet de accordeon zwaar vallen en sprong overeind. In het zwakke licht van twee gloeiende houtblokken rende hij weer naar boven, sprong over het gat. Cleaver herkende een door alcohol aangedreven energie. Boven leek hij over iets te struikelen. Het was daar vermoedelijk nog donkerder. Der Troll! Het moest hetzelfde woord zijn. Er werd zwaar gerommeld en gestommeld boven. Jürgen verscheen weer op de trap en hield het ding vast bij zijn houten muts. Er ist sehr schön, nicht wahr? Ein schöner Zwerg. Mit Axt!

Jürgen zette het schepsel bij het vuur. Können Sie spielen, Engländer? Spielen Sie. Hij wees op de accordeon. Plotseling leek hij heel opgewonden. Spielen Sie! Het gezicht van de trol lichtte ook op bij het houtvuur. Een rode gloed speelde over het stof en vernis, het geschilderde blad van de bijl. De ogen glommen. Cleaver boog zich voorover en pakte de accordeon. Hij zette hem op zijn knieën. Zijn rechtervoet bonsde. Wie geht's dir? vroeg Jürgen aan de trol. Mußt du noch viele Bäume zerhacken?

Cleaver begon te spelen. Should auld acquaintance be forgot, begon hij, a-and never brought to mind. Jo, jo, lachte Jürgen. Das ist gut! Hij zette de trol zo neer dat hij de kamer in keek, zette de fles op de schoorsteenmantel, pakte Olga en begon te walsen. Should auld acquaintance be forgot, for the sake of auld lang syne. De woorden kwamen Cleaver nu minder weerzinwekkend voor dan eerder op de avond. Het effect van de whisky, ongetwijfeld, en het gezelschap. Jürgen had het op een zingen gezet. Er waren kennelijk Duitse woorden op. Burns in het Duits! De man maakte een pirouette met Olga in zijn armen, een verbazingwekkend sierlijke beweging. Ik heb tranen in mijn ogen, besefte Cleaver. Jürgen! snauwde Frau Stolberg. De vrouw stond in de deuropening met haar zaklamp op de grond gericht.

Later, toen hij zijn bed opnieuw opmaakte, dacht Cleaver aan een van de meest spitse opmerkingen die zijn zoon had gemaakt in zijn over het algemeen onvergeeflijke boek: wanneer mijn ouders samen een spelletje deden, speelden ze ruzie, had hij geschreven. Het had een beetje op een repetitie geleken, dacht Cleaver, de manier waarop Frau Stolberg en Jürgen tegen elkaar hadden geschreeuwd vanavond, de zoon die een sketch met de trol opvoerde, de moeder die haar blik intens en koud had gemaakt. In elk geval had geen van beiden nog een woord tegen Cleaver gezegd.

We speelden ruzie, herinnerde hij zich toen hij in bed stapte, omdat we dat het beste konden. We kenden alle stappen. Soms, had zijn oudste zoon geschreven – en dat was tegen het einde van het eerste deel van het boek – schreeuwden ze zulke verschrikkelijke dingen tegen elkaar dat we begonnen te huilen, en dan schaterde moeder het uit en zei dat het maar een spelletje was, dat ze elkaar niet echt haatten, en dan tilde mijn vader ons op en knuffelde en kuste ons. Jürgen had op zeker moment duidelijk iets vreselijks gezegd over Frau Stolberg en de oude nazi. Hij zei het schertsend tegen de trol, alsof hij een antwoord verwachtte. Cleaver had geluisterd als een kind dat niet echt begrijpt waar de volwassenen het over hebben. Scheiße! zei Jürgen. Frau Stolberg weigerde haar ferme kilte te laten varen. Cleaver was erop gespitst geweest de naam Ulrike te horen. Of Tochter. Maar Frau Stolberg bleef het maar over Seffa hebben. Misschien wilde ze meteen vertrekken. Moesten ze het meisje zoeken. En bood Jürgen weerstand. Maar het was een gespeelde weerstand. Zodra hij haar genoeg had geërgerd met zijn clowneske gedoe zou hij toegeven. Mijn ouders hebben elkaar gemaakt tot wat ze waren – zoals bij het klassieke theatrale dubbelspel kon je je de een niet voorstellen zonder de ander – en wanneer er dan publiek was speelden ze die rollen heel bewust, acteerden en repeteerden ze hun ruzies voor de lol. Dat was een pertinente opmerking, besloot Cleaver. Hoewel het hem niet altijd duidelijk was geweest wanneer hij en Amanda gespeeld hadden en wanneer het hun ernst was. Je raakte zo gewend aan ironie, aan de illusie van beheersing. En dan namen de gebeurtenissen het over.

Nadat zijn bezoekers waren vertrokken, stak Cleaver zijn hoofd even om de deur alvorens die voor de nacht op de knip te doen. De temperatuur is gedaald, dacht hij. De hemel was bijzonder helder, bezaaid met sterren. Er was een droog gekraak te horen van iets wat samentrok, bevroor. Die toestand met mijn voet ziet er niet goed uit, dacht hij, terwijl hij de trap op hinkte. Hij moest zichzelf zwaar optrekken aan de leuning om over het gat te komen. Mis ik die gespeelde ruzies? vroeg Cleaver zich af, en spreidde de slaapzak weer over het bed. Brandplek of niet, hij had hem nodig. Als we zo'n stuk opvoerden, was het alsof we ons lot accepteerden, onszelf accepteerden, en er nog om konden lachen ook. Er waren geen echte ruzies meer geweest na Angela's dood, herinnerde Cleaver zich. Maar ze hadden ook geen ruzie meer gespeeld. Toen hij in bed stapte met zijn sokken aan hoopte hij van harte dat de Stolbergs bij hun thuiskomst Seffa op Trennerhof zouden aantreffen.

12

Toen hij die ochtend vroeg wakker werd, merkte Cleaver dat zijn enkel vreselijk opgezet was. Hij viel haast flauw van de pijn toen hij probeerde gewicht op de voet te zetten. Hij moest weer op bed gaan zitten. De duizeligheid zakte maar langzaam weg. Het is misschien niet verstandig, hoorde hij een stem zeggen, om zo ver van alle voorzieningen te gaan zitten. Wie had dat gezegd? Het aankleden was moeilijk, moeilijk om zijn enkel door zijn broekspijp te duwen, bijna onmogelijk om een laars aan te trekken. Hij viste de rozenkrans uit de lakens en liet hem in zijn zak glijden. En dit was nog wel de dag waarop hij naar Luttach had willen afdalen om Hermann te vragen wat proviand naar boven te brengen. Voorlopig deed hij er al een eeuwigheid over om de trap af te komen.

Cleaver leunde tegen de schoorsteenmantel. Hoeveel hebben we nog te eten? vroeg hij aan Olga. De oude adelaar heeft niets gevangen, veronderstel ik? Een rat misschien? Een marmot? Mijn adem gaat zwaarder dan normaal, dacht hij. Hij hoestte. De trol keek nog steeds naar de plek waar Jürgen had gedanst. Kater? vroeg Cleaver. Er was iets raars aan deze ochtend. Huppend door de keuken trof hij nog twee pakken spaghetti aan, biscuits, wat appels, een paar blikjes. Goed voor een dag of drie. Maar bijna meteen veranderde hij van gedachte. Je hebt die befaamde wandelstokken toch? Hij zei het hardop. Vooruit. Naar Trennerhof. Die voet moet verzorgd. Anders loop je de rest van je leven mank. Zodra mijn vader ook maar íéts voelde, had zijn oudste zoon geschreven, was hij ervan overtuigd dat zijn einde nabij was.

Cleaver trok zijn ski-jack aan, drukte de vilthoed over het inmiddels warrige haar dat zijn kale kop omrandde, en hupte naar de deur. Hij pakte zijn wandelstokken. Buiten stond een ijzig koude wind. Het was ongelooflijk, nu hij erbij stilstond, dat de Stolbergs niet naar zijn voet hadden gevraagd. Ze hadden toch moeten begrijpen dat hij van de trap was gevallen. Ze gaan zo op in hun eigen problemen, zei hij tegen zichzelf, dat het niet in hun hoofd opkomt om zich zorgen te maken over mij. Maar nu keerde hij om. Hij was de open plek nog niet eens overgestoken of het was duidelijk dat hij een sjaal en handschoenen nodig zou hebben. Mijn vingers zijn rood. Wat een vreemde stilte, viel hem weer op. Het ochtendlicht was fel en gelijkmatig, maar ook een beetje grijs. Er stroomt geen water, besefte hij. Hij liep naar de kraan. Er kwam maar een dun straaltje uit. Waarom zouden de Stolbergs zich ongerust over je maken? Je hebt er toch om gevraagd alleen gelaten te worden?

Toen hij de open plek weer overstak, zag hij dat de lucht toverachtig dik was geworden. Het sneeuwt. Zijn hart maakte een sprongetje van plezier. Het waren dikke witte vlokken, die zacht en regelmatig naar beneden vielen. De wind was ineens gaan liggen. Hij draaide zich om en keek naar het huis. Als bij toverslag was het zwarte dak wit geworden. De rook uit de schoorsteen van de haard krulde omhoog te midden van de vlokken. Rosenkranzhof. Wat mooi! Het weidse landschap is verdwenen, besefte Cleaver. De pieken zijn weg. Er was alleen maar zijn huisje, de bossen, het ravijn en de dik vallende sneeuw.

Hij draaide zich om en begon te klimmen, duwde zijn wandelstokken in de ongelijke bodem. Hij had nooit gedacht dat sneeuw zo snel een laag kon vormen. Hij stopte om uit te rusten. Hij had op een dag in een sneeuwstorm geskied met Giada. Hij herinnerde zich de sneeuwvlokken die smolten op haar lippen. Onder de bomen was de grond nog steeds donker, maar waar het pad vrij lag, was het al overal wit. Hij herinnerde zich dat Caroline een paar jaar geleden geklaagd had dat de sneeuw nooit bleef liggen in de Borough of Westminster. Ik denk bijna nooit aan de jongere kinderen, mompelde hij. Heb ik ooit sneeuwballen gegooid met Phillip? Hij kon het zich echt niet herinneren.

Cleaver hobbelde door. Er begon zich nu ijs af te zetten op zijn baard. Hij legde een handschoen voor zijn mond en ademde er warme lucht in. Blijven lopen. Voorovergebogen de helling op. De sneeuw viel prachtig gelijkmatig. Hij had ooit een zigeunerkamp gefilmd in de sneeuw – dat herinnerde hij zich wél – met Amanda en Larry. In County Clare. Heel pittoresk. Amanda en Larry waren geobsedeerd door zigeuners. Cleaver stond stil. Het was al een tijdje geleden dat hij daar nog aan gedacht had. Het leven wordt zo lang. Er had een groene woonwagen gestaan met een rode schoorsteen. Larry's uitgeverijtje, altijd op de rand van het faillissement, produceerde boeken over en door zigeuners, waarna Amanda ze gloedvol en met hartstochtelijke verontwaardiging besprak. Hij herinnerde zich in het bijzonder een autobiografie van een Hongaarse zigeuner die in Belsen had gezeten. Cleaver had zelf een paar bladzijden gelezen. Er waren subsidies geweest van de Raad voor Cultuur. *In zijn schaduw* had niets gezegd over hoe de moeder van de auteur haar langdurige verhouding met Larry gerechtvaardigd had door hun gedeelde betrokkenheid bij minderheden. Ik zei tenminste nog altijd dat ik een feestje had of een redactievergadering als ik niet thuiskwam. Ik verwachtte niet dat iemand me zou geloven.

Rustend op zijn stokken schudde Cleaver zijn hoofd. Ik moet er nogal uitzien. Een grote, langharige, bebaarde hinkepoot met wandelstokken en een grijze vilthoed met brede rand. Toch voelde hij zich goed, fotogeniek zelfs. Wanneer je bezig bent, dacht hij, buiten, in het landschap, en vooral in deze extreme omstandigheden, dan is het leuk om je dingen te herinneren, hoe pijnlijk ze ook zijn; terwijl als je alleen thuis bent je hoofd zo onder druk komt te staan dat de gedachten imploderen. Op zeker moment, herinnerde hij zich, hadden Larry en Amanda aan Ken Loach gevraagd of hij een documentaire wilde maken over een groep Ierse zigeuners. Larry bracht een boek uit over hen. Amanda was heel opgewonden. Cleaver had Loach in een talkshow gehad waar de regisseur had gesproken over de toestand van een geesteszieke puber, de hoofdpersoon in een vroege film van hem, die symbool stond voor de strijd van het individu tegen de samenleving. Het gezin in deze vroege film, had Loach gezegd – het was deels documentaire, deels fictie – had het meisje verpletterd, geweigerd haar bijzondere noden te erkennen, zodat ze zich in zwijgen had teruggetrokken, omdat er toch niemand naar haar luisterde als ze sprak. Het gezin was een gevaarlijke en onderdrukkende instelling, zei Loach. Dat was de betekenis van zijn film: de ongelijke strijd tussen het kwetsbare individu en de wrede samenleving. God, dat was lang geleden, bedacht Cleaver.

Was het vanwege zijn aversie tegen het onderdrukkende gezin dat Loach het voorstel van Amanda en Larry had afgewezen om een documentaire over zigeuners te maken? De controversiële regisseur was goed overgekomen in de talkshow. Doe jij het dan, Harry, had Amanda hem gevraagd. Met afhangende armen had ze zwaar tegen zijn buik aan gehangen, haar gezicht naar hem opgeheven. Larry heeft alles al klaar, zei ze, het script en alles. Amanda was een prachtige, tengere vrouw naast Cleavers pens. Onbehoorlijke pens, had zijn oudste zoon geschreven. Doe wát dan, als ik vragen mag? had Cleaver gevraagd. Ze keek hem lief aan. Het was een parodie van smeken. Haar mond was klein en ironisch vertrokken. Toen lachten ze alle twee. Onze lol en onze ruzies waren altijd een parodie van lol en een parodie van ruzie. Deze show draait al even lang als *De muizenval*, placht moeder te grappen, had Cleavers oudste zoon geschreven. Helaas, het oorspronkelijke knaagdier is al lang geleden tot ontbinding overgegaan, voegde mijn vader er onveranderlijk aan toe. Geen haartje meer over van de naarling. Heb ik echt naarling gezegd? Dat klonk niet erg Cleavers. De documentaire *Zwerfstenen* werd een mijlpaal in de geschiedenis van het bewustwordingsproces, had *In zijn schaduw* nogal edelmoedig geoordeeld over de saaie zigeunerdocumentaire. Bewustwordingsproces is afschuwelijk, dacht Cleaver. Maar de jongen zei niets over het merkwaardige feit dat zijn vader wilde samenwerken met de minnaar van zijn levenspartner.

Cleaver leunde op zijn stokken en zwaaide zijn goede been naar voren. In feite waren we een vrolijk stelletje op die trip, herinnerde hij zich. De film bracht uiteraard niets over van de stank in de woonwagens, toonde alleen hun schilderachtige en armoedige uiterlijk. Twee of drie waren duidelijk opgekalefaterd voor de film. Zelfs de sneeuw leek erover gedrapeerd om het kamp er fraaier te laten uitzien. Cleaver herinnerde zich een close-up van frêle grasprietjes die door de sneeuw prikten naast een caravanwiel met een platte band. Waarom heb ik dat voor hen gedaan? vroeg hij zich af. Toen er gemonteerd moest worden wilde Larry niet dat er getoond werd hoe de zigeuners met hun kinderen omgingen. Hij vond niet dat het de kijkers te moeilijk gemaakt moest worden. Cleaver was het met hem eens geweest. Hij herinnerde zich een klein meisje dat op haar blote voeten in de sneeuw moest staan. Ze lieten het niet zien.

Er lag al meer dan twee centimeter sneeuw. Het maakte een lekker krakend geluid onder zijn laarzen. De lucht was stil en ijzig. De vlokken kwamen zo dik naar beneden vallen dat zelfs een hoed met brede rand ze niet uit je kraag kon houden. Cleaver huiverde. Misschien had hij de film gemaakt omdat hij vermoedde hoezeer het Larry zou ergeren dat hij getuige moest zijn van hun goed geoliede ruzies. En natuurlijk zou Amanda mijn efficiëntie wel moeten vergelijken met zijn gestuntel. Zelfs het besluit om midden in de opnames een paar dagen terug naar Londen te gaan, was om te laten zien dat Cleaver de teugels in handen had. Hoewel ik officieel voor Angela ging, herinnerde hij zich.

Plotseling spatte de sneeuw uiteen, vlak voor Cleaver. Hij had naar de steile haarspeldbocht lopen kijken waar Hermanns wagen de eerste dag niet door had gekund vanwege vallende stenen. Een derde van de weg afgelegd, zei hij tegen zichzelf. Er hingen ijspegels aan de verweerde breukvlakken. Toen was de sneeuw opgevlogen in zijn gezicht doordat Uli springend en glibberend het pad af kwam. Hij botste tegen hem aan, blafte en trok aan zijn broekspijp. Hij is blij me te zien. Hij wil naar beneden en bij het vuur gaan liggen. Nee, we gaan naar boven, niet naar beneden, zei hij tegen het beest. We moeten naar Trennerhof. Oom Harry heeft zijn been pijn gedaan.

Hij duwde zijn stokken in de sneeuw en zwaaide zijn goede been naar voren. De hond blafte en hapte ernaar. Cleaver bukte zich, pakte een handjevol sneeuw en gooide het naar het beest. Uli piepte. Larry had het vijfde wiel aan de wagen geleken toen hij en Amanda sneeuwballen naar elkaar hadden gegooid. Larry was helemaal geen vrolijk type. Hij had een ergerlijk lijzige, ernstige stem. Je verwent dat kind als je onze trip alleen voor haar onderbreekt, had Amanda geklaagd. Je zou moeten weigeren. Maar ze was natuurlijk dankbaar dat hij ging. Ze stond in tweestrijd. We stonden altijd in tweestrijd.

De hond trok weer aan Cleavers broek en nu gleed hij uit en viel. Toen hij weer overeind stond en zichzelf afklopte, aarzelde hij. Het leek steeds heviger te gaan sneeuwen. Het was verraderlijk. Zijn voet deed nu niet zoveel pijn. Misschien is het gewoon een verstuiking, dacht Cleaver. Ineens leek het dom om zijn eenzaamheid op te geven voor een gewone verstuiking. De eerste sneeuw smelt altijd meteen zodra hij is gevallen. Over een dag of twee loop je zonder problemen naar Trennerhof. Je hebt nog steeds eten in huis. En als je nu gaat, zullen ze je naar Luttach of Bruneck brengen. Je zult in de verleiding komen om je telefoon aan te zetten, je e-mail te checken. Amanda zal gemaild hebben. Voor je het weet zit je in Londen bij een specialist.

De hond kwam en duwde zijn snuit in zijn kruis. Lelijk beest. Hij streelde het. Wat een raar moment was dat geweest toen hij terug naar Londen was gevlogen om zijn dochter niet alleen thuis te laten zijn wanneer er een man kwam logeren die ze nauwelijks kende. Maar eigenlijk was het misschien om Amanda en Larry te laten zien dat hij er geen probleem mee had dat ze de nacht met elkaar zouden doorbrengen. Oké, zei hij tegen Uli, we gaan weer naar beneden. Als ik de hond eenmaal in huis heb, redeneerde Cleaver, en ik laat hem niet buiten, dan zal iemand hem wel komen halen. Waarschijnlijk Seffa. Als de hond weer terug was, zou zij ook wel terug zijn. Dan kon hij uitleggen wat er met zijn voet was gebeurd. Dan zouden ze hem wat voorraad brengen. Hij had contant geld.

De wandeling terug was prachtig. Het leek of het berglandschap hierop had liggen wachten. De sneeuw dempte elk geluid op het gesnuffel van de hond na, en het zachte gekraak van Cleavers stappen. Wat ik Loach had moeten suggereren, dacht Cleaver, was dat er eigenlijk niets is waar de samenleving meer van geniet dan de strijd van het individu tegen de samenleving. Cleaver zette zijn stokken tegen een rots en probeerde zijn kraag op te zetten. Angela had de man leren kennen op een concert in de provincie waar iedereen dronken of high was en er geen gesprek mogelijk was vanwege het oorverdovende volume van de muziek. Niets nieuws aan. Toch was ze verliefd. Alsjeblieft, paps, had ze gesmeekt aan de telefoon naar Limerick. Cleavers dochter was niet van het zwijgzame type. Eerder babbelziek. Ze leek op haar vader. Alsjeblieft! Craig woonde in Glasgow, hij kon het zich niet permitteren om naar Londen te komen zonder een adres om te logeren en omdat hij de hele week werkte kon hij alleen maar in het weekend komen, dit weekend, zei ze. Alsjeblieft, paps, ik ben verliefd.

De jongere kinderen, herinnerde Cleaver zich, waren die krokusvakantie bij hun Schotse grootouders. Cleavers oudste zoon kon niet beloven dat hij die nacht thuis zou zijn, zo had hij het gesteld, omdat hij een feestje had. Eerst had hij beloofd dat hij in de buurt zou blijven, om te kijken of alles in orde was, om een geruststellende aanwezigheid te bieden voor zijn zus, maar daarna had hij gezegd dat hij niets kon beloven. Zeg toch gewoon dat ze die vent niet mag uitnodigen, zei Amanda. Ze wilde wel dat Cleaver haar en Larry een paar dagen alleen liet, maar niet om Angela haar zin te geven. Ik mag nooit doen wat ik wil, alleen omdat ik een meisje ben, jammerde Angela. Waarom mag er niemand komen logeren? Je mag blij zijn dat ik het je vertel.

Ze waren met de documentaire op het punt beland waar ze moesten bekijken wat er gefilmd was en hoe ver ze stonden. Ik ga het weekend terug naar Londen, zei Cleaver, terwijl Larry de inventaris opmaakt. Het is zijn film. Zo kan Angela haar vriend laten komen en is er geen gevaar. Dan ben ik in de buurt.

Amanda was woedend. Je verwent haar, brieste ze. Je geeft haar altijd haar zin. Stel dat we nee zeggen, hield Cleaver vol, en ze nodigt hem toch uit, omdat ze weet dat we het niet kunnen controleren. En wanneer ze dan samen thuis zijn accepteert hij geen nee en verkracht haar. Voor zover ze wisten had hun dochter nog geen seksuele relatie gehad. En wat zeggen we dan? We hadden je toch gezegd dat je hem niet moest uitnodigen?

Het was fantastisch geweest, herinnerde Cleaver zich, om Larry's gêne te zien groeien tijdens die lange woordenwisseling. Wat was de man gekrompen door zelf geen kinderen te hebben over wie je kon bekvechten en over wie je de verantwoordelijkheid droeg! Maar waarom hadden Amanda en ik zo'n plezier in dat kwellen, in die spelletjes? Tot zijn eigen verbazing ging Cleaver plotseling op de grond zitten.

Wat was het stil. Hij wendde zijn gezicht naar de lucht en liet de koude vlokken op zijn gesloten oogleden vallen. Waarom deden we dat? Zo'n lichte, zachte aanraking. Toen, weer tot zijn eigen verbazing, liet hij zich achterovervallen en strekte zich uit in de sneeuw. Misschien was de koude grond een tegengif voor zijn koortsachtige gedachten. Onverwacht voelde hij zich heel comfortabel. Misschien is de sneeuw wel mijn element, dacht hij. Even stelde hij zichzelf voor, begraven in witheid. De gestaag vallende vlokken zouden de plooien van jas en broek vullen en de grote berg vlees van Harold Cleaver langzaam bedekken. Het leek een vreemd wellustig idee.

Cleaver moest er vier of vijf minuten hebben gelegen. De hond kwam aan hem snuffelen. Ksst! Laat me met rust! Het beest wilde de sneeuw van zijn baard likken. Het kietelde en Cleaver ging overeind zitten. Maar nu moest hij aan het commentaar van zijn zoon op *Zwerfstenen* denken: mijn vader maakte verbazingwekkend gevoelige documentaires, had zijn oudste zoon verkondigd, ten behoeve van mensen voor wie het leven hard was, zoals de zigeuners. In dit geval was zijn gebruik van de sneeuw als metafoor voor menselijke kilte geraffineerd gekozen. Maar in zijn privéleven minachtte hij alle liefdadige retoriek, misschien omdat hij zelf zo'n onliefdadige oude vrek was. Ik heb hem in elk geval nooit een aalmoes aan een bedelaar zien geven, terwijl zijn creditcard altijd beschikbaar was voor champagne en nouvelle cuisine.

Op zijn hurken in de sneeuw gezeten schaterde Cleaver het uit. Hij gooide handenvol sneeuw in de lucht. Wat had die jongen allemaal gelezen! Als ik ooit terugga, besloot hij, dan schrijf ik rechtstreeks naar de *Times* om ertegen te protesteren dat de Bookerjury schrijvertjes nomineert die clichés gebruiken als aalmoezen aan bedelaars. Hij worstelde zich overeind. Het was een schitterend idee geweest, zei hij tegen zichzelf, om die Noorse wandelstokken te kopen.

Misschien vijf minuten later nam hij de laatste bocht, en Rosenkranzhof kwam in zicht. Er stond een hert bewegingloos bij de deur. Zijn trotse gewei leek het volmaakte ornament voor wat er nu als een sprookjeshuisje uitzag. Wat prachtig, dacht Cleaver. Hij keek uit over de open plek. Sneeuw op elk raamkozijn. Wat ben ik gelukkig dat ik deze schuilplaats heb. Het trotse dier stak zijn neus in de lucht, waakzaam. Toen kwam Uli en sprong op het dier af. De lelijke hond glibberde weg en gleed uit. Het hert was in het niets opgelost.

13

Het had Cleaver altijd gefascineerd dat zijn naam, die 'hakmes' betekende, enerzijds iets was waarmee je dingen in tweeën kliefde, gewoonlijk vlees, en dat klieven anderzijds verwant was met verkleven, hetgeen juist betekende je aan iemand hechten, deel uitmaken van iemand. Een man zal zich hechten aan zijn vrouw, en de twee zullen één vlees worden. Eén vlees. Hij had nooit de moeite genomen om de etymologie ervan op te zoeken. Maar hij was dan ook nooit getrouwd. Kun je echt deel van iemand anders worden? En zou ik mezelf anderzijds echt helemaal kunnen losmaken van Amanda? Je hébt jezelf losgesneden, verdomme, protesteerde Cleaver.

Hij zat in de fauteuil voor het vuur. De hond lag op het haardkleedje. Buiten viel de sneeuw gestaag in de kloof. Méér losgesneden dan dit kan je niet worden. De hymne Rock of Ages combineerde beide zaken misschien, bedacht hij terwijl hij zijn handen warmde. Rots der eeuwen, voor mij gekliefd. Cleaver pakte de accordeon en begon te spelen. Wat somber. Zijn vingers waren stijf en gezwollen. Hij had de hymne vaak voor de tweeling gezongen als een slaapliedje. Wanneer ik treed op vreemde paden, wanneer 'k verschijn voor uwen troon. Het werkte slaapverwekkend. Cleaver deed zijn ogen dicht en dacht aan uitgestrekte glinsterende sneeuwvlakten tot aan de bergpieken. *Cleaver gekliefd* was misschien een betere titel voor het boek van zijn zoon geweest. Voetafdrukken zouden over het ijs naar boven leiden naar een donkere grot, een nauwe kloof in de rots. Aan u ben ik verkleefd, 'k verberg mijzelf in u. Dat gevoel kende hij. Cleaver stopte abrupt met spelen.

Hoewel hij moe was, had hij hard gewerkt na zijn terugkeer in Rosenkranzhof. Ik heb mijn enkel gewoon verstuikt, besloot hij, en deze eerste sneeuw dooit meteen. Het is nog geen december. Hij had het gevoel een soort levensverzekering te hebben nu de hond er was. De Stolbergs zouden de hond niet achterlaten. Toch bracht hij zo veel mogelijk hout naar binnen, stapelde het zorgvuldig tegen elk beschikbaar plekje muur. Je moet warm blijven. Ondanks de bescherming van de brede dakrand lag de sneeuw al dik op het zeildoek dat de voorraad buiten bedekte. Cleaver hupte heen en weer met een mand met vier of vijf houtblokken tegelijk. Daarna was hij een halfuur kwijt aan het verwijderen van een splinter onder zijn nagel. Hij hoopte dat hij hem er helemaal uit had. Misschien zat er nog een stukje in. Het licht was zo grijs en zijn ogen zo slecht. De vinger deed pijn als je erop drukte. Hij was ontstoken. Hij zoog erop. Ik heb geen lamp als het donker wordt, besefte hij. Alleen het vuur. En mijn zaklamp. Hij voelde zich opgewonden.

Toen hij naar buiten ging om naar het weer te kijken, ontdekte Cleaver dat hij de hiel van zijn voet neer kon zetten, maar nog niet plat. Dan voelde hij een scherpe pijn. Zou ik een pad moeten vrijmaken naar de wc? Hij keek in de trapkast. Er kwam een vochtige en kille lucht uit toen hij de deur van het haakje deed. Hij moest terug naar de keuken hobbelen om de zaklamp te halen. De lichtbundel trof een stel sneeuwschoenen die aan de ruw uitgehakte muur hingen. Die had je nog niet gezien. Hij rilde. Er waren rollen draad voor strikken en een kniptang. Niets wat hij kon gebruiken. Hij droeg de sneeuwschuiver naar buiten en probeerde een pad naar de wc te maken. Anders kan ik naast mijn eigen voordeur zitten kakken. Maar het begon al een beetje te schemeren. Hij zweette. Dit is een aanslag op je rug. De sneeuw kwam moeiteloos naar beneden, alsof het vallen zelf een wellustige daad was. Wat hij had schoongemaakt was meteen weer ondergesneeuwd. Plotseling was Cleaver uitgeput. Hoe had die oude nazi dat in hemelsnaam voor elkaar gekregen? vroeg hij zich af. Der Winter ist sehr schwer da oben, had Frau Schleiermacher gezegd. Ongetwijfeld bracht Seffa hem zijn eten vanuit Trennerhof. En hij zette vallen natuurlijk. Cleaver had nog steeds niets gegeten vandaag. Neem één stevig maal, besloot hij.

Er kwam zelfs geen straaltje meer uit de kraan. De beek is bevroren. Cleaver vulde een pan met sneeuw, van de linkerkant van de voordeur. In het ergste geval kan je kakken en pissen aan de andere kant. Er was nog een blikje ragout. Rond drie uur zat hij eindelijk voor een laaiend vuur met een bord op zijn knieën. Uli zeurde. Waag het niet iets te vragen, zei hij tegen de trol. Olga is veel te aardig voor jou. Je had verwacht dat Angela's vriend een soort trol was, die keer dat je bent teruggevlogen van Dublin, herinnerde Cleaver zich nu. Misschien omdat ze het steeds over hem had gehad als een man in plaats van een jongen. Toen ze zeventien was, wist Angela een recordaantal mannen te vinden die tien of twaalf jaar ouder waren dan zijzelf, steevast van het laagste allooi, knapen die hun school niet hadden afgemaakt en in tweederangs bandjes speelden. Cleavers oudste zoon had botweg geweigerd om zijn feestje af te zeggen en voor babysit te spelen als de man zou komen. Zeg gewoon nee, zei hij aan de telefoon naar Ierland. Ik vraag toch ook geen mensen te logeren die ik nauwelijks ken, als jullie weg zijn. Waarom kan je niet hard voor haar zijn, pa?

De telefoontjes naar Londen werden bijgeschreven op de onkostenrekening van de zigeunerdocumentaire. In die tijd waren er nog geen mobieltjes. Larry begon te klagen over hun beperkte budget. Was er een of andere samenzwering gaande, had Cleaver zich afgevraagd, tussen Amanda en hun zoon versus de ongeduldige seksualiteit van diens tweelingzus? Angela maakte er geen geheim van dat het verliezen van haar maagdelijkheid nu absolute prioriteit had. Paps, ik weet heus wel hoe ik nee moet zeggen als ik niet wil, protesteerde ze. Denk je niet dat ze me dat al honderd keer gevraagd hebben? En ik zeg altijd nee. Toch leek ze het te waarderen dat haar vader in het weekend in de buurt wilde zijn. Ik bemoei me nergens mee, had Cleaver beloofd. Ik bedoel, ik kan je per slot van rekening toch niet tegenhouden. Per slot van rekening, herhaalde hij. Ik ben gewoon in de buurt ingeval dat... Ingeval wat...? plaagde ze. Bedenk wel, had Cleaver tegen Larry gezegd, dat ik wel normaal contact met mijn gezin wil hebben als ik een maand van huis ben.

Cleaver zette zijn bord op de grond voor Uli om het af te likken, pakte de accordeon en speelde Rock of Ages. Die huilerige deuntjes werden me ingepeperd toen ik als kind in de kerk zat, dacht hij, en hoe ouder ik word, hoe groter mijn regressie. Niet het offer dat ik breng, niet de tranen die ik pleng. Ik weet dat het je geen moer kan schelen, onderbrak hij zichzelf om tegen de trol te zeggen, maar ik heb de indruk dat deze hymne een wens tot vergetelheid verraadt, een wens dat de genadige aarde zich opent en de zanger voor eens en voor altijd verzwelgt.

Cleaver zat een tijdje in het vuur te staren. Hij zoog op zijn zere vinger. De vlammen in de haard hadden dezelfde wellustige regelmatige beweging als de gestadig vallende sneeuw, dezelfde betoverende kracht om het brein uit te schakelen. Vuur en sneeuw. Het lichaam verbrand, het lichaam bevroren. Je was niet echt van plan om je leven te veranderen toen je hierheen kwam, besefte Cleaver nu. Daar waren tientallen andere nobele, liefdadige en zelfs verstandige manieren voor om dat te doen. Je was van plan er een eind aan te maken.

Uli likte nog steeds als bezeten aan het bord. Cleaver glimlachte. De hond vrat zijn eigen speeksel. Hij had honger. Hij stond op, pakte een houtblok van de stapel tegen de muur en gooide het in het vuur. Je zult knetteren en branden, smeerlap. Hij lachte. Ik moet naar die vinger laten kijken, dacht hij. De splinter zat diep. Wat had het voor zin, vroeg hij zich af, om een accordeon te hebben als je niets kon spelen wat je graag zou horen? Alleen maar melancholische psalmen die paradijs en vergetelheid door elkaar haalden, een verlangen naar oude vriendschap en een verlangen om te breken met oude vriendschap. Thatcher had aan mensen als Ken Loach verteld, herinnerde Cleaver zich plotseling, dat er niet zoiets bestond als de maatschappij. Had ze dat werkelijk in die bewoordingen gezegd? Het was eigenaardig hoe je kon denken dat je een discussie op bevredigende wijze tot een einde had weten te brengen, en dan stak ze een uur later haar lelijke kop weer op, of vijf uur later, of vijftien jaar. Hoe onpopulair ze ook was in de media, toch had Cleaver de neiging het eens te zijn met de Iron Lady. Hij begreep wat ze bedoelde. De maatschappij is een denkbeeldig iets. Maar bestond er zoiets als het individu? Kon je iemand een individu noemen als hij niet kon stoppen met het neuriën van alle melancholische wijsjes die vóór zijn tiende jaar in zijn hoofd waren gestampt, terwijl hij er juist het meest op uit leek zijn stem voorgoed te verliezen en op te gaan in het landschap? Dat is de reden dat ik hiernaartoe ben gekomen. Om een eeuwige kou te vatten. Het was ongelooflijk dat zijn zoon niet had ingezien dat dit de schaduwzijde was van zijn exhibitionisme, van de wens om in het middelpunt van de belangstelling te staan. Alleen een exhibitionist, besloot Cleaver, kan echt hunkeren naar vergetelheid, kan misschien echt neergeschoten willen worden door de jaloerse echtgenoot achter de slaapkamerdeur. Alleen zo'n gigantische snoever als jij. Dat was de waarheid achter dat stomme verhaal op het einde van *In zijn schaduw*. Ik wílde dat de man me doodschoot.

Wil je samen met ons eten, pa? had Angela gevraagd. Ik heb me monsterlijk gedragen die avond, herinnerde Cleaver zich. Heb onvergeeflijk zitten snoeven. Hij was van plan geweest samen met Priya te eten. Hij had gedacht dat de kinderen tot laat in de nacht zouden wegblijven. Ik ben niet uit Ierland teruggekomen voor Priya, had Cleaver tegen zichzelf gezegd, maar nu ik toch terug ben, kan ik haar net zo goed opzoeken. Angela had het over een concert gehad, een kroeg ergens. Ze ging altijd uit op zaterdagavond. Ze wist precies wie waar optrad in Londen. Maar in plaats daarvan bleven ze thuis. Tot Cleavers niet geringe verbazing was Craig zwart. Hij was lang, maar liep gebogen. Zijn gezicht was knap, maar scheef. Een oor stond naar buiten. Hij was een neger.

We willen graag dat je met ons mee-eet, drong Angela aan. Ze waren al aan het kokkerellen, iets vrij ingewikkelds. De groep die Angie wilde zien, is puur bullshit, legde Craig uit. Hij pakte Angela's hand over de tafel heen. Ze droeg een van haar satanische armbanden, met spijkers en schedels. Cleaver vond dat de jongen wel respectvol leek, maar onafhankelijk. Dan kunnen we net zo goed binnenblijven en zelf spelen, zei hij nonchalant. Hij had zijn gitaar meegebracht uit Glasgow. Zijn vingers, merkte Cleaver, waren de vingers van een roker en een gitarist. Priya vond het niet leuk dat hij afbelde. Het is alsof ik nu twee vrouwen heb, zei Cleaver tegen zichzelf toen de stem klaagde dat hij nooit tijd had voor haar. Zonder ook maar één keer te trouwen. Maar Priya klaagde op een zachte, weemoedige manier, helemaal anders dan Amanda.

Aan tafel was Cleaver bijzonder joviaal geweest, had een dure fles opengetrokken, de ene na de nadere anekdote verteld over bekende namen met wie hij had samengewerkt. Craig glimlachte rustig en zei zo, zo, nou, nou. Hij wisselde blikken uit met Angela. Pa, we weten echt wel dat je bij de tv werkt, viel ze hem in de rede. Maar Cleaver ging onverdroten door. Zijn hoofd gonsde. Het gesprek met Priya had hem van streek gebracht. Ik ga naar bed met een Indiase vrouw en ik stoor me eraan dat mijn dochter een relatie met een neger heeft. Mijn vader, had zijn oudste zoon geschreven, vroeg mensen alleen maar belangstellend naar hun leven omdat hij zeker wist dat hij, wat voor verhaal ze ook zouden vertellen, het met een eigen verhaal kon overtroeven. Cleaver had Craig die avond niets over zijn leven gevraagd. Pas later kwam hij erachter dat de jongen in een weeshuis was opgegroeid, een baan had als lasser, en in een rockbandje speelde.

Rond vier uur ging Cleaver naar buiten om te plassen in de sneeuw. Herinnering staat gelijk aan zelfkastijding, zei hij hardop. Er lag al meer dan dertig centimeter. Hij maakte een pad van een meter of drie schoon om een beetje afstand te scheppen ingeval hij moest kakken. Uli kwam naar buiten geploeterd en wilde bij de houtvoorraad plassen onder de daklijst. Cleaver joeg hem weg. De vlokken vielen nog steeds in dichte drommen. Je kon je het landschap nu niet meer voorstellen achter de ondoorzichtige lucht. Omdat wij gekookt hebben, had Angela aan het eind van de maaltijd gezegd, wil jij Ivan wel even uitlaten, hè paps? De grote hond stond te wachten bij de deur. Ik moest de hond altijd uitlaten, herinnerde Cleaver zich. Ivan was veel te knap voor jou, zei hij tegen Uli. Angela was prachtig met kortgeknipt haar, vond hij. Misschien, zei hij plotseling tegen zichzelf, zou het ware meesterwerk erin bestaan jezelf helemaal los te snijden, zowel in je hoofd als buiten je hoofd. Het geluid ín je hoofd afzetten, dát was de echte uitdaging. Zweeg het meisje ook *in* haar hoofd? Dat had hij Loach moeten vragen. Was ze ook gestopt met tegen zichzelf te praten? Misschien was ze helemaal niet ongelukkig.

Cleaver ging het huis weer in, pakte de trol bij de rand van zijn houten hoed en terwijl hij het ding gebruikte als wandelrek, droeg hij het naar buiten. Tijd om een luchtje te scheppen, kerel. Hij zette het houten beeld in de sneeuw. De trol heeft zijn bijl opgeheven om te hakken. Nee. Cleaver duwde hem omver. Ga maar liggen, gezicht in de sneeuw. Het leek onmogelijk het ding achter te laten zonder in dit soort termen te denken. Uli blafte tegen de liggende vorm. De bijl was nu begraven. Jij ook, zei Cleaver tegen Olga. Je tijd zit erop, pop. Hij droeg de pop in zijn armen en zette haar met haar gezicht tegen de muur onder de daklijst naast de houtvoorraad. Goed zo. De Stolbergs zouden Uli wel komen halen voor het donker werd, dacht hij, of iets eerder. Niet al te lang meer.

Cleaver hopte ongemakkelijk rond door het huis. Hij checkte en recheckte zijn proviandvoorraad: een volle fles whisky en een met nog een kwart erin, een redelijke fles chianti, een stel reservebatterijen voor de zaklamp. Hij keek misschien een halfuur naar het ravijn door het raam van de slaapkamer boven. Je zag alleen maar de witte boomtoppen en de vlokken die langzaam in de leegte zakten. Ze leken zelfs niet meer te vallen. Ze hingen er gewoon. Het is zo rustgevend, dacht Cleaver. Hij dacht aan ijzige vochtigheid die open zweren koelde. Uli was hem de trap op gevolgd en begon heen en weer te lopen. Zijn poten krasten op de planken. Cleaver negeerde het beest. Een keer meende hij een glimp op te vangen van de grote rotsen aan de andere kant van de vallei. Even had het landschap diepte en vorm. Daarna was het weer verdwenen.

Op bed gelegen met de kwart fles whisky verwachtte Cleaver elk moment de roep van de Stolbergs te horen, hoewel ze zich wel zouden realiseren dat de sneeuw te hoog was voor de hond om zelfstandig terug te klimmen. Ze zouden misschien een slee met zich meebrengen. Hij wist zeker dat hij een slee had gezien in Trennerhof, tegen de muur naast de kippenhokken. En wat als ze zien dat ik de trol en Olga buiten in de sneeuw heb gezet? Ze zullen denken dat ik krankzinnig ben. Het kon Cleaver niet schelen. Verrückt, had Jürgen gezegd toen hij voor de foto van zijn vader stond en het speeksel van het glas had geveegd. Gek. Cleaver veronderstelde dat de oude nazi zijn vader was. Tatte, dat woord had hij gebruikt. Verrückt, had Jürgen over zijn moeder gezegd toen ze naar de richel was gelopen, roepend om Seffa. Hij sprak het woord heel zorgvuldig uit zodat ik het kon begrijpen. Gek. Sie isch mei Tochto, had Jürgen gezegd. Mijn dochter. Krankzinnigheid was duidelijk heel normaal in deze streek, dacht Cleaver. Jürgen was zelf ook nauwelijks een toonbeeld van geestelijke gezondheid te noemen, zoals hij met Olga had gedanst en de trol van jaloezie had beschuldigd. Cleaver voelde zich beslist beter nu hij dat stelletje eruit had gegooid. We zullen beter met elkaar kunnen opschieten als je het huis uit bent, had hij tegen zijn zoon gezegd. Dan zullen er minder wrijvingen zijn. Om nog maar te zwijgen over die schnaps die hij zijn koeien aanbood. Was Ulrike krankzinnig geweest die nacht toen ze van de richel is gevallen? Maar hoe weet je dat dat 's nachts is gebeurd?

Cleaver stond nu in het donker. Hij luisterde. Zo stil is het nog nooit geweest in Rosenkranzhof. Geen stromend water. Geen ritselende takken. Heel af en toe maken de vlokken een zacht tikkend geluid op de vensterruit, alsof Olga vraagt of ze er weer in mag. De bergen zijn vol geesten. Om echt van ze af te zijn, had je ze moeten verbranden, dacht Cleaver. Maar het was niet aan mij om ze te verbranden. En daarna zou je hun as nog eens gaan verstrooien ook.

Hij kon Uli's zachte ademhaling horen in zijn slaap. Het was nu al behoorlijk donker en ze waren hem nog steeds niet komen halen. Cleaver wist zeker dat hij dat gehoord zou hebben. Misschien zijn de klokken teruggezet, dacht hij. Hij luisterde scherp. Er knetterde iets in het vuur. Dan komen ze morgen wel, besloot hij. Ze zullen geen zin hebben om vanavond te komen met die sneeuw. Hij herinnerde zich dat hij die avond thuis met Angela en Craig ook scherp had geluisterd. Het punt was dat je niet wilde dat je dochter haar maagdelijkheid verloor aan een neger. Om een of andere reden leek het nodig dat harde woord te gebruiken. Eerst mijn vaders documentaires te zien, had zijn oudste zoon geschreven, en hem daarna zijn standpunten aan tafel te horen verkondigen, maakte dat je in een verwarrende, chronische hypocrisie leefde, dat je de bittere lucht van morele kortsluiting inademde, van afstotende polen die met elkaar in contact werden gedwongen. Wat een onzin. En toch had je op dat moment zelf een verhouding met een Indiase vrouw, overpeinsde Cleaver, een klein, donker en zuiders Indiaas vrouwtje, misschien de enige verhouding in je leven die echt passioneel genoemd kon worden, het enige echte alternatief voor het leven dat je hebt geleefd. Priya betekent de beminde, had ze hem ooit eens verteld. Hij had haar bemind. Met Priya was alles eenvoudig en gemakkelijk. Hun gesprekken waren rustig. Geen marteling. Het was niet eens nodig om confrontaties te vermijden. De tijd die ze samen doorbrachten was altijd aangenaam. Die poppen langs de trap van Frau Schleiermachers huis waren mijn vroegere vriendinnen, zei Cleaver plotseling tegen zichzelf, de lijst van mijn vrouwen. Hij dacht aan de frisse, glimlachende gezichten en Tiroler hoofddoeken op de overloop van de eerste verdieping. Allemaal hetzelfde. Waarom heb ik dit soort gedachten? Je had ze moeten tellen, grinnikte hij. Maar Priya was daar niet bij. Ze hadden allemaal roze wangetjes. Toch mocht ik Craig wel, zei Cleaver nu tegen zichzelf. De jongen was waarschijnlijk bespraakt genoeg geweest, als ik hem een beetje meer ruimte had gelaten om iets te zeggen. Het was raar dat hij Amanda's Schotse accent had. En hij kon beslist gitaar spelen.

Cleaver had op bed gelegen in het huis in Chelsea en geluisterd hoe zijn dochter en haar nieuwe vriendje beneden in de kelder samen zaten te jammen. Angela zette een paar eenvoudige ritmes op het keyboard en Craig speelde gitaar. Die knaap is een serieuze gitarist, besefte Cleaver. Hij werd wakker. Priya belde om te zeggen dat het haar speet dat ze nukkig was geweest. Die knaap speelt fantastisch, zei hij. Het schijnt dat Angela dolgraag in zijn band wil spelen. Ik ben gewoon jaloers op je kinderen, zei Priya, weet je, zoals ze altijd je onvoorwaardelijke liefde hebben, zoals ze altijd deel uit zullen maken van je leven.

Tegen middernacht was de muziek gestopt. Ze zijn naar de tv verhuisd, dacht Cleaver, de bank. Hij wachtte. De hond drentelde rond in de hal. Priya had gezegd dat ze het lief vond dat hij zwart was. Amanda belde. Ze checkt of ik wel echt hier ben, besloot Cleaver. Een verbetering ten opzichte van de laatste holbewoner, zei hij. Hij zei niets over de kleur of het accent. Kennelijk vond Larry dat ze meer beweging konden gebruiken in de film. Veel van de beelden waren statisch, niet nomadisch genoeg. Hij wilde een beeld van rijdende woonwagens, een traditionele dans bij een kampvuur, als het even kon in de sneeuw. Hij probeerde iets te regelen met de leider van de groep. Cleaver lag wakker en bedacht wat een lul Larry was. De zigeuners hadden langer op dat veld in County Clare gestaan dan Cleaver in welk huis ooit gewoond had.

Toen kwamen ze de trap op. Op zijn bed in Rosenkranzhof gelegen, kon Cleaver het geluid van zijn dochters gegiechel horen. Ze passeerden zijn kamer op de eerste verdieping en gingen naar de tweede. Ivans staart sloeg tegen de spijlen. Angela had beloofd dat Craig op de logeerkamer zou slapen. Cleaver had beloofd dat hij hen niet zou bespioneren. Ze was nog nooit naar bed geweest met een man. Haar vader was er alleen maar voor haar veiligheid. Is ze een meisje of een vrouw? vroeg Cleaver zich af. Hoe kon Loach in hemelsnaam beweren dat het gezin zo'n onderdrukkende instelling was? Zijn er instellingen die niet repressief zijn? Hij hoorde gefluister en het open- en dichtgaan van deuren. Ze duwden de hond naar buiten. Ze fluisteren omdat ze denken dat ik slaap, besefte Cleaver. Het is een blijk van respect. Hij stapte uit bed, kleedde zich aan, sloop stil de trap af en reed naar Priya.

Cleaver tastte naar de zaklamp op de vloer naast het bed. Ik moet hem in de keuken hebben laten liggen. Dat was stom. Hij had niet verwacht dat hij boven in de slaapkamer zou blijven tot het donker was. Hij had zichzelf al naar beneden zien hobbelen om de Stolbergs te ontvangen die hun hond kwamen halen. Maar het deed er niet toe. Hij kan in de whiskyfles plassen. En hem dan leeggooien uit het raam. Beneden was de haard goed gevuld. Het huis is zo warm als ik het kan maken, vond hij. Toch kreeg hij het niet echt warm, ondanks de drie dekens en de slaapzak. Hij huiverde. Heb ik koorts? Het gat in de zak deed er geen goed aan, maar daar kon het niet aan liggen. Olga en de trol zijn ijsblokken geworden, dacht Cleaver. Uli lag ineengekruld tussen de vuile kleren op de bodem van de kleerkast.

Die nacht droomde Cleaver dat een van de keukenstoelen een vreemde paranormale activiteit opriep. Als je erop ging zitten begonnen er dingen te bewegen. De laden vlogen uit het gootsteenkastje en er gingen kastdeuren open en dicht. Het was de keuken in Wandsworth. Maar het was de stoel waarop Angela had gezeten tijdens het eten met Craig in Chelsea. Ze ging zitten en Craig pakte haar hand even over de tafel heen. Het was een charmant gebaar. Hoe had zijn zoon kunnen schrijven dat ze haar seksualiteit afwees toen ze haar haar had afgeknipt? Ze hadden een of ander stoofpotje gemaakt. Cleaver vertelde een verhaal over een interview met Pete Townshend. Plotseling sprong de stoel achterwaarts de kamer in en sloeg tegen de muur. Er is een poltergeist in dit huis! riep Cleaver. Hij had altijd geweten dat er een poltergeist was. Daarom werkte ik in het schuurtje achter in de tuin. Hij liep om de tafel en schoof de stoel weer terug op zijn oude plaats. Maar die sprong weer achteruit en vloog nogmaals tegen de muur. De deur van de koelkast zwaaide open. De kamer vulde zich met kou. Pas toen besefte hij dat Angela was verdwenen. Angela! begonnen ze te roepen. Craig was ook geschrokken. Angela! Het was een poltergeist. De lucht was koud. Cleaver ging zelf op de stoel zitten: die zal me naar haar toe brengen, zei hij. Ik ga haar halen. Ik ben niet bang. De stoel weigerde. Hij gedroeg zich als een heel gewone stoel. Liet zich aan tafel schuiven. Daar stond Angela's bord vol eten, een vol glas wijn ernaast. Cleaver stond op en de stoel schoot terug en knalde tegen de muur. Er vlogen etenswaren uit de koelkast. Pakken melk. Graukäse. Het was ijskoud in de kamer. Er stond een koude wind. In een angstopwelling schreeuwde Cleaver: haar kamer! Hij rende de trap op. Het tapijt zat los. Hij struikelde en viel. Hij had zijn enkel pijn gedaan. Maar ze was er. Angela leeft. Ze ligt rustig te slapen in haar bed. Haar jonge gezicht is zacht en gaat helemaal op in de slaap. Cleaver boog zich over haar heen om haar een kus te geven en werd wakker.

Het was een oude droom. De variaties van vannacht veranderden niets aan het basisgegeven. Cleaver werkte zich onder een stapel dekens vandaan. Zijn hart slaat snel. De poltergeistdroom. Auw! Hij was zijn pijnlijke enkel vergeten. Hij tastte in het donker naar de fles om in te plassen. Nu is hij die pijnlijke vinger vergeten. Jezus! Er zat absoluut nog iets onder de nagel.

Hij hinkte naar de kamer van de oude nazi en trok het raam open dat uitkeek op de open plek. Het sneeuwde nog steeds. Het was eigenaardig licht. Misschien is het nog niet zo laat, dacht hij. Hebben ze de klok teruggezet. Seffa, riep Cleaver zacht. Seffa! De stilte slokte het geluid op. Kilometers in de omtrek ligt alles dik onder de sneeuw. Ulrike, riep hij. Angela!

Hij zette zijn ellebogen op de vensterbank. Angela! Het wrede aan de poltergeistdroom was dat de enorme opluchting die hij voelde toen hij zijn dochter veilig en wel in bed aantrof, meteen gevolgd werd door het ontwaken, door de realiteit. Hij had zijn belofte gebroken toen hij nog voor het ochtendgloren terugkwam van Priya. Heel zachtjes had hij de deur van haar kamer geopend en naar binnen gegluurd. Te midden van de gebruikelijke chaos lag Angela diep te slapen met haar gezicht naar de naakte rug van de jonge neger gekeerd, de hond op het tapijtje ernaast. Cleaver keek naar zijn dochter. Er zat een kleine tatouage op haar schouder die hij nog nooit gezien had. Een vlinder. Een jaar later reed Craig haar naar huis na een optreden en waren ze op een vrachtwagen gebotst. Het kind was van Craig, wist Cleaver. Ik zou graag je dochter zijn geweest, fluisterde Priya. Ze huilde bij de begrafenis. Ik wou dat het mij was overkomen, zei ze. Het was het einde van hun verhouding. Starend in het donker tussen de zwevende vlokken door, fluisterde Cleaver: beeld je in dat er een vrouwelijke figuur uit de bomen naar je toe komt lopen door de sneeuw. Hij keek en keek.

Cleavers lippen zijn nu ijskoud. Ik wil sterven, zei hij zachtjes. Hij sloot het raam, hinkte terug door de slaapkamer en ging boven aan de trap zitten. Op zijn achterste liet hij zich voorzichtig naar beneden zakken. Achtung bij de vierde tree! Hij greep de leuning. In de woonkamer hing een rode gloed. Cleaver zag een fonkeling in de adelaarsogen. Die moest er ook uit. Het is jij of ik, zei hij tegen de vogel. Wij zijn de laatsten. Waarom blijf je zo overdreven grappig doen? vroeg hij zich af. Dat moet het gevolg zijn van al die jaren tv-gezwets, al die automatische vertrouwelijkheid. Mijn vader schept er graag over op dat hij een tv-debat zou kunnen leiden in zijn slaap, had zijn oudste zoon geschreven. Zo klinkt het nu al, antwoordde moeder. Je kon niet beweren dat ze hun gasten niet wisten te onderhouden aan tafel.

Ten slotte vond hij de zaklamp op het raamkozijn in de keuken en het eerste wat hij zag toen hij hem aanknipte waren muizenkeutels. Er liggen muizenkeutels op het aanrecht, en tussen de gaspitten boven de oven. Cleaver zwaaide de lichtstraal snel over de tafel, de planken. Geen beest te zien. Maar het waren wel degelijk keutels. Deze show draait al langer dan *De muizenval*, zei moeder altijd.

Cleaver ging weer naar de woonkamer en stookte het vuur op. Een eindeloos dubbelspel, had zijn oudste zoon geschreven. Geen wonder dat mijn zus het in harde muziek en pillen begon te zoeken. Uli verscheen boven aan de trap, jankend. Het was in het holst van de nacht. Zes weken geleden, dacht Cleaver, twee, drie maanden geleden, was je vooral geïnteresseerd in Irak, de presidentsverkiezing, het broeikaseffect, het lot van Blair. En zodra je alleen was kwam je gezin je hoofd bezetten. Ik ben in hun macht.

Zou het kunnen, vroeg Cleaver zich af terwijl hij minutenlang in het vuur staarde, dat de politieke passies van de mensen, hun ideologische standpunten over gebeurtenissen, hun betrokkenheid, hun stokpaardjes, in feite slechts de verdringing waren van een ruzie in het gezin, een andere manifestatie van dezelfde spoken? Meneer de president, mag ik stellen dat al uw politieke avonturen op een dwangmatige wedijver duiden met de vaderfiguur die u zowel bewondert als wilt overtreffen? Wat kleinerend!

Cleaver schoof de stoel zo dicht mogelijk bij het vuur. Zou het anderzijds niet verbazingwekkender zijn als het anders was? Als mensen echt bij hun mening bleven, uit louter rationele en intellectuele overtuiging – wat zou dat betekenen? – om vervolgens de consequenties van die zo zuiver bereikte overtuigingen in het openbare leven te gaan uitwerken, politiek te bedrijven en aan liefdadigheid te doen en in pressiegroepen te gaan op basis van de meest scrupuleuze redeneringen. Zou dat niet verbazingwekkender zijn? Amanda's gedoe met die zigeuners was beslist om mij te provoceren, besloot Cleaver. Dat heb ik altijd gevoeld. Ongetwijfeld had Ken Loach ook de nodige ellende meegemaakt met repressieve ouders. Wanneer je vroeg wat er bedoeld werd met politieke correctheid, had zijn oudste zoon geschreven, dan zei mijn vader: politieke correctheid betekent niet kunnen zeggen wat je eigenlijk denkt over zigeuners. Toch was zijn film *Zwerfstenen* beslist een van de gevoeligste portretteringen van het zigeunerleven die we waarschijnlijk ooit te zien zullen krijgen. Dat was het raadsel waarmee ik ben opgegroeid, had zijn zoon geschreven: er was gewoonweg geen ruimte die mijn vader niet innam, geen mening die hij niet zowel toegedaan was als verwierp. Als je die muis niet snel vangt, zei Cleaver tegen de adelaar, lig je eruit net als de anderen. Hij had altijd een hekel gehad, besloot hij, aan het soort journalistiek dat de pretentie had om de eerste persoon meervoud te gebruiken.

14

Met zijn ski-jack om zich heen geslagen en zijn hoed over zijn kale kruin gedrukt, was Cleaver uiteindelijk in slaap gevallen met zijn voeten op het haardrooster. Nu werd hij wakker van de geur van geschroeide sokken. Auw! Hij koelde zijn brandende voetzolen aan de koude stenen vloer. O Christus! Zijn enkel deed pijn. Maar ik heb tenminste niets gedroomd. Hij hobbelde de kamer door naar het raam en zag dat er prachtige ijsbloemen op zaten. Hoe lang is het geleden dat je dat nog gezien hebt? Hij volgde de kristallen vormen met een vinger en trok toen het raam open.

Het begon te dagen en de lucht was nu leeg. Er zweefden nog maar een paar vlokjes rond. Aan de overkant van de open plek bestond alles in zachte rondingen van blauw en grijs. Cleaver kookte een pan sneeuw om thee te zetten. Ik heb niks voor je, zei hij tegen de hond. Uli volgde hem overal snuffelend. De Stolbergs zullen zo wel komen. Hij vond nog vier kaakjes die hij was vergeten in een van de kartonnen dozen die hij de eerste dag met Hermann had meegebracht. De muis was hem voor geweest. De wikkels waren verscheurd. We moeten die muis te pakken krijgen, zei hij tegen Uli. De hond liep jankend en snuffelend rond.

Cleaver bracht het eerste deel van de ochtend door met het onderzoeken van elke centimeter van de muren, de vloeren, de kasten, op zoek naar een klein gaatje. De Stolbergs kwamen niet. Pas nu realiseerde hij zich dat het mos tussen de planken op de muren van de eerste verdieping daarin gestopt moest zijn bij wijze van isolatie. Het zachte groene kussen groeide in de kieren, leefde van de vochtigheid en hield de tocht buiten. Uiteindelijk vond hij een gaatje van een knoest op de bodem van de keukenkast. Er hing een verdachte geur. Hij probeerde te bedenken waarmee hij het kon afsluiten en dacht aan de kat in *The Tailor of Gloucester* die muizen vangt onder porseleinen theekopjes. In dat verhaal kwam ook een sneeuwstorm voor. Hij zette een Tiroler bierpul over het gaatje. Gij zult tandenknarsen in diepe duisternis! Het was Phillip die veel van *The Tailor of Gloucester* had gehouden. Eindelijk een herinnering aan Phillip. Hun jongste kind zat altijd de tekeningen uit zijn leesboeken na te tekenen. Op school was hij hopeloos. In tegenstelling tot de anderen was Phillip niet competitief. Hij was stil, maar niet zwijgzaam, en een knappe natekenaar van mooie plaatjes, een gelukkige jongen. Ook Caroline had altijd gelukkig en evenwichtig geleken tijdens haar studie. Zodanig dat ze me nauwelijks opviel. Zou de muis in staat zijn de pul te verplaatsen? vroeg Cleaver zich af. Een interessant experiment, beloofde hij Uli.

Bij de lunch gaf Cleaver Uli de helft van de overgebleven ragout en dronk de chianti op. Het is waanzin om dit allemaal op te drinken, dacht hij. Er zweefden nog steeds een paar vlokjes door de lucht. Het zal weldra beginnen te dooien. Hij ploeterde zo ver mogelijk door op het pad dat hij de vorige dag had vrijgemaakt en kakte in de sneeuw. Het was triest om zo'n glanzende witheid te ontsieren met een enorme drol. Gevolg gevend aan een vreemde impuls, hobbelde hij het huis weer in om alle zaken te verzamelen die hij uit Londen had meegebracht. Alles wat er nog over is van je vorige leven, mompelde hij.

Op bed legde hij zijn donkere kostuum, het lichtroze hemd, citroengele das, groene sokken, blauw ondergoed, zijn horloge, een leren jas, de twee mobieltjes, gouden manchetknopen, een zegelring, lakleren schoenen. Hij keek ernaar. Iets in hem hunkert naar een symbolische daad. Verbrand alles. Doe niet zo belachelijk.

Hij haalde zijn paspoort uit de zak van het jasje. Kijk mij nou! Cleaver zag het energieke, gladgeschoren, rozige gezicht dat zo effectief was geweest op tv. Hij schudde zijn hoofd. In zijn portefeuille zaten creditcards, zijn rijbewijs, een bundeltje bankbiljetten, kassabonnetjes, twee schouwburgkaarten, zijn veiligheidspasje van Wood Lane. Cleaver had graag contant geld op zak. En Angela's foto. Zijn oudste zoon had niet vermeld dat hij Angela's foto op zak droeg. Misschien stoorde het hem.

Cleaver bestudeerde de foto. Ze ziet er heel anders uit dan Ulrike Stolberg. Hij kende het gezicht te goed. Het was gewoon een oud stukje karton. Mijn lippen, mompelde Cleaver. Angela had de volle wangen van haar vader. En met dat korte haar helemaal. Hij trok aan zijn baard. Hoe zie ik er in hemelsnaam uit? Zoals Uli? Alles groeit als een gek. Nu hij al zijn oude spullen voor de dag had gehaald kon hij niet besluiten wat hij ermee zou doen.

Buiten was de middag griezelig stil. Het was gestopt met sneeuwen maar er was nog geen spoor van dooi te bekennen. Toen hij naar buiten ging om meer hout te halen, zag Cleaver sporen op de grond. Je bent niet alleen, dacht hij. Als je heel stil bij het raam ging zitten, zou je herten zien en marmotten. Misschien een vos. Je zou strikken kunnen zetten. Hij dacht aan de wandelaar die een plek had gezocht om te kakken. Alleen een man met een monumentale ijdelheid kon hebben gedacht dat de eerste toevallige voorbijganger een speurende journalist was. Doe alles in de kleerkast van de nazi, verkondigde Cleaver hardop. Hij deed de volle whiskyfles open en hobbelde weer naar boven. Het leven op zich is geen meditatie maar een constant heen en weer gaan, naar boven, naar beneden, kleren aan en uit, houtblokken op het vuur gooien, de as weghalen.

Toen hij over de kapotte trede klauterde, kon Cleaver niet bepalen of het beter of slechter ging met zijn enkel. De pijn is scherp, maar ik ben eraan gewend. Ik ga geen dieren vangen, besloot hij. Hij pakte jasje en broek en hobbelde naar de kleine kamer. Ik wil geen nieuw leven. Er hingen geen kleerhangers in de kleerkast, maar er waren spijkers in ruw hout geslagen. Het was raar om zijn eigen kleren naast die van de oude nazi te zien hangen. Er waren een stuk of zes grove blauwe overhemden, een bruine overall. Hij voelde de zakken na. Hij wist dat er niets in zat. Hij had er al eerder in gekeken, wel drie of vier keer. De eerste keer had hij een vogelfluitje gevonden. Waar heb ik dat gelegd? Bij het raam. Misschien moet ik de overall passen, dan krijg ik een idee van zijn grootte.

Cleaver huiverde en sloot de deur van de kleerkast. Ik zou er planken over kunnen slaan en hem dichttimmeren, dacht hij. Ik hoef die kleren nooit meer te zien. Terwijl hij een flinke teug uit de fles whisky nam, bedacht hij hoe vreemd het was dat hij nooit een of andere vorm van kanker had gehad, of een hartziekte. Zijn beide ouders waren aan kanker gestorven. Het was eigenlijk een aantrekkelijke dood die je zoon voor je bedacht heeft, dacht Cleaver: een pistoolschot door een gelakte deur. Hij ging zitten in de enige stoel van de kamer, een gammele met een rechte rug. Ik zou mijn zoon dankbaar moeten zijn dat hij me zo elegant uit de weg heeft geruimd. Hoewel ik overtuigender zou hebben opgetreden tegenover die idioot met dat pistool. Wat zou je dan zeggen, vroeg Cleaver zich nu af, tegen een oude man die op het punt stond zijn jonge vriendin neer te schieten die hem wilde verlaten? Denk maar dat het je dochter is, zou ik zeggen.

Cleaver zat een tijdje heel stil rond te kijken in de kale kamer. Waar was die voor gebruikt? Er stonden twee houten kratten vol troep, een paar boeken. Waarom hadden ze de deur op slot gedaan, vroeg hij zich af, als er toch niets te verbergen was in die kamer? Waarom zat er feitelijk een slot op de deur?

Hij besloot nog eens na te denken over Ulrike en het gezin Stolberg. Wat voor reden kan ze hebben gehad om zelfmoord te plegen? Als ze dat had gedaan. Dat moet een jaar of twee na Seffa's geboorte zijn geweest. Het was onwaarschijnlijk dat ze iets geslikt had, zoals Craig en Angela ongetwijfeld hadden gedaan. Cleaver had een keer verschillende experts op het gebied van postnatale depressie uitgenodigd in zijn talkshow. Niemand had het idee durven opperen dat een vrouw met een pasgeboren kind wel eens kon vrezen dat ze niet langer aantrekkelijk was voor haar minnaar. Ze zat weer met haar echtgenoot opgescheept. Cleaver wist zeker dat dit de oorzaak was geweest van Amanda's depressie na de geboorte van Caroline. Ze was haar figuur kwijt. Larry was een tijdje van de radar verdwenen. Of wat als Jürgen had ontdekt dat het kind misschien niet van hem was? Was dat waarom hij steeds herhaalde, sie isch mei Tochto? Ulrikes schoonvader, Jürgens vader, had het huis van de familie rond die tijd verlaten om in Rosenkranzhof te gaan leven. Cleaver beet op zijn lip. Hoe oud zou de oude nazi toen zijn geweest? In de zestig?

Er zaten spinnenwebben in de hoeken. Cleaver nam een teug whisky. Als het begint te dooien, dan zal ik het horen druppelen. Hij luisterde. Stilte. Dit is de stilte waar je altijd naar verlangd hebt, zei hij tegen zichzelf. Jürgen zal de koeien op stal hebben gezet. Misschien spraken Ulrike en de oude nazi hier samen af. In Rosenkranzhof. In deze kamer met het slot op de deur. De jonge vrouw en de schoonvader. Misschien was ze weer zwanger. Of ontmoette ze hier een andere minnaar en werd ze betrapt door haar schoonvader. Misschien gebruikte hij het huis als hij ging jagen. Zat hij bij het raam met zijn geweer te wachten tot er een hert langskwam. Of blies hij op zijn fluitje om een vogel te lokken. Ulrike smeekte hem het niet te vertellen. Toen was er een geheim in Trennerhof. En Frau Stolberg zou dat geheim vast hebben aangevoeld. Zo'n soort vrouw is ze wel, dacht Cleaver. Had Ulrike de stads geklede vrouw in vertrouwen genomen, de zus van haar man, de rebel van de familie, degene die weg is gegaan? Had ze haar verteld dat baby Seffa niet de dochter van haar broer was? Of de baby die onderweg was? Ik werd vaak zeer in verleiding gebracht door de vriendinnetjes van mijn oudste zoon, herinnerde Cleaver zich. Hij herinnerde zich in het bijzonder het neurotische meisje dat altijd ziek werd als ze op het punt stonden samen te gaan wonen. Ik heb geprobeerd hem te waarschuwen. Wat een buitengewoon fysieke uitstraling had dat meisje gehad, wat een wijze glimlach voor haar leeftijd. Hij kon niet meer op haar naam komen. Maar ik heb ze nooit met een vinger aangeraakt.

Cleaver schudde zijn hoofd en nam nog een slok. Over dit soort dingen kan ik eeuwig blijven doormalen, besloot hij. Anderzijds was het ook een keer gebeurd dat zijn oudste zoon een afspraakje had proberen te maken met een van zijn, Cleavers vriendinnen. Zonder dat hij het wist natuurlijk. Melanie had Cleaver elk detail verteld, had zich doodgelachen. Of misschien heeft ze je niet alles verteld, dacht Cleaver. Daar achtte hij haar heel goed toe in staat. Hij was er nooit van uitgegaan dat zijn vriendinnen hem trouw waren.

Cleaver schoof zijn stoel naar het raam en duwde het open. De koude lucht stroomde binnen. Hij leunde op het kozijn en keek uit over de open plek. Zijn wc was half begraven. De sneeuw lag dik. Aan de linkerkant stonden de bomen bewegingloos op de berghelling, hun takken zakten door onder al het wit. Cleaver pakte het fluitje dat hij daar had neergelegd en blies erop. Het schrille geluid leek zijn gedachten te verbinden met de buitenwereld. De jager imiteert zijn slachtoffer, biedt hem gezelschap aan, en dan, bang!

Cleaver floot nog eens. Mijn vader was een fantastisch imitator, had zijn oudste zoon geschreven in die eerste pittige hoofdstukken, zo goed dat je je soms afvroeg of hij wel een eigen stem had. Die beroemde stem bijvoorbeeld, die de nieuwsstem van de jaren tachtig en de vroege jaren negentig zou worden, was in feite een bestudeerde samensmelting van honderden geïmiteerde maniertjes.

Cleaver blies nog eens. Hij keek uit over de open plek. Hij blies nog één keer, lang en hard en keek. En nu is daar inderdaad een jongeman verschenen, die het pad beklimt dat omhoogleidt vanaf de richel bij de kabellift van de houtskoolbranders. Het is een knappe, donkere jongeman, in jeans en een denim jack. Om een of andere reden zakken zijn voeten niet weg in de sneeuw. Plotseling kijkt hij op naar het raam, het raam van Rosenkranzhof. Cleaver kijkt terug. Is het Ulrikes minnaar? De jongeman draagt een geweer over zijn schouder. Alex, fluisterde Cleaver.

Uli zat de hele middag te janken. Er is nu echt niets meer te eten over. Je hebt geen noodrantsoen meegebracht, bedacht Cleaver. In films hadden mensen altijd een noodrantsoen. Geen chocola. Geen mueslirepen. Hij gaf de laatste slierten pasta aan de hond. Ik heb genoeg aan de whisky. Toen het begon te schemeren bekroop hem de wens om buiten te gaan kijken hoe het met Olga was, maar hij gaf er niet aan toe. Zelfmoord was een vorm van communicatie. Dat had hij ergens gelezen. De daad zelf, de timing, de gebruikte methode, het waren allemaal vormen van communicatie, veel krachtiger dan welke afscheidsbrief ook. Uiteraard gericht aan onze *dierbare* nabestaanden. De jonge moeder die in de afgrond springt verklaart daarmee haar onafhankelijkheid, dacht Cleaver. *Ondierbare* nabestaanden kon niet, of nare nabestaanden, of gemene nabestaanden. Ze snijdt zich los uit een dik web, uit een gemeenschap die heeft besloten dat de woorden ‘dierbare nabestaanden’ bij elkaar moeten blijven. Het is een onafhankelijkheid die je alleen maar kunt verwerven ten koste van je leven. Dat is nog iets wat ik tegen Loach had kunnen zeggen, zei Cleaver tegen de hond. Uli jankte, krabde aan de vloer. Terwijl moord, lief hondje – hij nam de kop van het beest in zijn handen en schudde hem heen en weer – moord een nog directere vorm van communicatie is. Snappie? Uli? Maar ineens stond Cleaver versteld van een buitengewoon licht van herkenning in de diepte van de hondenogen, alsof je over de rand keek en ogen ontdekte in de leegte die terugkeken. Hij begrijpt het. Hij duwde het beest weg.

's Nachts droomde hij weer. Dit keer was het een nieuwe droom. Hij neukte een rat. Een grote harige rat met een grote rode vagina. Maar waar hij het meest van gruwde was dat hij het zonder condoom deed. Ben ik gek geworden? Hij kon wel een smerige ziekte oplopen. Cleaver werd wakker. Hij was ontsteld, vooral over de onnodige lelijkheid van de droom. Het was onaangenaam. Het leven is verspilling, dacht hij, een verspilling van levendige en ongelukkige mentale beelden, een verspilling van jonge levens, een verspilling van moeite. Ik heb genoeg tijd verspild, waren Priya's laatste droevige woorden. Dag dierbare Harold. Wat was er geworden van al die jaren van televisiedebatten, het scherm dat zich vulde en weer leegliep? Zelfs in je dromen vermijd je je zoon, zei een stem.

Cleaver lag stil en aandachtig gespannen in het donker. Het was hetzelfde gevoel als toen hij die middag wakker werd en er iemand om het huis liep. Zijn de Stolbergs midden in de nacht gekomen, vroeg hij zich af? Is men me op het spoor gekomen? Er was een wind opgestoken, merkte hij. Er was geluid. Hij hinkte naar het raam. Een harde bries had de sneeuw van de toppen van de bomen geveegd. Zelfs in je dromen vermijd je je zoon.

Hij haastte zich terug onder de dekens. Het was waar. Maar wanneer was dat begonnen? Wanneer ben ik hem gaan vermijden? Vanaf de dag dat de jongen je dóórhad. Cleaver tastte naar de whiskyfles. Mijn zoon is een soort fundamentalist geworden, dacht hij. Niet religieus. Maar hij wist altijd precies wat goed en fout was. Hij wist het altijd zeker. Egoïstisch en pedant. *In zijn schaduw* is het werk van een fundamentalist, die fundamenteel naar zichzelf toe schrijft. Cleaver wachtte. Hij hoorde het geluid van sneeuw die van het dak schoof, maar het was niet de dooi. De wind wakkerde aan. Misschien heb je je zoon vereenzelvigd met een deel van jezelf waar je niets mee te maken wilde hebben. Het geweten, placht mijn vader altijd te zeggen tegen zijn gasten, is iets wat men ons op slinkse wijze heeft aangepraat opdat we ons zouden gedragen.

Terwijl hij uit de fles dronk probeerde Cleaver zich die scènes aan tafel te herinneren. Zijn zoon leunde voorover in een zelfverzekerde pose. Hij herhaalde al mijn ideeën tegenover iedereen die bij ons over de vloer kwam, maar in een grovere vorm. Phillip en Caroline fluisterden en giechelden samen. Ze waren te jong om ze aan tafel uit elkaar te zetten. Wanneer je zoon jouw ideeën presenteerde, herinnerde Cleaver zich, zag je ineens hoe grof ze waren. Je moest er wel afstand van nemen, ze tegenspreken. Hij herhaalde ze natuurlijk omdat hij jouw waardering wilde. Daar had je een hekel aan. Angela vroeg nooit om waardering. Die deed gewoon waar ze zin in had. Je had er ook een hekel aan dat je zoon altijd Amanda's kant koos. Dat was niet nodig. Ze kon best zonder hem. Eerst wilde hij het huis niet uit, en daarna zat hij voortdurend aan de telefoon met zijn moeder. God weet waarover. En na hem vijftien jaar gemeden te hebben, schrijft hij dat boek. Het was een val, een moordaanslag. Ik had, ondanks alles, een overlevingsstrategie voor mezelf gevonden, en hij blies die omver. Je moet je zoon het hoofd bieden, zei Cleaver tegen zichzelf.

Dit is een list. Cleaver lag heel stil, als een dier dat nog steeds hoopt ongezien te blijven voor de jager. Hij is alleen in een uitgestrekte sneeuwmassa maar hij hoopt nog steeds dat hij niet gevangen wordt. Deze gedachte is een list om je weer naar de wereld te slepen, om je al het terrein dat je hier gewonnen hebt weer te laten verliezen. Je hebt je zoon gemeden vanaf het moment dat de jongen je dóórhad. Hij herhaalde je opinies waar je bij was, en beschuldigde je er tegelijkertijd van dat je er niet helemaal achter stond en dat je je er zeker niet aan hield. Hoe vaker hij ze herhaalde, hoe minder je je eraan hield. De wind rukte nu aan het huis. De koude bomen kraakten. Heel lang lag Cleaver stil. Maar hij wist nu dat hij gevangen was. Alex, zei hij ten slotte. Rotjong.

Hij wachtte tot het licht werd. Ineens wist hij wat hem te doen stond. Hij was opgewonden. Hij ging weer naar de kamer van de oude nazi en haalde het rode mobieltje uit zijn jaszak. We gaan, Uli, zei hij tegen de hond. Vooruit met je luie kont. Hij trok de dikste kleren aan die hij had, gespte de sneeuwschoenen onder zijn voeten en deed de deur open.

De wind zweepte de sneeuw omhoog. De hemel was bevroren tin. De bergpieken torenden overal bovenuit. Uli huilde. De ijzige wind prikte in zijn ogen. De hond sprong naar buiten en keerde weer meteen om. Vooruit, Uli! Hij dook nogmaals in de sneeuw en draaide weer meteen om. Cleaver hief een grote sneeuwschoen op en deed een stap vooruit. Hij probeerde op zijn wandelstokken te leunen maar ze zonken diep weg. Je zou skistokken moeten hebben. Hij liet ze in de sneeuw staan. Ik ga toch. Hij liet de sneeuwschoenen over het witte oppervlak glijden en probeerde er zijn gewicht niet al te bruusk op te zetten. Toch stuurde zijn enkel pijnscheuten door zijn ruggenmerg.

Hij liep de open plek over, ging het bos in. Zijn brein draaide op volle toeren. Dit is een verschrikkelijke vergissing, een list. Dit is absoluut noodzakelijk. Zijn lijf ging onverstoord door. De pijn raakte hem niet. Het gebeurde bij iemand anders. Waar het pad onder de bomen door liep, viel er overal om hem heen sneeuw van de takken wanneer ze doorbogen in de wind. Cleavers snor en baard voelden bros aan. De sneeuwschoenen waren zwaar. Hij duwde zijn rechtervoet vooruit en trok de andere bij. De hond kan stikken, dacht hij. Hij kan teruggaan en beschutting zoeken onder de overstekende dakrand. Die gaat zo gauw niet dood.

Vreemd genoeg ging het steeds harder waaien. De kloof achter hem werkte als een trechter waar de wind doorheen stroomde. De sneeuw stoof op als rook, sloeg rond zijn voeten. Maar ik kom redelijk vooruit, dacht Cleaver. Nu kwamen er weer wolken opzetten. Hij rook ze. Hij rook dat het weer omsloeg. In plaats van het koud te hebben, had hij het ontzettend warm, koortsachtig. Je had de confrontatie met je zoon moeten aangaan alvorens Londen te verlaten. Daarna had je je rustig kunnen terugtrekken. Dan had je je tijd hier beter kunnen besteden. Had je rustig kunnen mediteren in Rosenkranzhof.

Alex! schreeuwde Cleaver. Hij voelde zich opgewonden. Je hebt nu je beslissing genomen. Je hapt toe en gaat de confrontatie aan. Inderdaad *In zijn schaduw*! Hij knarsetandde van de pijn. Ik ben blij dat het zulk ruw weer is, dacht hij. Daarom ben je per slot van rekening naar de bergen gekomen. Voor het ruwe weer. Dacht Frau Schleiermacher echt dat ik niet wist dat de winters zwaar waren op tweeduizend meter hoogte?

Toen Cleaver een halfuur later de top van de kloof bereikte en het bos uit kwam, werd hij bijna omvergeblazen door de storm. Het ijs vloog in zijn gezicht. Hij tuurde over de hoogvlakte. Grote wolken en spiralen van sneeuw snelden langs de horizon. Hij moest er zijn rug naartoe draaien. Hij was geheel in witheid opgenomen. Hij probeerde zich weer op het pad te richten. Waar was het? Waar zijn de paaltjes? vroeg hij zich af. Er hadden toch palen gestaan om het pad te markeren als het sneeuwde? Waarom zie ik ze niet? Hij kon Trennerhof niet zien. Cleaver deed een paar stappen vooruit. Ze waren geel, dacht hij. Geel en zwart. De sneeuw lag dik en bewoog voortdurend. Trok aan de grote schoenen. Hij zette door, een arm over zijn ogen. Ik zie geen steek. Toen liet de linkersneeuwschoen los. Dat was zijn goede voet. De riempjes waren oud en vergaan. Zijn been zakte tot zijn dij in de sneeuw. Jezus! Cleaver ging zitten en probeerde de schoen weer aan te trekken. Het riempje was gebroken. Zijn handschoenen waren te dik om mee te werken. Hij trok ze uit. Zijn vingers waren stijf. Ze waren blauw. Hij zonk diep weg in de sneeuw. Kalm blijven. Je moet de confrontatie met je zoon aangaan.

Hij kreeg het riempje weer vast, maar kon niet meer overeind komen. Hij zat half liggend diep in de sneeuw. Hilfe! riep hij. Help. Uiteindelijk lukte het hem op te staan. Hij ploeterde misschien nog vijf minuten door. Trennerhof zou nu zichtbaar moeten zijn. Waar is het? Hij kon zijn ogen nauwelijks openhouden in de wind. Zijn oogleden brandden van de kou. Er leek geen einde te komen aan de witheid. Nu liet de schoen weer los en hij liet zich in de sneeuw zinken. Hilfe, riep hij. Hilfe! Je klinkt altijd alsof je het niet gelooft, paps, als je zingt. Hilfe! Cleaver geloofde niet dat iemand hem zou horen. Hij was zo verstandig om zich diep in te graven, om tenminste uit de wind te blijven. Terwijl hij dat deed besefte hij dat zijn voeten gevoelloos waren. Zijn handen zijn gevoelloos. Mijn lippen zijn gevoelloos. Er gingen een paar minuten voorbij. Ik kan niet opstaan. In godsnaam. Dat was het dan, besloot Cleaver. Ik ben er geweest. Hij voelde zich niet boos of wanhopig. Gisteren heb je er nog van gedroomd. Nu gebeurde het veel eerder dan hij gedacht had. Er zal geen confrontatie plaatsvinden, mompelde hij. Hilfe! riep Cleaver. Zwakjes. De wereld om hem heen was verbazingwekkend wit en vormeloos.

15

Cleaver verkeert in een staat van gelukzaligheid. Alles is leeg, pijnloos, gedachteloos. Toch is er een zwak gemompel op de achtergrond waarneembaar. Dat hoort hij nu. Het is gelukkig in een taal die hij niet verstaat. Alles is wit, gedempt, stil, toch verstoort af en toe het zeurderige geluid van een huilende baby de rimpelloze oppervlakte van zijn brein. Die baby is niet van mij, denkt Cleaver meteen.

Het gemompel klinkt nu luider, het is Duits. Er is een gesprek gaande. Nee, het is ruzie. Er hangt een geur. Dan beseft Cleaver dat hij op zijn rug ligt. Hij voelt warmte. Doe je ogen niet open. Niet bewegen. Hij is bang dat als hij zijn ogen opendoet, hij gezien wordt. Het is een geur van koken. Ik wil niet eten. Ik wil niet dat ze weten dat ik hier ben. Het ruikt als een soort stoofpot. Dan onderscheidt hij een stem. Frau Stolberg.

Cleaver doet zijn ogen niet open. Frau Stolberg is boos. Zijn hele lijf, merkt hij nu, jeukt van de hitte. Zijn huid wil gekrabbeld worden. Toch bewegen zijn armen niet. Er antwoordt een mannenstem. Het is niet Jürgen. De ruzie lijkt van onder hem vandaan te komen. Ik sta op toneel, denkt Cleaver, en ga zo meteen aan mijn show beginnen. Er valt een stilte, zijn huid jeukt en tintelt, en dan volgt er weer een kwade woordenwisseling, een andere vrouwenstem. Of ben ik een geest die in de lucht zweeft? Frau Stolberg zegt weer iets. Ze klinkt scherp en nors. *Sperrvuur*. Er is het gerinkel van borden te horen, het geschuif van stoelen.

Cleaver luistert. Hij beseft dat hij al een tijdje heeft liggen luisteren en dat hij geen andere keuze heeft dan te blijven luisteren naar dat geluid van schuivende stoelen, slaande deuren, woedende stemmen, het zeurende gehuil van een baby. Dat is niet mijn baby. Ik ben er niet verantwoordelijk voor. Dan hoort hij vee. Zijn benen jeuken verschrikkelijk maar zijn armen blijven langs zijn zij liggen. De koeien loeien om gemolken te worden. Ik laat niet zien dat ik wakker ben, besluit hij. Ik zal smelten in de sneeuw en wegsijpelen, de berg af. Skandal, hoort hij Frau Stolberg roepen.

Herr Cleaver! Een stem spreekt dicht bij zijn oor. Cleaver ligt heel stil. Nu is het donker. Dat voelt hij. Ik moet in slaap zijn gevallen. Herr Cleaver? Het is een vrouwenstem. Een hand houdt zijn pols vast. Herr Cleaver, bent u wakker? De dokter is er.

Cleaver doet langzaam een oog open. Dit is vreemd. Een plafond van vierkante houten panelen bevindt zich op nauwelijks een meter afstand. Het licht komt van onder hem. Hij probeert zich overeind te trekken. Het licht lijkt oranje. Op ooghoogte, aan zijn linkerkant, bevindt zich een plank met een stuk of zes stoffige radio's. Trennerhof. Onder de plank is een deur. Ik lig boven de haard, beseft hij. Hij ligt op een dun matrasje op de vurenhouten planken boven de haard. In de hoek aan de andere kant ziet hij het kruisbeeld met de maïskolven. De oude vrouw in haar leunstoel zit onder hem. Hij hoort haar snurken.

Herr Cleaver! Om bij hem te komen moet de stads geklede vrouw op het houten bankje gaan staan dat rond de haard loopt. Een korte ladder staat tegen de zijkant. Nu herkent Cleaver haar. Ik weet niet hoe u heet, zegt hij. Door te spreken merkt hij dat zijn lippen gebarsten zijn. Ze doen pijn. De vrouw wisselt een paar woorden met een man die op de grond naast haar staat. De dokter wil u onderzoeken.

Cleaver merkte dat zijn benen werden ontbloot en betast. Ze voelden zowel gevoelloos als gloeiend aan. Voelt u zich goed? vroeg de vrouw. Haar gezicht was schuin belicht door het licht van een zaklamp. Bent u warm, ja? Het is hier erg warm. Ze klopte op het matras. De dokter onderzocht zijn benen met een krachtige zaklamp. Het was allemaal vreemd plezierig. Hoe heet je? vroeg Cleaver weer. Ze glimlachte. Ze heeft appelwangen die een beetje verweerd zijn door de jaren en zachte ogen, lichtblond haar dat strak naar achter is getrokken. Ik heet Rosl. U hebt geluk, meneer Cleaver, dat mijn moeder u gevonden heeft in de sneeuw.

Ik moet mijn zoon spreken, zei Cleaver. Hij kwam moeilijk overeind op zijn ellebogen. Toen zei de dokter iets. Zijn gezicht bleef verborgen achter het licht van de zaklamp, maar Cleaver zag het gebaar van een jonge man die zijn haar terugstrijkt. Hij wil weten of u het voelt wanneer hij u aanraakt. Cleaver knikte. Het jeukt, zei hij. De vrouw begreep het niet. Ik wil krabben. Ze zei iets in het Duits. De dokter wil dat u nu iets drinkt, zei ze. Meteen waren ze alle twee verdwenen.

Cleaver slaagde erin overeind te komen en rond te kijken in de rokerige kamer. Sliep de oude vrouw altijd voor het vuur, of heb ik haar bed ingenomen? Er hing maar één olielamp boven de tafel in het midden van de kamer. Nu verheffen zich stemmen in de gang. Een man schreeuwde. Het klonk erg hard en strijdlustig. Misschien schopte iemand ergens tegenaan, de muur of een kast. Cleaver moest plassen. Een vrouw protesteerde en begon te huilen. Toen werd er geblaft. Uli, besefte Cleaver. Ze hebben Uli gehaald. Hoe lang ben ik hier al? Terwijl de man in een ander deel van het huis stond te schreeuwen en andere stemmen hem probeerden te kalmeren, probeerde Cleaver op zijn horloge te kijken, maar merkte dat zijn handen in wollen sjaals waren gewikkeld. Zijn horloge was weg.

Hij was juist weer gaan liggen toen zware voetstappen de kamer in kwamen gerend. Ineens was er een ander gezicht bij hem, blond en met een snor. Engelsman! De gekke Engelsman! Heldere lachende ogen omlijst door een wollen bivakmuts. Er is iemand die naar je vraagt, Engelsman, in Luttach. Hij wil met je praten.

Hermann!

Je hebt het nu weer warm, ja, je voelt je goed? Je hebt geluk. Hermann ritste zijn jack dicht. Hij had haast.

Iemand voor mij? vroeg Cleaver. Die wil ik niet zien.

Jij moet rusten. Hermann lachte. Ik moet weg. Niet meer in de sneeuw wandelen, hè, meneer de Engelsman!

Du Kriminello!

Hermann was juist naar buiten gegaan door het voorportaal toen Jürgen hem achterna holde door de kamer. Cleaver kwam op een elleboog overeind en zag zijn leren petje naast Hermann in de open deur. De olielamp begon een beetje te schommelen. Jürgen schreeuwde. Du bisch narrisch, zei Hermann koel. Verrückt. Wie dein Vater.

Doktor! riep Hermann naar binnen, Los! De dokter kwam de keuken al door gelopen met zijn tas, maar nu klonk er een kreet. Jürgen moest hebben geslagen. Er was een schermutseling voor de deur. Cleaver kon horen roepen en grommen. De dokter snelde naar buiten. Koude lucht stroomde de kamer in. De lamp zwaaide heen en weer. De stads geklede vrouw verscheen weer. Cleaver is haar naam alweer vergeten. Hij moest haar vertellen dat hij moest plassen, maar ook zij haastte zich naar buiten om tegen de mannen in de sneeuw te roepen. Er was het gerinkel van een paardentuig te horen. Rosl, schoot hem te binnen. Het geschreeuw ging over en weer. Een paard hinnikte en stampte. Nu kwamen Jürgen en de vrouw al trekkend en duwend weer binnen en verdwenen in de richting van de gang. Dumm, zei ze boos. Jürgen duwde haar opzij. Betrunken! Cleaver hoorde Hermann tegen zijn paard roepen. Juli, ha! Onder hem zat de oude vrouw te snurken, haar doodshoofdachtige gezicht verlicht door het haardvuur, de schaduwen strekkend en krimpend door de zwaaiende lamp. Cleaver liet zich terugzakken op bed.

Nu voelt hij koele handen op zijn benen. Cleaver deed zijn ogen open. De dokter zei dat ik dit moest doen. Het was Rosl. Ze stond op de ladder aan het voeteneinde van het bed. Het is een antibioticum, zei ze. Ze liet hem een tube crème of zalf zien. Even raakte Cleaver in paniek. Ik moet plassen. Ze begreep het niet. Badkamer, Badezimmer. Kan je nog even wachten? vroeg ze. Ik ben bijna klaar. Haar handen waren sterk en zelfverzekerd, en wreven een koele crème op zijn enkels. Misschien kon hij nog wel even wachten. Het was vreemd om een vrouwengezicht boven zijn benen te zien in het halfduister. Nu had ze een voet in beide handen genomen en begon hem te verbinden. Waar ging al dat geschreeuw over? vroeg hij. Rosl glimlachte tegen de voet, bevestigde er een veiligheidsspeld op. Ze keek op met een listige blik in haar ogen. Ze is knap, dacht Cleaver. Een knappe blondine van een jaar of veertig.

Ze hielp hem op zijn zij te rollen en zijn knieën over het platform te zwaaien bij de ladder. Ze pakte een verbonden voet en zette hem op een sport. Zijn benen waren loodzwaar. Er schoot een scherpe pijnscheut door zijn enkel. Aan zijn bovenlijf droeg hij nog steeds zijn hemd en trui, maar van onder hadden ze hem uitgekleed tot op zijn onderbroek. Zodra hij zich op de grond bevond, zag hij dat de huid boven zijn knieën roze en schilferig was. Hij bewoog stijf. Hier, zei ze. Ze bood haar schouder aan. Op de wc wikkelde Cleaver de wollen sjaal van zijn rechterhand. De vingertoppen zaten onder de vuurrode schilfers.

Later werd hij wakker door een schrille kreet. Iemand krijste hysterisch. Het enige licht kwam nu van het gloeiende houtvuur. Hoe laat is het? vroeg Cleaver zich af. Wat is er aan de hand? Toen het gekrijs weer klonk, zwaaide hij zijn benen over de rand van het bed en klom langzaam de ladder af. Iemand heeft pijn. Hij stond even stil, met beide tintelende handen tegen de haardmantel steunend. Er zat wit isolatiemateriaal omheen. Met een hand op een stoel en een hand tegen de muur, hupte hij naar de deur. Het gesnik kwam van boven. Er was een brede, duistere gang. Overal houtpanelen. Er sloeg een deur en een vrouw schreeuwde iets.

Cleaver kon niets zien. Links en rechts tastend voor steun, hinkte hij de duisternis in, vond de trap. Een olielamp op de hoger gelegen overloop verlichtte geweien en misschien een opgezette vos, een ingelijst borduurwerk. Er was een ruzie gaande in een kamer waarvan de deur steeds maar open en dicht ging. Cleaver hees zichzelf zo snel als hij kon naar boven. Nog maar een paar uur geleden was ik dood, dacht hij. Was ik begraven in de sneeuw. Toen botste hij op Rosl. Herr Cleaver, kommen Sie! Ze droeg een nachtpon. Kommen Sie! Ze trok hem met zich mee. Het meisje krijste weer.

Terwijl hij de deur door struikelde zag Cleaver een groot bed met zware houten poten, een massieve commode. In het rokerige licht werd hij de geur van een olielamp gewaar. Seffa lag hijgend ineengedoken in de kussens, met haar zij tegen het monumentale hoofdeinde gedrukt. Ze droeg een witte nachtpon en verborg haar gezicht in haar handen. Jürgen boog zich brullend over haar heen. Hij greep haar pols. Wat is er hier aan de hand? vroeg Cleaver. Het kwam niet in hem op om Duits te spreken.

Herr Cleaver, zei een stem. Cleaver draaide zich om en zag Frau Stolberg bij de gesloten gordijnen staan. Ze was nog steeds aangekleed en droeg zwarte kleren. Toen besefte hij dat ze een baby in haar armen had. Alstublieft, zei ze in het Engels, ga weg.

Cleaver keek weer naar Seffa. Ze had haar handen laten zakken en hij zag dat haar gezicht onder de blauwe plekken zat. Jürgen sprak haar scherp toe. Zijn zware knuist greep haar pols. Rosl fluisterde: ze willen dat Seffa zegt, wie is de vader.

Stop, zei Cleaver. Hij moest zichzelf in evenwicht houden tegen de deurstijl. Stop! Beneden blafte de hond. Jürgen negeerde hem. Na, des isch et woar! huilde Seffa. Ze leek doodsbang maar koppig. Jürgen gaf haar een klap.

Jürgen! schreeuwde Rosl.

Laat haar met rust! Cleaver strompelde de kamer in. Hij zakte door zijn rechterbeen. Hij viel en moest zich aan Jürgens achterkant vastgrijpen. De boer stootte een elleboog in zijn borst. Iedereen was aan het schreeuwen. Cleaver kwam overeind en struikelde zijwaarts en toen Jürgen zich omdraaide om tegen Rosl te tieren – Walsche! Scheiße! – slaagde hij erin om tussen vader en dochter in op het bed te gaan zitten. Hij spreidde zijn armen. De geschilferde vingertoppen klopten. Laat haar met rust. Je kunt er een andere keer over praten. Waarom zo'n haast?

Jürgen keek naar hem. De man had gedronken. Zijn ruwe, brede wangen waren rood. Beneden blafte de hond aan één stuk door. Das war Hermann! riep Jürgen. Na Tatte, des isch et woar! Ze ontkende het. Cleaver spreidde zijn armen ter verdediging van het meisje. Waarom zo'n haast? vroeg hij. Laat haar met rust. Hij wist zeker dat ze het zouden begrijpen.

Rosl zei: hij wil de man vermoorden die het is.

Frau Stolberg zei iets tegen haar zoon. Jürgen aarzelde, trok een grimas en spuugde. Cleaver voelde het speeksel in zijn baard terechtkomen. Jürgen maakte rechtsomkeert en beende de kamer uit. Tatte! riep Seffa. Na Tatte, des isch et woar! Ze brak in tranen uit. Ze hoorden hem de trap af bonken en de hond als bezeten blaffen. Rosl rende de kamer uit.

Cleaver wreef met de mouw van zijn trui over zijn baard en merkte dat zijn lip bloedde. Toen hij opkeek zag hij dat de vaste blik van Frau Stolberg op hem gericht was. De baby in haar armen sputterde een beetje, haar achterkleinkind, besefte Cleaver. Ik moet u bedanken, zei hij, dat u me uit de sneeuw hebt gehaald. De vrouw gaf geen blijk van begrip of reactie. Seffa was dus verdwenen om een kind te baren, besefte Cleaver. De dokter was voor moeder en baby gekomen, niet voor mij. Danke schön, Frau Stolberg. Sie hat mich... Hij kon niet op de woorden komen. Hilfen, zei hij zwakjes. Gehilfen? Geholfen?

Frau Stolberg negeerde hem. Ze zei iets tegen Seffa waar de woorden waschen en essen in leken voor te komen. Misschien. Ineens verlieten beide vrouwen de kamer. Pas nu viel Cleaver een zwaar bewerkte houten lijst op boven het voeteneind, een afbeelding van Jezus met een bloedend maar stralend hart in zijn handen. Hij was de kluts kwijt. Je bent gestorven en ontwaakt in een andere wereld. Overeind krabbelend zag hij dat er een spiegel boven de commode hing.

Het was een grote spiegel. Cleaver liep de kamer door. In het schemerige licht staarde hem een dichtbehaard gezicht aan. Ik ben veranderd. Hij had zichzelf al een maand of langer niet gezien. De neus was scherper, de huid gegroefd en gerimpeld. Toen hij naar beneden keek, zag hij dat zijn benen weliswaar nog niet dun te noemen waren, maar de molligheid was verdwenen. Toen zag hij zijn ogen. Ze zijn hetzelfde, dezelfde heldere mengeling van zelfverzekerdheid en kwetsbaarheid. Hij voelde zich vreemd tevreden met zichzelf toen hij naar de deur hinkte.

U was erg... Rosl wist niet hoe ze de zin moest afmaken.

In de kamer had Cleaver een halfuur aan de grote stenen tafel gezeten. Hij voelde zich nog niet in staat om de ladder te beklimmen boven de haard. Toen was Rosl verschenen. Erg... mutig, zei ze. Dank u wel.

Mutig?

Ja. Ze trok een streng gezicht en hief een dichtgeklemde vuist in de lucht. Sterk, zei ze.

Cleaver glimlachte. Graag gedaan. Waar is Jürgen nu? Gaat hij opnieuw beginnen?

Hij is weg, zei Rosl. Wilt u drinken?

Weg? Cleaver begreep het niet. Waarnaartoe, hoe? Hoe laat is het? Het was halb zehn, zei ze. Half tien. Cleaver was ervan uitgegaan dat het midden in de nacht was. Hij schudde verbaasd zijn hoofd. Pas half tien? Rosl bracht hem een glas en een fles schnaps, een kruik water, daarna een houten plank met brood en Speck. Hij gaat met de...

Weer kon ze de woorden niet vinden. Ze kwam tegenover Cleaver aan tafel zitten, stond toen op, klom op de bank bij de haard, trok een deken van het bed en bracht die naar hem toe. Ze boog en legde hem over zijn blote knieën. Hij heeft de Schlitten genomen, zei ze. Ze keek om zich heen, vond niet wat ze zocht, stak toen glimlachend een arm in de lucht en maakte met haar hand een glijdende beweging langs een denkbeeldige berghelling. Zoeoef! Schlitten fahren!

Slee, zei Cleaver. Haar gezicht aan de overkant van de stenen tafel was een verfijnde versie van dat van Jürgen, dacht hij. Ze had iets netjes, iets ongebruikts over zich, als van een jongere vrouw wier leven stil is blijven staan, behouden is gebleven, terwijl haar trolachtige broer bijna was verschrompeld.

Uli kwam bij Cleavers voeten zitten.

En, is het een meisje of een jongen? vroeg hij.

Een meisje.

Ik wist niet dat ze zwanger was. Ik dacht dat ze dik was. Maar ik heb haar nu al een paar weken niet meer gezien.

Rosl gaf geen antwoord. Toen hij van zijn schnaps nipte, deden zijn lippen pijn.

Je hand, zei ze. Ze stak een hand op en liet hem trillen. Heb je het koud?

Mijn hand beeft altijd. Het is in orde. Toen vroeg hij: heb je misschien een mobieltje?

Ze liet haar kin op haar onderarm rusten.

Een telefoon? herhaalde Cleaver. Ja ja. Ze haalde een duur uitziend zilveren apparaatje uit haar zak.

Is er ontvangst?

Hier, zei ze. Bel maar.

Het overviel Cleaver. Misschien morgen, zei hij. Ik betaal natuurlijk.

Ze zaten even te zwijgen. Pas nu realiseerde Cleaver zich dat de stokoude vrouw was verdwenen. Ze is naar bed gegaan. Hij kauwde op een plak Speck. Uli verhuisde naar het haardkleedje. Het vuur gloeide nog. Boven liep iemand door de gang. Cleaver merkte dat hij allerlei vragen terugdrong, al die duistere scenario's die hij die maand in Rosenkranzhof bij elkaar had gefantaseerd. De familie Stolberg gaat jou niet aan, dacht hij. Ten slotte zei hij: maak je je geen zorgen om Jürgen?

Rosl zuchtte. Zorgen en geen zorgen.

Even later zei Cleaver: dit is het eerste gesprek dat ik in meer dan een maand heb gehad. Met een mens, bedoel ik, voegde hij eraan toe.

Rosl glimlachte. Ze stond op om voor het vuur te zorgen.

De volgende vraag zal ik niet stellen, dacht Cleaver. De stilte werd langer. Hij brak een stuk brood af en at het stukje voor stukje op. Ten slotte kwam Rosl terug naar haar stoel en zei: mijn moeder, weet je, heeft je gevonden, geen tien meter van de voordeur. Ze gaat hout halen en ze ziet je hoed.

Dat is ongelooflijk, zei Cleaver. Ik dacht dat ik in een of andere uithoek terecht was gekomen.

Jürgen heeft je gedragen.

Gedragen!

Rosl stond op, trok een komisch nors gezicht en wierp een denkbeeldige zak aardappelen over haar schouders. Wankelend onder het gewicht deed ze een paar stappen, de benen gespreid in sneeuwschoenen, alsof ze zich in de kamer door hoge lagen sneeuw moest werken. Cleaver lachte. Tegelijkertijd voelde hij dat het huilen hem nader stond. Met haar blauwe nachtpon en dikke wollen sokken, het blonde haar in een staart gebonden, haar blozende gezicht, was de vrouw zo prachtig, zo écht. Ik was aan de poppen gewend geraakt, dacht hij.

Moeder is boos dat het geen jongen is. Ze wilde een jongen voor Trennerhof.

Ah, zei Cleaver.

Trennerhof komt uit moeders familie, niet van mijn vader. Trennerhof, Trennerhof. Zij denkt alleen daaraan.

Geef je niets om Trennerhof? vroeg Cleaver.

Nee, ik ben een Walsche. Ik besta niet. Poeh! Ze maakte een minachtend gebaar.

Een Walsche?

Een Italiana. Ik ben getrouwd met een Italiaan.

Aha. Cleaver herinnerde zich dat Hermann het woord had gebruikt.

Ik woon in Bozen. Bolzano.

Waar je vader in het Polizeiregiment zat.

Ja. Veel jaren geleden.

Er hangt een foto in Rosenkranzhof. Van het regiment.

Oh? Rosl leek niet geïnteresseerd. Mijn vader was de radioman. Hij had de radio's. Ze wees op de planken. Cleaver was perplex. Maar het klonk aannemelijker dan Hermanns versie. Raar, die radio's zonder elektriciteit, zei hij.

Rosl lachte. Moeder wil geen nieuws in Trennerhof. Alleen een man voor de... Kühe.

Ze heeft Jürgen.

Jürgen drinkt. Hij drinkt altijd.

Hij scheert zich tenminste, zei Cleaver. Hij deed een man na met een scheermes. Rosl glimlachte. Toen er een stilte viel, dronk Cleaver zijn schnaps uit. Lekker. Hij bestudeerde de schilfers op zijn vingertoppen. Ze waren pijnlijk, maar leken onschuldig genoeg. Hij was zich bewust van een groot gevoel van mentaal welbehagen. Rosl leek geen haast te hebben om weer naar bed te gaan.

Nu heb je Rosenkranzhof verlaten, glimlachte ze.

Cleaver haalde zijn schouders op. Ik heb mijn enkel verstuikt. Daarom kwam ik hiernaartoe. Enkel, herhaalde hij. Hij duwde zijn stoel terug en klopte op het gekwetste gedeelte. Ik kan niet goed lopen. Toen vertelde hij haar hoe het was gebeurd, het late bezoek van Jürgen en Frau Stolberg, de kapotte tree. Meteen voelde hij een nieuwe spanning in de vrouw. Ze was op haar hoede. Dit had ze niet geweten. Frau Stolberg, zei Cleaver, je moeder, ging het pad af, naar de richel beneden, naar die plek waar er een kabellift is naar Steinhaus. Met zijn handen deed Cleaver de doorzakkende kabel na langs de berghelling. Rosl sprong op. Ze ging naar het vuur, hurkte om de hond te strelen. Rosenkranzhof is een vreselijke plek, zei ze.

Cleaver keek naar haar. Drink nog wat, zei hij. Ze schudde haar hoofd. Toen hoorden ze het schelle gekrijs van de baby. Omdat het een meisje is, zei Rosl rustig, zal ik vragen of ze bij mij in Bozen mag komen wonen.

Heb je geen kinderen? vroeg Cleaver.

Nee.

Misschien zou je Seffa ook moeten meenemen.

Ik wilde Seffa meenemen, veel jaren geleden. Maar ze gaat niet zonder haar vader. Ze houdt van haar vader.

Of de vader van haar baby.

Rosl zat de hond nog steeds te aaien. Nu stond ze op en leek te willen vertrekken. Ze schudde haar hoofd. Plotseling had Cleaver sterk de indruk dat Rosl wist wie de vader van het kind was. De twee vrouwen wisten het. Hij vroeg zich af of hij het goed had verstaan toen Jürgen zei: Das war Hermann. Heeft de baby een naam? vroeg hij.

Sie heißt Ulrike, zei Rosl.

16

Alex? vroeg Cleaver.
Het was alsof hij door rook riep.
Alex!
Pa!
Cleaver werd zwetend wakker door het geluid van voetstappen in de kamer. Wer ist da? vroeg hij. Schlafen Sie, zei Frau Stolberg. Hij hoorde dat ze laarzen aantrok en de deur opendeed. Toen hoorde hij de koeien klaaglijk loeien en bijna meteen was er iemand anders bij de tafel. Hij draaide zich op zijn zij en zag Rosl haar jas dichtknopen.
Wat is er aan de hand?
Jürgen is niet thuis. Die Kühe...
Kan ik helpen? vroeg Cleaver.
Slaap jij maar, zei Rosl.
Cleaver klom naar beneden en ging de gang door naar de wc. Waar hebben ze mijn horloge neergelegd? Het was stil in huis, maar buiten loeiden de koeien hard. Boven de deur naar de keuken hing een bosje gedroogde hei en aan de rechterkant, ingebouwd in de muur, was een klein ijzeren deurtje om de haard van de andere kant op te stoken. Geen poppen in Trennerhof, merkte hij.
Rondhinkend in het donker vond Cleaver een mand met houtblokken. Hij legde er twee naast elkaar in het smeulende vuur. Zijn vingers waren stijf en zeer pijnlijk. Hij blies op de sintels. Waar waren de lucifers voor de lamp? Hij trok een lange splinter van een houtblok, stak hem aan aan het eerste vlammetje dat oplaaide, en droeg hem voorzichtig naar de tafel. De lont vatte meteen vlam en de kamer werd in een schaduwrijk, geel licht gehuld. Pas toen dacht hij aan de splinter onder zijn nagel. De pijn was gemaskeerd door de andere pijn van de vorst, maar hij is er nog. De vinger-

top is ontstoken. Hij zag een zwart streepje zitten onder de nagel. Auw! Niet aankomen.

Cleaver ging op zoek naar zijn kleren. Uli lag op de stoel van de oude dame. Ze kwispelde maar stond niet op. Broek, hemd en trui lagen opgevouwen op de bank bij de haard. Droog. Waarom heb ik niet zo'n last van die pijn? vroeg Cleaver zich af. Hij had een schreeuwende jeuk aan vingers en voeten, maar zijn geest was kalm. Iets in die grote kamer met zijn berg laarzen bij de deur, de zwijgende oude radio's, de haard en de rommel en de rokerige geur, maakte dat hij zich uitgerust voelde.

Het enige wat aan zijn gezwollen voeten wilde passen van het schoeisel in het voorportaal, was een paar afgedragen laarzen, waarschijnlijk van Jürgen. Wat als Jürgen gisteravond was vertrokken om zijn zaak met Hermann te regelen?

De buitenlucht was bijtend koud. In het ochtendgloren tekende zich een skyline van bergtoppen en wolken af achter Luttach. Aan zijn linkerkant was de enorme massa van Schwarzstein vreemd blauw en wit gekleurd. Het is zo gigantisch, mompelde Cleaver. Een grijze vlakte van bevroren sneeuw strekte zich uit tot aan de kloof.

Cleaver vulde de houtmand bij van de stapel blokken onder de overstekende dakgoot. Hij hoorde kippen kakelen in het schuurtje verderop. Lange ijspegels hingen aan de goot bij de schoorsteen. Hij ademde diep in, de lucht was goed, en liep toen om het huis heen naar de koeienstal.

Er was een zware houten deur, en daarachter een voorhang van dik zwart plastic. De geur van stro en stront en warme dierlijke adem was overweldigend. Hij wachtte tot zijn ogen aan het donker gewend waren. De koeien stonden naast elkaar, met hun rug naar hem toe, hun koppen gevangen tussen de verticale houten spijlen voor de voedseltrog.

Er was het doffe geluid te horen van een dozijn kaken die hooi vermaalden. Cleaver liep de rij langs en trof Rosl aan, die met haar hoofd tegen een koeienbuik gedrukt zat, een krukje met drie poten rond haar dijen gegespt. Melk spoot in krachtige stralen de emmer in. De vrouw zuchtte van de inspanning. Haar polsen spanden zich als ze naar beneden trok, ontspanden zich opwaarts. De handen balden zich ritmisch rond de uiers. Ze draagt geen ring, merkte Cleaver.

Kan ik helpen?

Ze bewoog haar hoofd niet om naar hem te kijken. Ze moet al geweten hebben dat hij er was. Even wachten, zei ze. De koe rilde en schopte uit irritatie met een poot. Rosl sprak haar boos toe en sloeg haar op haar zij. Toen liet ze haar hoofd weer zakken.

Frau Stolberg, zag Cleaver, zat aan de andere kant van de rij te werken. De koeien leken alleen maar aandacht te hebben voor hun eten. Er lag verse mest in de goot achter hun hoeven. Ga naar achter, zei Rosl. Da hinten, sehen Sie? Ze wees. En geef meer Heu. Heu, begrijp je?

Hij moest weer naar buiten, langs de muur van het gebouw waar een pad was vrijgemaakt van sneeuw, en dan weer naar binnen door een andere, grotere deur. Nu stonden de koeien aan zijn rechterkant. Een hefboom kon de verticale houten spijlen rond elke koeienkop uit elkaar trekken. Ze duwden hun koppen door de opening om te eten, en dan sloten de spijlen zich weer. Ze zitten gevangen als ze eten en gevangen als ze neuken, dacht Cleaver. De koeien leken het niet erg te vinden. Alleen een paar dieren die het hooi voor hun eigen neus al op hadden, verdraaiden hun nekken en staken lange roze tongen uit om aan het voer van hun buurvrouw te likken. De trog was van grijze steen en wanneer ze likten maakten hun tongen een raspend geluid.

Tegenover de dieren stond een muur van geperste hooibalen. Een losgewoelde baal lag in het midden van een verder keurig aangeveegde vloer. Cleaver was verbaasd over de aangenaam zoete geur, alsof hij op deze ijzige ochtend de zomer inademde. Het stro prikte in zijn zere vingers. Hij hinkte langs de trog en deelde hooi uit. Zijn lijf deed pijn. De koeien staken ongeduldig hun nek uit. De zachte roze neuzen snoven. Zonder erbij na te denken merkte Cleaver dat hij tegen ze sprak. Alsjeblieft, schat. Rustig, rustig. Hé, niet zo'n haast! De koeien gingen verder met eten. Door de smoezelige ramen werd het langzaam licht.

Later keek Cleaver toe hoe Rosl de filter klaarzette in de melkerij waar de Graukäse werd gemaakt. Het was een wat kinderlijk aandoende constructie van verschillende geperforeerde cilinders, schijven en vloeipapier, die gezamenlijk een conische toren vormden van zo'n anderhalve meter hoog. Met gespannen spieren tilde Cleaver een volle emmer op en schonk hem uit. De melk stroomde over het zilverachtige staal en liet een vlekkerig gruis achter. Waar is Jürgen? vroeg hij.

Rosl leek uitgeput. Hij drinkt, zei ze. Hij is betrunken. Dan slaapt hij in het café. Op de... Boden. Ze wees op de vloer. Twee, drie nachten.

Je denkt niet dat hij Hermann iets is gaan aandoen?

Rosl haalde haar schouders op. Haar humeur is veranderd, dacht Cleaver. Ze deed koeler.

Als je wilt dat ik wegga, bood hij aan, dan kan ik naar Luttach gaan vandaag. Dat moet te doen zijn vanuit hier.

Je moet rusten, zei ze. Het is... te vroeg voor je om in de sneeuw te lopen. Je voeten... Maar als je wilt, ga maar.

Toen liet ze hem zien hoe de filters moesten worden gewassen. Het is jaren geleden dat ik dat nog gedaan heb, zei ze. Ze gaf hem rubber handschoenen en een plastic schort. Er was een gasboiler gevoed door een gasfles, en een indrukwekkend arsenaal plastic schrapers. Alles moet honderd procent schoon zijn, zei ze. Sauber? zei Cleaver. Sauber sauber.

Het hete water op de rubber handschoenen was een marteling. Cleaver genoot ervan. Hij was meer dan twintig minuten bezig om elk spoortje melk en vuil van de verschillende voorwerpen af te wassen. Het was een eenvoudig, veeleisend werkje. Ik ben kalm, zei hij steeds weer tegen zichzelf. Hoe is dat gebeurd?

Het was helemaal licht toen hij weer naar buiten liep. De zon kwam boven de pieken in het oosten uit. Het witte landschap glansde. Cleaver stond stil, luisterde geconcentreerd. Hij zette een voorzichtige voet in de sneeuw. Die had zijn knisperigheid verloren. Boven de deur druppelde water van het ronde groene reclamebord van Forstbier.

Guten morgen, zei Cleaver toen hij de kamer weer binnenkwam. De stokoude moeder van Frau Stolberg zat haar brood in melk te soppen. Ze boog haar hoofd met sjaal om zompige stukjes tussen haar tandvlees te duwen. Cleaver realiseerde zich nu dat het gordijn achter de toog aan de linkerkant van de haard naar de keuken leidde. Weer ging hij zijn hulp aanbieden. Het plafond was hier laag en zwart en het rook sterk naar gerookte ham en bakvet. Setzen Sie sich! Frau Stolberg gebaarde hem terug de kamer in, volgde hem toen met een schotel met misschien wel twaalf eieren. Seffa verscheen met een grote, versleten weekendtas. Morgn, zei ze. Pas toen ze de weekendtas op de stoel naast zich zette en zich erover boog, besefte Cleaver dat de baby erin zat. Mag ik eens kijken? vroeg hij.

Het meisje leek nauwelijks veranderd sinds ze die eerste avond naar Rosenkranzhof was gekomen om haar hond te halen. Haar slonzige kleren slobberden, het slappe haar was zonder stijl geknipt. Maar ze had een serieuze blauwe wang, en haar blik was niet meer leeg, zoals Cleaver het zich herinnerde, maar er lag nu een gepijnigde waakzaamheid in haar ogen. Ze warmde haar handen rond een kom melk en keek bij het minste geluid naar de deur.

Kann ich das Kind sehen? herhaalde Cleaver.

Rosl en Frau Stolberg zaten zwijgend te eten. Seffa haalde haar schouders op. Cleaver boog zich over de tas en keek naar de baby die in witte wol gewikkeld was, met gesloten oogjes, dikke pruillipjes en een roze petje op haar hoofd. Impulsief stak hij zijn handen in de tas en pakte het kind eruit. Herr Cleaver! protesteerde Frau Stolberg. Hij legde de slapende baby tegen zijn schouder, voorzichtig om haar zachte huidje niet in aanraking te laten komen met zijn baard, en klopte haar zachtjes op haar rug. Wat zijn baby's toch licht, zei hij tegen Rosl. Sie ist sehr... hübsch, zei hij tegen Seffa. Het meisje keek angstig.

Plotseling klonk er een kakelende lach. Graatmager en met gapende, tandeloze mond keek de stokoude vrouw op naar Cleaver en het kind. Ze zei iets, hard en snel, waar Cleaver geen woord van verstond. De knoestige handen maakten overvloedige gebaren. Hij zou nooit gedacht hebben dat er nog zo'n vitaliteit kon zitten in dat oude karkas. Ze boerde en lachte weer en wees naar hem. Frau Stolberg zei ook iets, op een toon die ongewoon zacht leek. Cleaver luisterde zonder zelfs maar moeite te doen om het te verstaan, en voelde de lichte trilling van het levende kind, zo anders dan die arme Olga. Ulrike, zei hij plechtig, Guten Morgen.

De oude dame lachte en klapte en riep dingen naar de anderen.

Seffa was zenuwachtig. Ze stak haar armen uit om de baby terug te krijgen. Cleaver ondersteunde het kale hoofdje met een hand, en boog voorover om het kind aan haar te geven. Mijn vader, had Alex geschreven, kwam altijd erg vaderlijk over, hoewel dat meer retoriek was dan realiteit. Hij zal ongetwijfeld een prima grootvader zijn, zei moeder dan zuur. Hij ging zitten en vroeg aan Rosl: mag ik je telefoon gebruiken?

Rosl had hem op haar kamer laten liggen. Eerst eten, zei ze. Het is nu warm. Cleaver kreeg een bord eieren met Speck en zwart brood voorgezet. Terwijl hij at, luisterde hij naar de vrouwen die praatten op een lage, zakelijke toon, maar met iets van spanning erin. Ze hadden het over de kwestie Jürgen, giste hij. Misschien had Rosl haar telefoon aangeboden om naar Luttach te bellen. Hoe lang zou haar batterij het nog doen? Frau Stolberg leek berustend.

Plotseling leunde de oude dame over de tafel en schudde haar dochters pols. Mutter! zei Frau Stolberg. Er hing een zwakke geur rond haar. Oma – dat is mijn grootmoeder – vertaalde Rosl ten slotte voor Cleaver, zegt dat je... Ze aarzelde, een goede man bent. En erg, hoe zeg je dat, erg knap.

Cleaver zat op zijn Speck te kauwen. Is dat waar? glimlachte hij. Hij wendde zich tot het stokoude mens en boog zijn hoofd om aan te geven dat hij het begrepen had. Het mens was duidelijk stekeblind. En mijn moeder, vervolgde Rosl, vraagt hoe het vanochtend met je handen en voeten gaat?

Cleaver wendde zich tot Frau Stolberg. Es geht mir gut, danke. Hij herinnerde zich die zin. Maar ik heb een lelijke splinter. Hij liet zijn vinger aan Rosl zien. Ze stond op en ging achter hem staan om niet in het licht te staan. Ze legde zijn geschilferde hand op de hare die droog en koel aanvoelde. Das ist schlimm, zei ze. Hij was ontstoken. Mutter? Kommen Sie. Frau Stolberg stond op en boog zich stijfjes over de hand. Ze schudde haar hoofd. Na, ich sehe nicht gut. Die Augen. Voor het eerst sprak ze zodanig dat Cleaver het kon verstaan. Ich kann das nicht sehen.

Terwijl hij zijn ontbijt opat, maakten de vrouwen een kom met kokend heet water klaar. Rosl gebaarde dat hij zijn hand erin moest stoppen. Het zal... schmerzhaft zijn, zei ze. Pijn. Frau Stolberg schoof een stoel naar het raam. Setzen Sie sich hier hin. Hier ist Licht.

Rosl verliet de kamer om naalden te halen, een nagelknipper, een pincet, een schaar en zelfs een mesje. Ze zette een stoel tegenover hem zodat hun knieën elkaar raakten. Auw! Cleaver slaakte een kreet en trok zijn hand weg. Sorry. Toen begon de baby te huilen. De stokoude vrouw lachte. Ze had niet begrepen wat er aan de hand was. Seffa stond op en begon door de kamer heen en weer te lopen met de baby.

Hier, zei Frau Stolberg. Ze schonk Cleaver een glas in van een transparante vloeistof uit een fles zonder etiket. Hij sloeg het achterover en herkende de smaak meteen. Gebirgsgeist. Hij moest zijn hoofd schudden. Nu stopte de vrouw een theedoek in zijn handen. Daar kan je op bijten, zei Rosl. Bijten? Nee? Frau Stolberg gebaarde dat hij er zijn tanden in kon zetten.

Cleaver nam de theedoek aan. Hij keek naar Rosls getuite lippen en toegeknepen ogen terwijl ze probeerde een naald onder de nagel te krijgen. Het topje van zijn vinger was gezwollen. De pijn was ongewoon hevig. Hij beet op de theedoek. Even wachten, zei ze terwijl ze de naald eruit trok en opstond. Cleaver trok de theedoek uit zijn mond om adem te halen. Rosl bracht een andere stoel, zette er de kom met heet water op en duwde Cleavers hand erin. Laat hem er maar in. Ze had de pus onder de nagel aangeprikt en de vinger begon te bloeden in het water. Ze greep zijn pols toen hij zijn hand weg wilde trekken. Het water was gloeiend.

Ze zaten samen misschien een minuut zwijgend toe te kijken hoe het bloed het water kleurde. Toen vroeg Cleaver: gewoon als tijdverdrijf, hoor, maar kan je me vertellen waarom er een bar in de kamer staat, en een tapkast, en wat dat reclamebord voor Forstbier buiten doet?

Rosl had zijn vinger vastgepakt en kneep er de laatste pus uit. Even dacht hij dat ze weigerde te antwoorden, of hem niet had begrepen. Toen zei ze, terwijl ze nog steeds geconcentreerd met zijn hand bezig was, haar gezicht vertrokken alsof de pijn van haar was en niet van hem: heel veel jaren geleden had mijn vader een Stube, hier in Trennerhof. Voor de toeristen, begrijp je? Wandelaars.

Ze nam zijn hand uit het water en droogde hem af met een

handdoek op haar schoot. De mensen konden hier slapen, legde ze uit. Wel tien. 's Zomers was het altijd vol. Ze trok zijn hand dichter bij het raam en bestudeerde hem aandachtig. De mensen vonden het leuk dat er geen... Elektrizität was. Het was een avontuur. Hermann en zijn vader kwamen met hun paarden. Ze brachten de ponyrijders mee. Ze keek op van de vinger naar Cleavers gezicht. Dit is heel slecht, weet je. We moeten de, hoe zeg je dat, nagel weghalen. Je wilt misschien wachten. Naar het ziekenhuis gaan.

Nee, zei Cleaver. Doe jij het maar. Maar schenk me eerst nog een glas in. En blijf praten. Hij glimlachte. Waarom is de bar dichtgegaan?

Ze fronste. Waarom wil je dingen over mijn familie weten? Nu gaat het pijn doen, zei ze. Met het mesje begon ze de nagel aan de basis door te snijden.

Cleaver sloot zijn ogen. Tussen zijn tanden zei hij: ik ben gewoon nieuwsgierig. Vanaf het begin dat ik in Rosenkranzhof zat, wilde ik weten waarom je vader ernaartoe is gegaan. Ik ging steeds naar de richel waar de foto van Ulrike hangt.

Rosl keek of beide zijkanten van de nagel op de plek waar die zich in de huid kromde, ook waren losgemaakt. Waarom ben je naar Rosenkranzhof gegaan? vroeg ze.

Cleaver haalde diep adem. Dit is stomme, oppervlakkige pijn, zei hij tegen zichzelf. Het heeft niets te betekenen. Dit zal zijn afgelopen zodra de splinter eruit is. Ik weet het niet, zei hij. Misschien om iets te bewijzen. Om in stilte te leven.

Rosl pakte de schaar. En is dat gelukt?

Het was een erg lawaaierige stilte.

En nu wil je iemand bellen?

Het is een telefoontje dat ik had moeten plegen vóór ik vertrok.

En ga je dan terug naar Rosenkranzhof?

Cleaver kromp ineen. Met een snelle beweging had ze zijn nagel opgelicht zodat die brak op de inkeping die ze had gemaakt. Cleaver gaf een kreet. Mehr heißes Wasser, riep Rosl tegen haar moeder. Met de schaar knipte ze de nagel los. Frau Stolberg kwam de kom weghalen. Met de baby tegen haar schouder boog Seffa voorover om te kijken. Ze trok een gezicht, zei iets. De rauwe huid bloedde langs de streep waar de splinter erin was gegaan. Het afgebroken stuk zat er diep in. Wat zegt ze? vroeg Cleaver. Ze zegt niet zo erg als een baby krijgen, zei Rosl. Seffa knikte. Ze begreep het woord baby. Frau Stolberg kwam al terug met schoon heet water. Rosl duwde zijn hand erin. Cleaver probeerde zich te concentreren op haar gezicht. De kleine mond en de ogen met fijne kraaienpootjes hadden de zachte norsheid van een vrouw die een man pijn doet, maar vriendelijk, voor zijn eigen bestwil.

Je gaat dus terug? Nu trok ze zijn hand weer uit het water.

Ik weet het niet, zei hij. Ze begon het vingertopje te bestuderen, pakte de pincet, veranderde toen van gedachte en koos weer voor de naald.

Misschien zal de stilte minder lawaaierig zijn na dit telefoontje, zei Cleaver. Of misschien wil ik helemaal niet meer teruggaan. Maar je hebt me nog steeds niet verteld waarom je vader er woonde.

Ze stak in het vlees. Cleaver kromp ineen en schudde zijn hoofd heftig heen en weer. Nu had ze de splinter bereikt. Hij was vastbesloten niet te klagen.

Ulrike heeft in de Stube gewerkt, zei Rosl. Ze was erg beliebt, populair. Begrijp je? Ze is met Jürgen getrouwd. Op een dag heeft mijn vader een man vermoord. Daarna is hij in Rosenkranzhof gaan wonen. De Stube werd gesloten. Ulrike wilde Trennerhof verlaten, maar moeder wilde Jürgen niet laten gaan. Toen wilden ze de Stube weer opendoen, maar toen kreeg Ulrike een ongeluk bij de Seilbahn... de kabelbaan. Om dingen naar boven te brengen.

Rosl hanteerde de pincet terwijl ze sprak. Ze keek niet op. Cleaver zag de tere huid achter haar oren waar het haar naar achter was getrokken. Het was een fraaie nek. Met een klein moedervlekje. Frau Stolberg was de vloer aan het vegen onder de tafel, maar Cleaver voelde dat ze meeluisterde. Ze weet dat Rosl me hun verhaal zit te vertellen, dacht hij.

Nu!

Hij haalde diep adem toen ze een eerste poging deed om de splinter te pakken. Er was een korte onderbreking.

Waarom werd je vader niet gevangengezet?

Hier heeft niemand gezegd wie het gedaan had. De politie heeft het erbij gelaten.

Waarom?

Omdat... omdat die man... war schuld. Hij was... schuldig. Het was zijn fout.

Ging dat over Ulrike? vroeg Cleaver.

Achtung, waarschuwde ze. Ze trok de splinter eruit. Cleaver sloot zijn ogen. Hij voelde hoe de volle lengte van de splinter van diep uit zijn vlees werd getrokken.

Gut. Fertig.

Het stukje hout tussen de uiteinden van haar pincet was haast een halve centimeter lang en verbazend bloedeloos.

Ze glimlachte, tevreden met zichzelf. Ja, dat ging over Ulrike.

Cleaver liet zijn hand in het water zakken. Even later vroeg hij: en Ulrike bracht je vader altijd zijn eten op Rosenkranzhof?

Rosl stond op, schudde de handdoek uit, trok haar vest recht.

Nu ga ik de telefoon voor je halen, zei ze.

Frau Stolberg zette de bezem neer en kwam naar zijn vinger kijken. De nagel was bijna tot aan de basis verdwenen en het rauwe vlees was op twee plekken diep ingesneden. Tot Cleavers verbazing ging ze naar een kast en kwam terug met een pak steriel gaas. Met een blik net zo star als anders bette ze de huid droog en bevestigde het gaas met een stuk hechtpleister rond zijn vinger. De baby begon weer te huilen. Seffa ging bij het vuur bij haar overgrootmoeder zitten, trok haar trui omhoog en duwde de kindermond tegen een borst.

Man weisst nicht wo ist Jürgen? vroeg Cleaver.

Frau Stolberg gaf geen antwoord, hoewel Cleaver zeker wist dat ze het begrepen had. Ze ging naar de keuken, kwam terug met een grote teil met aardappels en begon ze te schillen.

Rosls mobieltje liet één streepje ontvangstbereik zien. Seffa keek op met een aandachtiger blik dan Cleaver ooit op haar gezicht gezien had. Ze wil natuurlijk haar eigen mobieltje hebben. Heeft ze misschien een vriendje? Toen realiseerde hij zich dat hij het nummer was vergeten. Het zit opgeslagen in mijn telefoon, legde hij uit, maar de batterij is leeg.

Oké, geef me de jouwe, zei ze.

Cleavers ski-jack hing bij de deur. Het mobieltje zat nog steeds in een binnenzak. De batterijen zijn leeg, herhaalde hij.

Weer aan de tafel gezeten haalde Rosl zijn telefoon snel uit elkaar, verwijderde de simkaart en stopte hem in haar eigen toestel. Frau Stolberg keek toe zonder het te begrijpen. Rosl zette haar mobieltje aan. Het schermpje gloeide op. Cleaver nam het van haar aan maar begreep niet hoe het ding werkte. Het was niet zijn vertrouwde Nokia. Open het adresboek en bel Alex, zei hij tegen haar, A-L-E-X. Hij vroeg zich even af of je de internationale code voor mobieltjes moest toevoegen. Rosl koos het nummer en overhandigde hem de telefoon. Kennelijk niet.

De vier generaties vrouwen zaten nu naar Cleaver te kijken. De stokoude vrouw had haar kralen in haar hand. Hij zag haar vuist bewegen naarmate ze elke kraal tussen vinger en duim door schoof. Ik moet vragen waarom het Rosenkranzhof is genoemd, dacht Cleaver. Maar nu hoorde hij de telefoon overgaan met zwakke gebrekkige tonen.

Alex? zei hij. De verbinding zakte steeds weg. Alex?

Pa! Cleavers zoon begon al te praten. Waarschijnlijk had hij zijn vaders naam op het scherm zien verschijnen. Pa! Toen besefte Cleaver dat hij geen idee had wat hij moest zeggen, na het uitspreken van zijn zoons naam. De bezeten mentale activiteit van de afgelopen maand was in het niets opgegaan.

Hoe is het met je, Alex?

Pa, met mij is het goed. Luister...

De lijn haperde even. Cleaver was ongerust. Het had een gedenkwaardig gesprek moeten worden. De vrouwen keken toe. Waarom ben ik niet ergens in mijn eentje gaan zitten? Rosl had een sigaret opgestoken.

Alex, over dat boek, ik wilde alleen maar zeggen dat het oké is.

Pa...

Nee, het is niet oké. Ik bedoel, ik vind het afschuwelijk. Ik denk dat het een volstrekt verkeerd beeld van me geeft. Toch wilde ik bellen – Cleaver wist dat zijn stem kil klonk, hij was zijn beheersing aan het verliezen – om te zeggen, nou, dat ik niet wil dat het boek het einde betekent, van ons bedoel ik.

Pa! Zijn zoon probeerde aan het woord te komen. De lijn viel regelmatig weg. Cleaver probeerde nog steeds te zeggen wat er gezegd moest worden, wat dat ook mocht zijn. Ik bedoel, een zoon is meer... dan een boek. Dat klonk hopeloos. Alex, ik heb eens nagedacht...

Pa!

Maar wat Cleaver uiteindelijk het zwijgen oplegde was de uitdrukking op Rosls gezicht. Terwijl ze sigarettenrook uitblies was er een ironische twinkeling te zien in haar blauwe ogen, alsof ze wist dat ze naar een ervaren showman luisterde, zelfs zonder de aard van het gesprek te begrijpen.

Pa, in jezusnaam, laat mij ook eens iets zeggen.

Wat? vroeg Cleaver.

Raad eens waar ik ben.

Wat?

De lijn zakte weer weg.

Raad eens waar ik ben, vanwaar ik nu spreek.

Waarom? vroeg Cleaver zich af. Waar dan? Manchester?

Nee.

Van thuis? Chelsea?

Nee.

Ik weet het niet. Je wordt geïnterviewd op tv. Je gaat naar Stockholm voor de Nobelprijs.

Ik ben een berg aan het beklimmen.

Gefeliciteerd.

Het was even stil.

Waar? vroeg Cleaver.

Ik zit op een slee.

Cleaver schrok.

Met een zekere Hermann. Boven een plaats die Luttago heet.

Luttach, verbeterde Cleaver. Je hebt je moeder toch niet meegebracht zeker?

Tot straks, zei zijn zoon.

17

Misschien is Jürgen dood en neem ik zijn plaats in, hier op Trennerhof. Cleaver wilde absoluut de stal uitmesten. Waar ga je naartoe? vroeg hij Rosl. Ze was haar laarzen aan het aantrekken bij de deur. De Stalle schoonmaken, zei ze, die Kühe. Iemand moest de mest eruit halen. Ik zal het doen, bood Cleaver aan. Ze schudde haar hoofd. Je hand... Met handschoenen aan zal het wel gaan, drong Cleaver aan. Zodra ze had gehoord dat Hermann eraan kwam, was Seffa ongerust geworden. Und Tatte? vroeg ze nu ineens. Kommt Tatte auch? Rosl en Frau Stolberg spraken op gedempte toon met elkaar.

Jürgen is dronken in de sneeuw gestorven, dacht Cleaver, en ik zal zijn plaats innemen op Trennerhof, ik zal de koeien melken en de stal uitmesten en Graukäse maken en hooien en op winteravonden naar zwijgende radio's luisteren terwijl de oude vrouw haar rozenhoedje prevelt.

Ze hadden hem een blauwe werkbroek gegeven, een blauw jasje, en hij had Jürgens laarzen weer aangetrokken. Rosl liet hem zien waar het gereedschap stond. Waarom blijf je niet in de Stube op je zoon wachten? vroeg ze. Daar is het warm. Ik kan opruimen. Ze is benieuwd naar mijn zoon, besefte Cleaver. Ze is benieuwd naar mij. Nee, ik wil helpen, drong Cleaver aan. Jullie hebben mijn leven gered. Ze schudde haar hoofd. Zij wist dat hij wist dat het niet nodig was.

Zo moet het, zei ze. Er was een lange stok met aan het eind een zware rechthoekige schraper, gemaakt van een soort leisteen. Eerst gebruikte je een riek om het vuile stro op de kruiwagen te scheppen, en daarna trok je de schraper over het cement. Het krijste. Mijn brein begint weer te malen, besefte Cleaver. De pis stroomde weg in een ondiepe geul achter de poten van de dieren. Rosl keek naar hem. De kalmte is voorbij, zei hij tegen zichzelf. Hij werkte ondanks pijnlijke handen, zere benen. De koeien stapten verrassend behendig uit de weg van de riek.

Goed zo, zei hij waarderend. Er kwam een enorme stank vrij bij het verplaatsen van de mest. Je hoeft niet te blijven, zei hij tegen haar. Eerst moet ik je laten zien... Ze zocht naar woorden. Ze wees op de kruiwagen. Kommen Sie, en begon achter de koeien langs door de stal te lopen.

Het was een kruiwagen zonder zijkanten. De handvatten zaten erg laag. Cleaver stond ervan te kijken hoe zwaar de mest was. In een poging het ding in beweging te krijgen, kantelde de lading haast weer op de grond. Hij hinkte achter haar aan. Die enkel was prima zolang je er geen gewicht op zette.

Er was nog een deur aan de andere kant van de stal, en buiten, aan de overkant van een kleine binnenplaats, verrees een grote platte berg stro en mest van bijna twee meter hoog. Er was een brede plank tegen de zijkant gelegd als loopplank. Rosl liet zien hoe het ging. Cleaver zag dat er een paar ladingen waren gedumpt sinds het was gaan sneeuwen. Maar hij betwijfelde of hij het zou kunnen. De plank zag er glibberig uit. De kruiwagen stond te dampen in de koele ochtendlucht. Hij zette hem neer onder aan de plank. Wat als Amanda bij hem is? vroeg hij zich af. Ik ga niet mee terug.

Je moet rennen, lachte Rosl. Ze bukte om een denkbeeldige kruiwagen te pakken, en rende puffend en blazend op de plank af. Ze is knap, dacht Cleaver. Waarom geen ring? Ze zei dat ze getrouwd was. Hij herinnerde zich dat Jürgen goed was geweest in mime. Wat doe je in Bozen? vroeg hij. Wat voor baan heb je? Computergrafiek, zei ze. Voor het eerst was haar accent perfect. Cleaver schudde zijn hoofd in verwondering. Ik heb geen probleem, lachte ze, met woorden als coördinaten, driedimensionaal, graduele rotatie. Maar dit – ze maakte een gebaar naar de boerderij, de oude gereedschappen, de houtvoorraad, de mesthoop – dit is niet... internationaal!

Cleaver trok de kruiwagen terug en nam een manke aanloop. De lading schommelde en wiebelde. Het wiel botste op de plank, reed ongeveer een meter naar boven, maar halverwege verloor Cleaver de macht erover, het wiel gleed eraf en de lading verspreidde zich over de zijkant van de hoop en in de eromheen lopende geul. Macht nichts, zei Rosl schouderophalend.

Toen ze teruggingen naar de stal vroeg hij: vanwaar de naam Rosenkranzhof? Hij pakte de riek weer op om verder te werken. Waarom hebben ze het die naam gegeven? Keine Ahnung, zei ze. Waarna ze een Amerikaanse stem nadeed die ze gehoord moest hebben: Geen flauw idee.

Seffa is bang voor wanneer haar vader thuiskomt.

Rosl haalde haar schouders op.

Jij weet wie de vader van de baby is, hè? Waarom zeg je het niet?

Meneer Cleaver, zei ze. Alstublieft.

Terug in de schemerige en stinkende stal, ging Cleaver methodisch te werk. De huid van zijn vingertoppen deed pijn. Het is een plezier om in de buurt van die beesten te zijn, dacht hij. Hun flanken voelden prettig aan. Ik verbied je, zei hij tegen zichzelf, te fantaseren over de mogelijkheid om samen te wonen met deze vrouw. Wanneer heb je nu eens genoeg van dat leven? Anderzijds was het uitgesloten dat hij zijn spullen zou pakken en terug naar Amanda zou gaan.

Door de lading op de kruiwagen kleiner te houden, kon hij hem vrij gemakkelijk naar boven duwen. Boven op de berg lag een andere plank, die doorboog toen het wiel eroverheen rolde. Cleaver dumpte de mest in de sneeuw naast wat de meest recente lozing leek. Ze hebben die hoop mest opgebouwd, besefte hij, versterkingen aangebracht, en de plank naar een hoger niveau verlegd. Stront op stront. *C'est la vie*.

Boven op de mesthoop staand zette hij de kruiwagen neer en keek uit over het landschap. Het panorama rees en daalde met rijen van witte bergpieken. De zon glinsterde op de smeltende sneeuw. Overal druppelde en sijpelde het. Mijn zoon komt door de kloof naar boven, zei Cleaver hardop. Wat kan het jou schelen waarom de plaats Rosenkranzhof is genoemd? Wat kan het jou schelen of een of andere oude houtskoolbrander daar in z'n eentje gestorven is met een rozenkrans in zijn handen en zijn vrienden de kralen toen op de deur hebben gespijkerd en de plaats Rosenkranzhof hebben genoemd? Wat maakt het uit? Of dat een oude nazi zich daar heeft teruggetrokken om om vergeving te bidden? Ik wil hier een plaats van gebed van maken, dacht hij, en hij spijkerde een rozenkrans op de deur. Seffa ging het pad af met Uli om hem zijn eten te brengen. In de lucht boven de kloof cirkelde een havik. Hoe heeft mijn zoon me gevonden? Hij kan hier elk moment zijn. De hele wereld is een plaats voor gebed, mompelde Cleaver. Sinds wanneer heb jij dat soort gedachten?

Hij ging de stal weer in en pakte de riek. Misschien was al mijn denkwerk op Rosenkranzhof wel geconditioneerd door de naam Rosenkranzhof. In zijn eigen valkuil van beroemdheid gevallen. Cleaver schepte een klomp stro en mest op de kruiwagen. Kon je zo gemakkelijk op een dwaalspoor worden gebracht door een naam, een naam waarop hij alleen maar had gereageerd door dat boek van zijn zoon? Had het enig verschil gemaakt, vroeg hij zich af, dat alle plaatsnamen hier van het Duits in het Italiaans waren veranderd. Brunico, Luttago? Had het de gedachten van de mensen veranderd? Was het daarom dat Jürgen zijn koeien Italiaanse namen gaf? En waarom blijf je verwachten dat je een geheim zal ontdekken, vroeg Cleaver zich af, een onthulling die de dingen zal verklaren en oplossen, en die een nieuwe weg voor je zal openen? Amanda had misschien rechtstreeks met Priya gesproken. Zou dat kunnen? Nadat Angela was gestorven, hebben Amanda en Priya samen uitgemaakt wie jou mocht hebben. Dat zou me niets verwonderen. Zoals boeren die handjeklap doen over een oude stier. Of misschien hebben ze wel een munt opgegooid. Misschien is Seffa wel haar grootvaders dochter. Melanie had Alex verteld dat ze mijn minnares was en dat ik haar toneelschool betaalde. Je gaf meer om Angela dan om mij, dat gaat hij zeggen. Je had liever mijn zus, en toen die is gestorven heb je je leven gevuld met plaatsvervangers voor Angela in plaats van aandacht aan mij te besteden. Je hebt me altijd genegeerd. Cleaver kan de wat hoge stem van zijn zoon horen. Wat kan mij het schelen, dacht hij, wie de vader van Seffa's baby is, en of het Jürgen was die wilde dat zijn vader naar Rosenkranzhof werd verbannen; misschien heeft hij wel tegen Frau Stolberg gezegd: hij weg of ik weg. In het Duits natuurlijk. In het Tirools. Ondanks het zweet op zijn gezicht huiverde Cleaver. Er kwam een koude tochtstroom de stal binnen.

Pa!

Jezus, je mag je wel eens scheren!

Amanda was er niet bij. Opgelucht glimlachte Cleaver, of glimlachte half, gebaarde dat hij niet zou omhelzen, of zelfs geen hand zou geven in de staat waarin hij verkeerde, en dat hij zijn werk wilde afmaken. Vijf minuten, zei hij. Klein en keurig in rode skikleding ging zijn zoon op een melkkrukje zitten om naar zijn vader te kijken. Jezus, zei hij nog eens. Hij zag er jong uit voor zijn leeftijd. Ik heb beloofd dat ik zou helpen, legde Cleaver uit. Het is hier een beetje een crisissituatie. Er is net een baby geboren en nu is de vent verdwenen die al het werk doet.

Cleaver vond het leuk om stro en stront zorgvuldig op de kruiwagen te scheppen. De pijn in zijn handen leek onbelangrijk. Opvallen heb je altijd wel gekund, denk ik, lachte Alex. Hoe dan ook. Het was een zenuwachtige, gretige lach. Mijn god, wat stinkt dat! Cleaver haalde diep adem. Het zullen eerder tien minuten worden, dacht hij. Alex keek zwijgend toe, en zei toen: ik denk eigenlijk dat dat de man moet zijn die met ons mee naar boven is gekomen.

Wat?

De boer van hier. Schijnt dat hij flink is doorgezakt gisteravond. Hij is meegelopen naast de slee. Droeg sneeuwschoenen. Grote, stevige kerel met een raar leren petje op, lange armen, stuurs type.

Dat is ’m, zei Cleaver.

Fantastische plek heb je gevonden, babbelde Alex door. Die bergen. Prachtig. Ik ben nog nooit in deze uithoek van het woud geweest. Ik had er geen idee van.

Maar Cleaver verwonderde zich over zijn eigen gevoel van teleurstelling bij het vernemen van Jürgens terugkeer, alsof dat belangrijker was dan de komst van zijn zoon. Je dacht echt dat het een mogelijke uitweg was, besefte hij, Jürgens plaats innemen. Het was moeilijk de schraper goed in de laatste hoek te krijgen. Een oude dag op de boerderij. Er zat een klomp zachte mest in. Cleaver reed de kruiwagen de schuur uit, zich erg bewust van zijn zoon die hem volgde. Hij nam een aanloop op een sukkeldrafje en duwde de wagen de glibberige plank op. Wat een figuur zou ik slaan als ik nu struikelde. Hij moest heel zijn gewicht achter het ding zetten om het over de rand te krijgen. Hij hijgde. Gelukt. De kruiwagen reed krakend over de top van de mesthoop. De plank zakte door. Alsof ik voor de camera sta, dacht Cleaver. Alsof ik nooit ben weggegaan uit Chelsea.

Je mankt, zei Alex.

Ik heb mijn enkel verstuikt.

Cleaver deed zijn handschoenen uit en ging de melkerij in om zijn handen te wassen, en liet zijn zoon achter zich aan lopen als een hond, of een tweederangs productieassistent. Twee emmers melk stonden in een teil met koud water. Aan de muur hing een arsenaal haken en rare instrumenten. Het is de kaas die ze maken, lachte Cleaver, ter verklaring van de geur.

Mag ik een foto van je nemen? vroeg Alex.

Cleaver stond met zijn rug naar hem toe. Hij waste voorzichtig zijn handen, hield het verband van zijn middelvinger uit de buurt van het water. Materiaal voor nog een boek? vroeg hij boven het geluid van het stromende water. Misschien een geïllustreerde versie? Of komt er een website? Daarna trok Cleaver de stop eruit, trok een papieren handdoek van de rol aan de muur, draaide zich om en keek zijn zoon eindelijk aan. Alex had een kleine camera in zijn handen.

Ga je gang maar, zei Cleaver.

Je ziet er zo anders uit, lachte Alex, zonder die snelle kostuums. En het is een behoorlijke baard. Mam zal achterovervallen.

Cleaver kon zich niet meer inhouden. Het was een rotstreek, dat boek, zei hij.

Zijn zoon keek terug met ongeruste blik. Hij had een knap, maar altijd ongerust gezicht. Ze hadden elkaar zo zelden gezien de laatste jaren.

Een rotstreek, herhaalde Cleaver.

Er volgde een lange stilte. Water sijpelde de koeltanks in en er weer uit door een goot onder de vloer.

Je hebt niets begrepen van de relatie tussen mij en je moeder. Niets. En wat je wel begreep heb je verdraaid. Je hebt alles verdraaid. Je hebt me afgeschilderd als onecht, als een hypocriet en een clown.

Cleaver besefte dat hij niet van plan was geweest zo snel en zo heftig te spreken. Maar de woorden kwamen er vanzelf uit. Zijn oudste zoon luisterde. De spieren rond zijn kleine mond stonden strak.

Je hebt met mensen gesproken die jaloers op me waren. Maar nooit met mij. Je had geen tijd voor mijn versie van het verhaal. Het was verdomd oneerlijk. Een aanslag. Cleaver trilde. En je was zelf ook jaloers. Op mij. Op Angela. Wat een waardeloze, stomme scène op het einde, in dat hotel. Wat een gelul!

Alex Cleaver likte zijn lippen. Hij had een hand op het stenen aanrecht gelegd.

Toen je me belde, vroeg hij – zijn stem klonk laag en gespannen – wilde je me toen dit zeggen?

Zo ongeveer.

Ga dan maar door, als er nog meer is.

Cleaver deed snel een stap naar voren en sloeg zijn zoon hard in zijn gezicht. Hij heeft nog nooit iemand in zijn gezicht geslagen. Toen liep hij de melkerij door en werkte zich door de dikke voorhang naar buiten. Zijn hand zinderde van de pijn. Hij stootte zijn elleboog aan de stenen deurlijst. En nog geen uur geleden was je zo kalm! Hij liet zich in de natte sneeuw naast het pad zakken en duwde zijn hand in het ijs. Even viel hij bijna flauw; het hele landschap kantelde. Hij schudde zijn hoofd en haalde diep adem. De koude vulde zijn longen. Toen zijn duizeligheid zakte werd hij zich ervan bewust dat Alex naar hem stond te kijken vanuit de deur van de melkerij.

Waarom ben je gekomen? vroeg Cleaver. Hoe heb je me gevonden?

Sta op pa, zei Alex. Vooruit. Sta op. Hij aarzelde. Mam is erg van streek, weet je. De jongeman hief een hand op om over zijn wang te wrijven. We hebben steeds geweten waar je zat. Min of meer.

Steeds?

Je hebt een grote aankoop gedaan in Brunico. Mam heeft iemand gesproken van de creditcardmaatschappij.

Zo gemakkelijk?

Ze wil echt dat je terugkomt, pa.

En dus?

Dus kwam ik je dat vertellen. Ingeval...

Plotseling was Cleaver des duivels. Eerst schrijf je al die nonsens op die zij je over mij vertelt – hoeveel uur hebben jullie samen aan de telefoon gezeten? – maak je het grappig, maak je het aantrekkelijk voor het publiek, verpak je het, verkoop je het, word je beroemd, en dan word je ineens gehoorzaam en kom je hierheen om me te halen.

Pa, kunnen we niet...

Wat kom je hier in godsnaam doen? Je komt me helemaal niet opzoeken. Je komt alleen maar een boodschap afgeven die niets met jou te maken heeft. Mijn relatie met je moeder heeft niets met jou te maken. Oké? Dat zijn jouw zaken niet. Verzin er maar zo veel verhalen bij als je wilt, maar als ze me iets te zeggen heeft, dan kan ze dat verdomme wel zelf komen doen.

Pa, sta op. Alsjeblieft.

Cleaver worstelde zich overeind. Een voet zonk weg in de smeltende sneeuw. Alex bood een hand aan en trok hem omhoog. Toen Cleaver weer op zijn benen stond, spreidde zijn zoon zijn armen. Cleaver duwde hem opzij. Laten we naar binnen gaan, zei hij.

In de woonkamer bood Rosl warme melk aan. Mit Schnaps, mit Schnaps! riep Hermann. Zoals steeds heeft de man zijn cowboyhoed achterovergeschoven uit zijn lange, rode gezicht. Uli blafte en hapte naar hun voeten. Engländer, brulde Hermann, en greep Cleaver bij zijn schouders. Nu ben je ein Landwirt! Hij trok even aan Cleavers baard en greep de stof van diens blauwe werkkiel, terwijl hij zijn hoofd schudde in gespeelde verbazing.

Jürgen zat aan tafel met zijn kin in zijn handen. Zijn ruwe gezicht leek verdoofd. Tausend Dank, mompelde hij in Cleavers richting. Hij krabde in zijn nek, schoof zijn leren pet naar voren zodat hij zijn ogen haast bedekte. Frau Stolberg bracht een dienblad met mokken en een fles.

Dit is mijn zoon, zei Cleaver. Mein Sohn.

Alex knikte, hallo iedereen. Rechtop en compact, met een witte wollen muts in zijn hand, zag hij er jonger uit dan hij was. Hoe oud is hij nu? vroeg Cleaver zich af. Hij had een knappe glimlach, een beetje sardonisch. Eenendertig? Tweeëndertig?

Er heisst Alex. Alex, dit is Seffa, Rosl, Frau Stolberg.

Frau Stolberg boog wat stijfjes, maar Hermann begon al te babbelen. Jo, jo, jo hait znacht schun, hij sloeg Jürgen op zijn schouder, du muisch kemm. Hij sprak dwingend, gebiedend bijna. Kimm, kimm, kimm!

Jürgen sputterde nog een beetje tegen, maar gaf al bijna toe. De twee mannen wisselden nog een paar zinnen. Met haar baby in de weekendtas op schoot, zat Seffa beaat glimlachend bij het vuur naar hen te kijken. Wat heeft de familie zich snel hersteld, verbaasde Cleaver zich, na de botsing van gisteravond. Jürgen pakte de fles, schonk zichzelf een kleine schnaps in en sloeg hem in één keer achterover. Stimmt, gromde hij. Genau. Hij zette de fles weer hard op tafel. Hermann stampte op de grond en klapte in zijn handen. Gut gut gut! Cleaver nipte aan zijn mok met warme melk. Misschien lucht zo'n draai om je oren op, dacht hij. Misschien wilde Alex geslagen worden. Bracht dat de familie weer bij elkaar. Was het een formule. Hij voelde zich moe en zijn hand deed pijn.

Erklär! riep Hermann nu tegen Rosl. Of dat was tenminste een van de woorden. Erklär es dem Engländer! We moeten de Engelsmannen laten meekomen.

Rosl streek een lok haar van haar voorhoofd. Ze glimlachte. Vanavond is de eerste nacht van de Klöckler... Hoe zeg je Klocken? vroeg ze aan Hermann.

Klocken? Klocken ist klopfen.

So. Frau Stolberg klopte drie keer langzaam met haar knokkels op de broodplank. Klopfen. Ze is opgelucht dat haar zoon weer terug is, zag Cleaver. Ze heeft de dingen weer onder controle.

Kloppen, zei Alex.

Richtig! brulde Hermann.

Vannacht is de eerste nacht van de Klöckler, de mannen die kloppen. Het is traditie, legde Rosl uit. Ze had zich omgekleed en een rok aangetrokken. Mensen gaan van huis tot huis, weet je, en kloppen 's nachts op alle deuren.

Hermann liep naar het voorportaal, pakte een lange houten stok die naast de jassen stond en sloeg ermee op de houten panelen. Hard, zei hij. We kloppen hard.

En ze trekken kleren aan... Rosl schudde haar hoofd. Das weiss ich nicht, Hermann. Ze trekken... rare kleren aan.

Hermann richtte zich tot Jürgen en vuurde een vraag af.

Jo, jo, stelde Jürgen hem gerust.

Ze verkleden zich, zei Alex.

Precies, glimlachte Rosl naar Cleavers zoon. Met zijn knalrode skipak, zijn handschoenen bungelend aan een clip, zijn witte wollen muts in zijn hand, leek de jongeman meer verkleed dan de anderen ooit zouden zijn. Hij droeg zijn haar modieus achterovergekamd met een scheiding in het midden. Dat was nieuw, viel Cleaver op. De eerste volwassen rimpels waren rond zijn ogen verschenen.

Precies, ze verkleden zich en ze kloppen, 's nachts. Het is traditie. Het is om de stilte weg te jagen en... Weer keek ze naar Hermann. Hilfe, lachte ze, en zei een paar woorden.

Hermann zette zijn hoed af, trok een lang gezicht, liet zijn schouders zakken, boog zijn knieën en schuifelde langzaam naar een stoel. Hij liet zich zakken, begroef zijn gezicht in zijn handen en leek in tranen te willen uitbarsten. Seffa giechelde. Ze mag hem graag, dacht Cleaver.

Om de stilte weg te jagen en de...

Traurigkeit, vulde Seffa aan.

De droefheid, vertaalde Rosl. Ja, de droefheid van de winternachten die erg lang zijn in de bergen.

En dan drinken we en zingen we, voegde Hermann eraan toe. Het is feest. En met een paar Damen – hij knipoogde naar Cleaver – dansen we.

Jürgen vulde weer een glas, hief het op en dronk het leeg. Hij leek niet overtuigd. Frau Stolberg maakte een zure opmerking. Er werden een paar zinnen gewisseld tussen haar en Rosl. De slapende, stokoude vrouw bij het vuur liet een lang zacht gesnurk horen. Hermann produceerde een woordenvloed die iedereen in de lach deed schieten. Hij rende rond de tafel, nog steeds met de stok in zijn handen, en deed net of hij op de schedel van de oude vrouw wilde slaan. Alleen Frau Stolberg hield haar lippen strak.

Elke donderdag, besloot Rosl, drie weken voor Kerstmis, hebben we de nachten van de Klöckler.

Klinkt interessant, zei Alex vriendelijk. Toen vroeg hij: ik zei zojuist tegen mijn vader dat ik graag zou zien waar hij gewoond heeft. Kan dat?

Rosl en Hermann overlegden. Schneeschuhe, zei Jürgen.

Geërgerd vroeg Cleaver wat er met zijn horloge was gebeurd. Wilde hij zijn zoon echt meenemen naar Rosenkranzhof? De gedachte dat Amanda het van het begin af aan had geweten stoorde hem. Ik moet me verkleden, zei hij. Zijn broek was smerig van het uitmesten van de stal. Aan deze kant van het graf ben je nooit buiten bereik.

Het horloge werd meteen gevonden op de schoorsteenmantel. Und Ihr Hut! riep Hermann. Hij rende naar de hoop dingen op de plank bij de deur. De brede rand was nu slap geworden. Hermann drukte hem op Cleavers hoofd. Was für ein Landwirt! lachte hij. Je ziet er fantastisch uit, pa, zei Alex. Mijn zoon is vastbesloten, dacht Cleaver. Na jaren van onverschilligheid, jaren dat we elkaar nauwelijks hebben gesproken, en na alles wat hij in dat obscene boek heeft geschreven, is hij nu vastbesloten om het weer bij te leggen. Ik ben uitgeput, klaagde hij, en het is nog niet eens lunchtijd. Müde, herhaalde hij. Ach, die Kühe. Hermann schudde zijn hoofd. Heel zwaar werk, Engelsman, die Kühe. Net als vrouwen! Nicht wahr, Jürgen? Jürgen, hoi, woch au!

Ik zal een lunchpakket voor jullie maken, bood Rosl aan. Haar rok was donkergroen en ze had een roestkleurige trui aan met hoge col. Voor het eerst droeg ze haar blonde haar los. Er zitten grijze strepen door. Je hebt je pijn gedaan... hier, zei ze tegen Alex. Ze raakte haar wang aan en knikte naar hem. Het is rood. Wat is er gebeurd? Ik heb mijn hoofd gestoten, lachte Alex. Nee, *geklopt*. Hij vond het bijzonder grappig om het woord te gebruiken dat ze zojuist hadden geleerd. Geklopt. Tegen een deurlijst. Hij ging naar de deur en deed een man na die zich omdraait en tegen iets aan loopt wat hij niet heeft gezien. Zonder woorden worden we allemaal clowns, dacht Cleaver. Misschien was dat beter. Zijn zoon deed net of hij duizelig was en greep een stoel. Die klap lijkt hem geweldig te hebben opgevrolijkt. Cleaver glimlachte. Rosl was op z'n minst zes of zeven jaar ouder dan zijn zoon, schatte hij. Hermann zei dat als de twee Engelsen naar Rosenkranzhof zouden lopen, hij hen later zou komen oppikken met de slee, alvorens naar Luttach terug te keren voor de nacht van de Klöckler. Je hebt de groeten van Frau Schleiermacher, zei hij tegen Cleaver, en hij knipoogde weer.

Aardige mensen, zei Alex even later toen ze vertrokken. Rosl had hem een knapzak gegeven met donker brood, salami en Graukäse.

De truc met die sneeuwschoenen, vertelde Cleaver zijn zoon, is je voeten eerst hoog op te tillen voordat je ze naar voren brengt, en ze dan altijd plat neer te zetten, en een stuk uit elkaar. Een voor een. Anders struikel je over jezelf.

Er stond nu een stevige bries over de sneeuw, die het zonlicht op het plateau afkoelde. Ze droegen hoeden en handschoenen. Alex zette een zonnebril op, maar toen ze afdaalden in de kloof werd de lucht ijzig en grijs, en werd de sneeuw harder. Ze wandelden zwijgend door.

En, wie heeft de presidentsverkiezingen gewonnen? vroeg Cleaver ten slotte.

Natuurlijk die president van jou.

Ondanks mijn interview.

Dat was een briljant interview, zei Alex. Dat wilde ik je nog zeggen.

Hij vertraagde steeds zijn stap zodat zijn vader hem kon inhalen. Cleaver kon nauwelijks gewicht zetten op zijn enkel.

Ik was ziedend omdat ik net jouw boek had uitgelezen. Ik heb het op hem afgereageerd.

Na een paar minuten stilte zei Alex: misschien was dat interview wel je meesterwerk.

Dat beroemde meesterwerk van me, glimlachte Cleaver. Dat eerste deel van je boek vond ik eigenlijk best leuk, gaf hij toe. Als je het daarbij had gelaten... De rest leek alleen maar infantiel en rancuneus.

Het rare is dat je reputatie als een komeet omhoog is geschoten, zei Alex. Ik kon het niet geloven. Als je was gebleven, was je nu binnen geweest.

Ik ben al jaren binnen, merkte Cleaver zuur op. Een paar meter verder vertraagde hij zijn pas. Hij stopte om op adem te komen, steunend op een rots. En, hebben ze je de grote prijs gegeven?

Wat dacht je dan! Alex boog zich, schraapte wat sneeuw bij elkaar en mikte op zijn vader.

Nee! Cleaver bleef staan en liet de sneeuwbal centimeters over zijn hoofd vliegen.

Alex lachte. Ben je nu helemaal! Ze hebben hem aan een of ander ding gegeven over vijf generaties van een zigeunerfamilie. Discriminatie, romantiek, incest. Duistere wijsheid van oude beschaving. Snufje magisch realisme. Van alles wat.

Hm, zei Cleaver. Het kostte hem moeite om zijn opluchting te verbergen. Nou, Larry mag blij zijn, zei hij.

Inderdaad. Daar had ik niet aan gedacht. Alex gooide weer een sneeuwbal die zijn vaders knie raakte. De auteur was een knap ding. Anita en nog iets. Je had haar wel gemogen. Jonger dan ik. Tieten. Latijnse huidskleur.

Geen commentaar, zei Cleaver.

Wat me eraan doet denken... Alex gaf zijn vader een arm. Cleaver liet hem begaan maar reageerde niet. Door zo dicht bij elkaar te lopen kwamen de sneeuwschoenen met elkaar in botsing. Cleaver struikelde. Zijn zoon hield hem vast. Ja, je zou gelachen hebben. Toen je weg was, toen je was verdwenen, dacht iedereen dat je er ongetwijfeld met een vrouw vandoor was. Begrijp je? De roddelbladen hadden een soort appel gehouden om te zien of er iemand anders vermist werd die ook maar enigszins met jou te maken had. Het was een hele lijst.

Cleaver trok een gezicht. Dat moet leuk geweest zijn.

Die Melanie Clarke belde me om te vragen of ik wist wie het was, de vrouw met wie je ervandoor was, bedoel ik. Herinner je je Melanie nog? Dat was toch niet een van je vriendinnetjes?

Cleaver voelde zich ongemakkelijk. Het leek ongepast dat vader en zoon het over vrouwen hadden. Waar was de kwade toon gebleven uit *In zijn schaduw*? vroeg hij zich af. Waar was de woede, de beschuldiging, waar was Cleaver als bron van alle kwaad?

Als ze dat was, zou ik het niet zeggen, zei hij stijfjes.

Nou, in elk geval was iedereen heel teleurgesteld toen alle verdachten gewoon aanwezig bleken te zijn.

De mensen willen alleen de bekende verhalen, zei Cleaver, omdat ze al weten hoe ze ze moeten vertellen en hoe ze erop moeten reageren. Terwijl hij sprak bedacht hij hoe de aanwezigheid van jongere mensen hem altijd aan de praat bracht. Niet doen.

Een paar minuten later namen ze de laatste bocht van het karrenspoor en daar stond het. Lange ijspegels hingen aan de rotsen boven het dak waar de zon eerder op de dag overheen was gegleden. Wauw. De jonge man zette zijn zonnebril af en las de naam: Ro-sen-kranz-hof. Heel mooi, zei hij. Doet het je aan iets denken, vroeg Cleaver. Alex fronste zijn voorhoofd. Rosenkranz en Guildenstern zijn dood, denk ik. Hij leek zich niet te herinneren wat hij in zijn boek had geschreven.

Zoals steeds schraapte de deur over de ongelijke stenen vloer. De hengsels piepten. Terwijl Cleaver het vuur aanstak, ging zijn zoon op onderzoek uit. Zeg het me als je een muis ziet, riep Cleaver. Hoe komt die trede gebroken? riep Alex van boven. Cleaver legde het uit. Hij luisterde naar de voetstappen die heen en weer gingen. Het hout vatte vlam.

En de bloedvlek?

De wat? Waar?

In dat kleine rommelkamertje.

Cleaver hees zichzelf de trap op. Na slechts één dag leeg te hebben gestaan, had Rosenkranzhof zijn oude muffe geur alweer terug. Hun adem hing in de lucht. Ik moet dat voor een schaduw hebben aangezien, zei Cleaver. Weet je zeker dat het bloed is? Hij deed het raam open om een beetje meer licht binnen te krijgen. Mijn ogen zijn waardeloos. Er lag inderdaad een behoorlijke vlek op de houten vloer onder de stoel in het kleine slaapkamertje van de oude nazi. Deze kamer zat op slot toen ik aankwam, zei Cleaver. Misschien heeft die man een ongeluk gehad, suggereerde Alex.

Weer beneden kookte Cleaver sneeuw om thee te zetten. Er waren nog een paar theezakjes. Ik dacht dat het zou gaan dooien, zei hij, maar het was alleen maar een beetje zonneschijn. Voor het vuur gezeten vroeg zijn zoon: en wat ben je aan het schrijven, pa? Waar is het bureau, de laptop, de aantekeningen?

Niets. Zijn er niet.

De jonge man leek perplex. Hij boog voorover om zijn handen te warmen. Toen Cleaver naar de scherpe neus keek, de smalle, gretige mond, moest hij sterk denken aan de jonge Amanda van jaren geleden. Ze hadden alle twee dezelfde ergerlijke veerkracht.

Echt niet?

Echt niet.

O... Sorry hoor, maar ik dacht dat je daarmee bezig was hier. Dat je je eindelijk had teruggetrokken om je grote oeuvre te produceren. Of zelfs de grote weerlegging.

Maakte je je daar ongerust over? vroeg Cleaver.

Alex dacht na. Niet echt. Hij zweeg. Nu leek hij weer op zijn hoede. Wat doe je dan wel?

Niets.

De ogen van de jonge man vernauwden zich. En met niets bedoel je, eh...?

Eten, kakken, wandelen, denken, zei Cleaver.

O. Maar in gedachten... ben je iets van plan.

Cleaver begon te lachen. Nee, absoluut niet. Geen project, geen grandioze ambities.

Dat lijkt me helemaal niets voor jou.

Tja, toch is het zo, zei Cleaver.

Alex dronk zijn thee uit, warmde zijn vingers aan het kopje. Het is wel jammer, zei hij even later. Ik weet dat mam hoopte dat je daarmee bezig was. Ze zei steeds: laten we hem minstens een maand met rust laten, en als hij dan terugkomt is hij in een prima conditie en heeft hij zijn definitieve meesterwerk geschreven.

Ik werd met rust gelaten om mijn meesterwerk te schrijven?

Alex glimlachte. Zo is dat.

Iets wat de strijd zou aangaan met *In zijn schaduw*.

Ik denk dat mama dat dacht. Ze zei dat het goed was dat je tot actie was aangezet.

Cleaver schudde zijn hoofd. Hij moest diep ademhalen. Dat gaat niet gebeuren.

Het bleef lang stil. De houtblokken knetterden en gloeiden. Toen zette Cleaver zijn kopje neer. Alex, er zijn miljoenen meesterwerken. Ze veranderen niets.

Zijn zoon fronste zijn voorhoofd. Wie wil er nu iets veranderen? Het gaat toch om het werk zelf, niet soms? Het plezier van iets wat goed gemaakt is en het gevoel...

Cleaver ergerde zich. Zag zijn zoon dan niet dat er een struikelblok ter grootte van een kathedraal tussen hen in stond? Doe jij het maar, zei hij scherp. Schrijf jij maar een meesterwerk.

Pa...

Alex, ik legateer je deze taak. Oké? Je mag mijn meesterwerk schrijven. Cleaver liet een angstaanjagend hese lach horen. Hij stond op en mankte snel naar het raam. Wat gebeurt er toch met me? vroeg hij zich af. De hele ontmoeting was onwerkelijk. Ik werd alleen maar met rust gelaten om mijn meesterwerk te schrijven. Ik had mezelf helemaal niet verborgen. Trek je laarzen weer aan, zei hij scherp. Ik wil je iets laten zien.

Wat?

Trek je laarzen aan. Kom op.

Buiten zocht Cleaver de plek waar hij zijn wandelstokken had weggegooid. De wind was gaan liggen en de lucht was weer ijzig. De koude beet in hun wangen en vingertoppen.

Ze staken de open plek over en volgden het pad naar de richel. Alex zweeg een tijdje, maar plotseling explodeerde Cleaver weer. Hij kon zich niet inhouden. Vertel me eens. Hoe heb je het in hemelsnaam in je hoofd kunnen halen om die laatste stomme scène te schrijven?

Kalm aan, pa.

Onbewust had Cleaver een van zijn wandelstokken opgeheven. Vertel me waarom je dat hebt geschreven!

Alex aarzelde. Oké. Om eerlijk te zijn, weet je, wist ik niet hoe ik een einde aan het boek moest draaien. Ik had een einde nodig, maar hoe meer ik aan jou dacht, pa, hoe minder ik me kon voorstellen dat je in werkelijkheid eens iets anders zou doen dan anders. Als je begrijpt wat ik bedoel. Dus heb ik iets raars bedacht. Het leek me wel grappig om met een knal te eindigen, ik heb me echt nooit afgevraagd of het beledigend was of niet.

Gelul.

Alex zuchtte.

Gelul, herhaalde Cleaver.

Ze hadden de plek bereikt waar de ijzeren reling aan de rots was vastgemaakt. Het karrenspoor was zo goed als verdwenen en wat er nog van over was lag diep onder de sneeuw.

Trek je sneeuwschoenen uit voor het laatste stukje, zei Cleaver. Je zal je moeten kunnen schrap zetten met je tenen.

Waar gaan we naartoe?

Dat zal je wel zien, zei Cleaver tegen zijn zoon. Hij voelde een bittere vastberadenheid om diens ogen op een of andere manier te openen, om hem te confronteren met zijn misdaad.

Valt niet mee... zei Alex. Verdomme! Hij had zijn snelle skipak gescheurd aan de roestige reling. De wouden boven en onder hen waren in diepe stilte gehuld.

Alsof het nodig was om zijn zoon een bedrieglijk gevoel van veiligheid te geven, vatte Cleaver samen: uiteindelijk kon je je dus niet voorstellen dat ik iets anders deed dan in een huis in Chelsea ruziemaken met Amanda Cunningham, terwijl ik in eindeloze talkshows de beroemde journalist uithing.

Zoiets, ja, gaf Alex toe. Hij was nu voorbij de reling. Geef toe, pa, de meeste mensen zouden een moord plegen om zo'n leven te hebben, jouw beroemdheid. Hij gespte zijn sneeuwschoenen weer aan en begon snel het laatste gedeelte van het pad naar de richel af te lopen. Het was hier steil, en het boog scherp af naar links en naar beneden. De sneeuw was ijzig en Alex gleed uit. Hij lachte en probeerde te schaatsen op een sneeuwschoen. Alle rotsen en contouren waren verdwenen onder een laag ijs. Ik had ski's mee moeten nemen, riep hij. Joepie! Hij gleed weer uit en glibberde een meter of zo naar beneden.

Plotseling, hinkend achteropkomend, raadde Cleaver het gevaar. Stop, schreeuwde hij. Stop, stop, stop!

Pa? Alex greep een klein boompje en probeerde overeind te blijven. Wat is er?

Stop. Alex, blijf alsjeblieft staan. Waar je staat. Niet bewegen. Cleaver kwam langzaam dichterbij, plaatste zijn voeten dwars op de helling, stak zijn wandelstokken diep in de sneeuw. Hij stopte een paar passen boven zijn zoon. Waar de richel had moeten zijn, zo'n tien meter verder naar beneden, strekte de sneeuw zich glad en zuiver uit in een steile helling naar de rand. Het was een glijbaan. Elk houvast was verdwenen. Je zou het ravijn pas zien als het te laat was.

Alex, niet bewegen! Cleaver was plotseling misselijk. Hij ging op de sneeuw zitten. Zijn adem wolkte rond zijn gezicht. Blijf staan waar je staat. Oké? Blijf daar. Hij beefde. Zijn zoon zou over de rand vallen. Cleaver hoorde hem al schreeuwen. Zag zijn lichaam vallen.

Pa, Alex krabbelde in zijn richting, maar gleed uit.

Stop, ik zei stop! Blijf daar. Hou je aan iets vast. Glij in godsnaam niet uit.

Maar wat is er dan?

Ik heb een fout gemaakt. We moeten terug, schreeuwde Cleaver. Hier, pak aan. Hij gooide een van de stokken naar zijn zoon. De jonge man miste hem en het ding gleed verder naar beneden.

Ga er niet achteraan. Niet doen!

Kan ik niet gewoon even een kijkje nemen? Alex draaide zich om en tuurde. Hij maakte weer aanstalten om verder af te dalen, voorzichtig zijn voeten verzettend.

Nee! riep Cleaver. Het gaat daar loodrecht naar beneden. Daar, waar het net lijkt of het pad afbuigt. We hadden niet moeten komen. Neem deze stok. Voorzichtig. Hij liet de tweede stok naar zijn zoon glijden en deze keer kreeg Alex hem te pakken. Door aan de rand van het pad te blijven en zich daar aan de bomen vast te houden, klom hij weer naar zijn vader toe.

Alex.

Je huilt, pa.

Laten we hier weggaan.

Ze ploeterden weer over het stuk met de reling en begonnen te klimmen. Toen vertelde Cleaver zijn zoon over de richel, de foto van Jürgens vrouw. Hij liep nog te trillen. Ik wilde het je laten zien. Ik had er alleen niet aan gedacht dat die sneeuw verschoven en bevroren zou zijn.

Het is al goed, pa.

Cleavers dijen en kuiten voelden onzeker aan. Zijn enkel deed pijn. De eerste avond dat ik ernaartoe ben gegaan, ben ik er bijna zelf af gestapt, bekende hij. Ik had mijn hersens moeten gebruiken. Hij schudde zijn hoofd om de duizeligheid te verdrijven. Hij pakte de arm van zijn zoon. Het ging om de datum, Alex, ik wilde dat je de datum zou zien. Cleaver stopte en keek zijn zoon aan. Ze is in 1990 gestorven, weet je nog? 1990. Zijn zoon hield zijn blik

vast. Je boek zou prima zijn geweest, zei Cleaver rustig, zonder die dingen over Angela.
Alex wendde zich af. Laten we teruggaan, zei hij.

Rosenkranzhof had zijn gewone bedrieglijke, pittoreske uiterlijk. De rook dreef haast verticaal uit de schoorsteen. De kralen van de rozenkrans zagen eruit als bessen tegen het zwarte hout van de deur. Binnen haalden ze het eten tevoorschijn dat Rosl had klaargemaakt. Het was nu al warmer binnen. Je moet een ui fijnhakken en samen met de kaas opeten, zei Cleaver. Er waren vier flesjes bier. Is dát kaas? vroeg Alex. Walgelijk.
Ze zaten aan tafel te eten. Het donkere brood was hard werken. Die rotmuis is er nog, klaagde Cleaver. Er lagen keutels bij de haard. Je vraagt je af wat hij te eten vindt. Zijn zoon was nu geïnteresseerd in het systeem dat het water over het dak voerde. Hoe lang ben je van plan te blijven? vroeg Cleaver ten slotte. Waar ga je slapen?
Ik kwam je alleen maar opzoeken, zei Alex. Ik bedoel, mam vond het tijd dat er eens iemand met je ging praten.
Lief van haar.
En dat is alles. Blijf *jij* nog hier?
Cleaver keek naar zijn zoon. De jonge man had de rits van zijn ski-jack opengetrokken waar hij een spierwitte trui onder droeg. Wat zag hij er netjes uit.
Ik zit in een dilemma, zei Cleaver.
Alex trok een wenkbrauw op.
In die zin dat het moeilijk zal zijn hier te blijven met die sneeuw. Ik loop mank. Lopen is moeilijk. Ik moet iemand hebben die mijn provisiekast kan bijvullen.
Rosl had een soort gefrituurde donuts in een witte papieren zak gedaan. Als je het mij vraagt, is het krankzinnig, zei Alex. Hij likte zijn vingers af. Ik kan me voorstellen dat het een tijdje opwindend is, maar kom nou, genoeg is genoeg. Waarom ga je niet met mij mee terug? Je hebt het nu geprobeerd. Het is je gelukt. Wat valt er nog meer te bewijzen? Je hebt zelf gezegd dat boeken en films niets betekenen. De mensen vergeten het toch. Ze zullen je heus niet lastigvallen met wat ik heb geschreven. Ik heb gemerkt...

Alex, onderbrak Cleaver hem, Alex, sorry dat ik je moet teleurstellen, maar ik ben hier niet alleen maar vanwege jouw boek gekomen, moet je weten. Misschien had je dat nog niet door.

Pa, ik wilde alleen maar...

Cleaver hief een dij op en liet een wind. Beide mannen lachten.

Vertel me dan waarom, zei Alex.

Er valt niets te vertellen. Ik kan gewoon niet terug. Dat moet ik niet doen. Ik kan niet hier blijven en ik kan niet teruggaan. Als ik terugga en er weer induik, als ik alleen maar *in de buurt* van televisie en kranten ben, van die bodemloze brij van informatie en meningen, en van je moeder natuurlijk, vooral je moeder, dan ga ik dood.

Onzin, zei Alex bits. Je komt waarschijnlijk juist meer tot leven.

Daar twijfel ik niet aan, maar niet het soort leven dat ík wil. Toen voegde Cleaver eraan toe: herinner je je die scène met dat krantenlezen in je boek? Op zondagochtend? Of je beschrijving van hoe ik met de tv in discussie ging? Nou, nu ben ik zo'n ex-alcoholist die weet dat hij het spul nooit meer moet aanraken. Nooit meer. Eén druppel zou mijn dood betekenen. Dat geldt ook voor Amanda.

Het is waarschijnlijker dat je hier doodgaat, merkte Alex op.

Daar maak ik me geen zorgen over, zei Cleaver.

Alex tuitte zijn lippen. Het lijkt wel alsof je je ware ik ontkent.

Ik wilde dat ik dat kon.

Maar mama...

Als je moeder me wil zien, kan ze het reisje toch ook zelf maken? Aangezien ze toch altijd heeft geweten waar ik zat...

Je blijft dus hier? zei Alex.

Cleaver schudde zijn hoofd. Ik weet het niet.

Zijn zoon keek naar hem: je stem is veranderd, zei hij. Hij klinkt anders.

Hoe dan?

Alsof... Alex dacht na en glimlachte. Toen lichtte zijn gezicht op: Gewoon anders.

Ik zal het maar als een compliment opvatten, zei Cleaver.

Ze maakten de laatste flesjes bier open en gingen in de fauteuils bij het vuur zitten. Alex zag de adelaar boven de haard hangen. Iemand heeft zijn vleugel gebroken, zei hij. Hij stond op om het dier te bekijken. De vogel was opgezet in een actiehouding, met gestrekte nek, de klauwen uitgeslagen om te doden, maar de veren waren stoffig en het stokje dat de gebroken vleugel ondersteunde was heel duidelijk te zien.

Ik dacht al dat er hier ooit eens een gevecht had plaatsgevonden, zei Cleaver. Hij wees op de herstelde stoelpoot, het verdachte pleisterwerk op de schoorsteenmantel. Alsof iemand met meubels had lopen zwaaien. Er zit een put in de muur ook, merkte Alex op.

Daarna zaten ze misschien wel een halfuur over de Stolbergs te praten. Alex zat in de stoel waar Olga een hele maand in had gezeten. Misschien heeft Jürgen de oude baas vermoord? opperde hij. Iemand denkt aan vadermoord, glimlachte Cleaver. Hij schudde zijn hoofd. Je weet niet hoeveel tijd ik daar al aan heb zitten denken. Het is een soort mentale val. Uiteindelijk kwam ik tot de conclusie dat het iets te doen moest hebben met de driehoek: oude nazi, Frau Stolberg, Jürgen; vader moeder zoon. Daar zit een zekere negatieve dynamiek in. Of heeft gezeten. Rosl is ontkomen, die is weggegaan, ze is Italiaans geworden. Ulrike was een slachtoffer, en misschien zal Seffa dat ook worden. En er is ook iets met dat oude fossiel, die oude dame, maar ik kom er niet achter. Toen zei Alex dat hij ergens een verhaal had gelezen over een oude man in de Schotse Hooglanden die had opgebiecht dat hij seks had gehad met vijf generaties van zijn eigen vrouwvolk: grootmoeder, moeder, zus, dochter, kleindochter. Zie je wel hoe netjes ik me gedragen heb, lachte Cleaver. Alex grinnikte: kan je spelen? vroeg hij, wijzend op de accordeon.

Probeer jij het maar, zei Cleaver.

Zijn zoon zette het ding op zijn schoot en bewoog zijn vingers over het klavier. Hij herinnerde zich de rechterhand van Alla Turca, maar worstelde met het probleem van het duwen en trekken om de lucht in en uit de blaasbalgen te persen. Na een paar pogingen gaf hij het op. Ik kan het niet. Laat zien.

Cleaver trok het instrument op zijn knieën. Hij speelde Auld Lang Syne, een overdreven uitvoering. Alex lachte. Grootvaders oudejaarsavond, zei hij. Toen speelde Cleaver Rock of Ages. De treurige toon begon de overhand te krijgen. Hij zong een paar woorden mee. Niet de werken van mijn hand... Je zong dat als slaapliedje, zei Alex. Angela had er een hekel aan. Cleaver stopte, zette het instrument weg. Genoeg, zei hij bruusk.

Er viel een stilte. Cleaver keek op zijn horloge. Ik vraag me af wanneer Hermann komt. Ik kan beter mijn spullen gaan pakken. Wat ik ook ga doen, ik blijf hier vannacht niet slapen.

Alex aarzelde. Pa, er was eigenlijk nog een reden dat ik ben gekomen.

Cleaver keek naar zijn zoon.

Alex zuchtte. Er is iets wat ik je wilde vertellen. Misschien. Ik wist niet... Ik wil dat je iets begrijpt.

Cleaver was ongerust. Wat dan?

Maak je geen zorgen! lachte Alex. Je reputatie heb ik al verwoest, weet je nog?

Zeg het dan.

Geef me even de tijd om na te denken. Ik wist niet zeker of ik je dit zou vertellen.

Cleaver stond op om hout op het vuur te leggen. Hij legde twee blokken kruiselings over elkaar. Misschien heb ik hier wel het meeste plezier gehad met naar dat brandende houtvuur te kijken, zei hij tegen zijn zoon. Ik bedoel echt geconcentreerd kijken. Hij blies om er de vlam in te krijgen. Ik vind het fantastisch te zien hoe de druk binnen in de houtblokken wordt opgevoerd en de hitte er aan de zijkant een bel gas doet uitspuiten, met de richting van de houtnerf mee, veronderstel ik, en hoe dat gas dan vlam vat als een bunsenbrander. Maar onregelmatig. Met kleine plofjes. Je weet nooit wanneer het zal beginnen of ophouden. Blauwe vlammetjes soms en zelfs groene. Ze barsten er echt uit, en dan ineens dooft de vlam en is er alleen maar kronkelende en wervelende rook te zien. Ik denk dat de samenstelling verandert. Dan weer een vlam. Je hoort het een beetje brullen als het vlam vat. Begrijp je wat ik bedoel?

Natuurlijk.

Ik heb hier hele middagen zitten kijken. Het kwam het dichtst bij niet denken.

Vuur hypnotiseert, zei Alex. Maar hij was er nu klaar voor. Oké, zei hij, luister. Vier jaar geleden ben ik naar Manchester verhuisd, weet je nog?

Ik weet nog dat ik zei dat je dat niet moest doen.

Precies. Je zei dat ik dat niet moest doen, glimlachte zijn zoon. Wanneer heb je me ooit gezegd dat ik iets goed deed?

Alex, ik...

Luister nu maar. De voornaamste reden om naar Manchester te gaan was dat ik er ging trouwen.

Wat? Ben je getrouwd?

Ja.

Maar waarom heb je me niets verteld? Wanneer? Weet Amanda het? Worden we grootouders?

Luister! Nee, ze weet het niet. Ik zal het je allemaal vanaf het begin vertellen.

Alex stopte even. Hij keek naar zijn vader alsof hij hem inschatte. Toen ik mijn postdoc deed op de London School of Economics leerde ik een meisje kennen dat op de kunstacademie zat. Het Royal College om precies te zijn. Ze was een groot talent, een levendig, slim, knap kind. We zijn gaan samenwonen. In die tijd had ik dat appartement op de Balls Pond Road.

Weer stopte Alex even, alsof hij zijn vader uitdaagde om iets te zeggen. Cleaver schudde alleen maar zijn hoofd.

En ze was rijk ook. Haar ouders waren rijk. Ze had al eens geëxposeerd en een paar dingen verkocht.

Het verbaast me dat zo iemand niet in Londen blijft, zei Cleaver. Wat is er nu in Manchester?

Wacht, pa, wacht.

Heeft de dame een naam? Ik vind altijd dat meisjes een naam moeten hebben.

Alex slikte. Letizia.

Mooie naam.

Haar moeder is een Siciliaanse. Pa, laat me je zeggen dat het niet is wat je denkt.

Ik denk helemaal niets, zei Cleaver.

We zijn gaan samenwonen, maar het ging niet zo goed. Ze was erg extrovert, erg grillig, altijd aan het flirten met andere kerels, heel zelfverzekerd. Ambitieus, arrogant zelfs.

Bedoel je bazig? vroeg Cleaver.

Nee, niet bazig, maar arrogant, andere mensen opzij schuiven. Ik had toen net mijn eerste baan bij *Business Week*, weet je nog? Daar kon ze alleen maar op katten. Alleen kunst was belangrijk, al het andere was saai. Enzovoort, enzovoort.

En dus, zei Cleaver, hebben jullie net besloten uit elkaar te gaan als ze je vertelt dat ze zwanger is.

Pa, wacht nou even. Het is jouw verhaal niet. Na zo'n maand of zes zaten we in een crisis, probeerden we er een punt achter te zetten maar dat lukte nog niet echt, en toen werd ze ziek. Ze had ineens geen energie meer, kon niets meer doen. Dat was niets voor haar. Ze was normaal zo'n wervelwind. Ik dacht dat het psychosomatisch was, omdat we steeds ruzie hadden en zo. Maar goed, zij ging terug naar haar ouders in Manchester, en ik dacht dat het daarmee afgelopen was. Ik vond het erg, maar ook niet zo heel erg.

Je hebt inderdaad wel een recordaantal meisjes gehad waar een steekje aan los was.

Dan belt haar moeder me om te zeggen dat ze leukemie heeft.

Sorry, mompelde Cleaver.

Precies. Alex aarzelde. En dus ben ik haar gaan opzoeken. Ik bedoel, ze wist niet dat haar moeder me had gebeld. Ze wist niet dat ik wist dat ze zo ziek was. Ze was erg bedeesd, veranderd, teder, en we werden weer verliefd op elkaar.

Je bedoelt dat je medelijden met haar kreeg, zei Cleaver.

Vertel me alsjeblieft niet wat ik bedoel.

Oké, zei Cleaver, sorry.

En toen, ongeveer een maand later, vroeg haar moeder me of ik met haar wilde trouwen.

Pardon?

Letty had nog maar een maand of zes te leven, hooguit. Dat zeiden de dokters. Ze hadden haar niets verteld. Misschien vermoedde ze het. Ik was de enige man die langer dan een maand of twee bij haar was gebleven, met haar had samengewoond. Haar moeder smeekte me erom. Om de laatste dagen van haar leven gelukkig te maken.

Maar dat is verdomme totaal geschift! viel Cleaver uit. Dat is je reinste waanzin. En dat heb je gedaan?

Alex schoof zijn twee handen in zijn dikke haar. Ik heb haar gevraagd en ze zei ja.

Maar waarom heb je niet met mij overlegd? Of met je moeder? Jezus! Ik dacht dat je ongeveer elke dag met Amanda sprak. Zaten jullie niet voortdurend aan de telefoon?

Ik heb niet met jou of mam gesproken omdat ik wist dat jullie er keihard tegen in zouden gaan en ik te horen zou krijgen wat een idioot ik was en hoe stom ik me gedroeg en waarom ik niet in Londen bij een deftige krant kwam werken en wat al niet meer.

Ga verder, zei Cleaver. Geen zijsprongen.

Nou, zoals ik al zei, waren we weer verliefd toen ik naar Manchester verhuisde. Het was gemakkelijker bij haar thuis te wonen dan in Londen. Er was een sterke familieband. Er waren haar moeder en haar vader – hij was een stuk ouder, hij had nooit gewild dat Letty naar de kunstacademie ging en leek haast blij dat ze moest terugkomen – en nog twee jongere zussen. Het was alsof ik de zoon was die ze nooit hadden gehad, de enige jongen, de jonge heer des huizes.

Weer aarzelde Alex. Cleaver trok een gezicht maar wachtte.

Maar uiteindelijk, pa. Alex beet op zijn lip. Uiteindelijk denk ik dat het toch met Angela te maken had.

Ze keken elkaar aan.

Ik bedoel, dat ik met haar getrouwd ben. Het was alsof ik dicht bij Angela was. Letty was net zo'n soort meisje, artistiek, charismatisch. En ze was aan het doodgaan. Ik weet niet waarom, maar ik was blij dat ik de kans kreeg zo dicht bij de dood te zijn. Het was alsof ik Angela's sterven gemist had, het gebeurde zo snel en ik was te jong, ik voelde me schuldig, zij was degene met talent, en nu zou het echt gebeuren en zou ik mijn rol erin meespelen. Ik dacht: het is maar voor een maand of zes, hooguit een jaar. Het was alsof ik tijd kon geven aan een deel van mij dat te snel begraven was. Later zou ik het achter me kunnen laten.

Cleaver schudde langzaam zijn hoofd.

We zijn getrouwd. Haar ouders zijn rijk. Hij in ieder geval. Hij heeft allerlei zakelijke belangen. Hij vond een baantje voor me bij een computertijdschrift, ik deed de reclame, en ze richtten een afzonderlijk appartement voor ons in op de bovenverdieping van hun huis, een herenhuis eigenlijk.

Alex, fluisterde Cleaver, Alex! Ik kan niet geloven dat je niets hebt gezegd. Nog afgezien van de raad die we hadden kunnen geven. Je had het ons gewoon kunnen vertellen.

Wat heb jij me ooit verteld over jouw echte leven?

Maar Alex, daar gaat het niet...

Laten we die discussie maar voor een andere keer bewaren. Laat me mijn verhaal afmaken. Ik heb het trouwens wel tegen Phil en Caroline gezegd. Die zijn op bezoek geweest. Ze zijn naar ons huwelijk gekomen en we waren het er allemaal over eens dat het geen zin had om jou en mama ermee van streek te maken. Jullie hadden zelf altijd genoeg problemen. Alex zweeg. Maar goed, het punt is dat ze niet is gestorven.

Cleaver keek naar zijn zoon. Hij zat voorovergebogen, zijn lippen getuit, zijn slanke handen in elkaar geslagen, zoals hij ooit gebogen en met getuite lippen boven zijn huiswerk had gezeten. Mijn zoon heeft iets uitermate veerkrachtigs, dacht Cleaver. Altijd gehad. Iets hards en prozaïsch. Net als Amanda.

Het *leek* maar of ze zou sterven. Ze werd opgenomen. Ik ging elke dag naar het ziekenhuis. Het was een afdeling waar mensen doodgingen. Ik heb zeven of acht mensen zien doodgaan, voor het merendeel kinderen. Maar Letty liet niet los. De artsen begrepen het niet. Haar moeder bleef beweren dat het door mijn liefde was. Alex zuchtte. Maar goed, na een maand of drie vonden ze een perfecte donor voor beenmergtransplantatie, je weet wel dat ze zo'n internationale weefselregistratie hebben tegenwoordig, in Holland. Het was een kans van één op honderdduizend. De operatie werd uitgevoerd en langzaam, heel langzaam, begon ze beter te worden.

Cleaver zuchtte. Terwijl zijn zoon een adempauze inlaste, en hij zijn blik door de kamer liet glijden over de stenen vloer, de tapijten, het raam, had hij het gevoel dat Rosenkranzhof was veranderd. Hier in de toekomst te zitten zou niet hetzelfde zijn als in het verleden.

Het ging maar héél langzaam, vervolgde Alex. Het duurde wel vier of vijf maanden voor ze uit bed kon komen. Intussen zegt de moeder tegen me dat als ik een vrouw nodig heb, zij me er wel een kan bezorgen.

Pardon?!

Alex glimlachte. Die moeder is uitgekookt, ze is Italiaans, vrij jong nog, en met een twintig jaar oudere man getrouwd toen ze achttien was en zwanger, en dus denkt ze: hier hebben we een jongeman die seks nodig heeft, en Letty kan het hem niet geven, en ze wil de teugels in handen houden zodat het gezin bij elkaar blijft.

Even moest Cleaver aan Frau Stolberg denken. En dus?

Dus zei ik dat ze zich met haar eigen zaken moest bemoeien. Ik bedoel, ik was echt kwaad, vooral toen ze vrienden uit Sicilië op bezoek had en er een vrouw van een jaar of veertig om mijn nek kwam hangen, die duidelijk instructies had gekregen.

Cleaver schudde zijn hoofd.

Ten slotte was Letty beter en mocht ze naar huis. Maar ze was helemaal niet zichzelf, ze sliep nog veertien tot zestien uur per dag, totaal futloos. Alle pit was eruit. Ze tekende of schilderde niet en wilde zelfs niet naar kunst kijken. Het enige waar ze aan kon denken was hoe ze zich de dag door moest slepen.

En daar was niets aan te doen, zei Cleaver.

Vergeet het maar, zei Alex. Trouwens, op dat moment had ik al een verhouding.

Aha.

Daar vrolijk je van op, glimlachte Alex. Zijn ogen glinsterden in de vlammen van het vuur.

Ik ben gewoon blij dat het je even meezat.

Wacht. Alex zweeg even. Die affaire was een hele tijd terug begonnen, of zo'n beetje half begonnen, ongeveer toen Letty naar het ziekenhuis ging. Het was een meisje dat ik in het fitnesscentrum heb leren kennen.

Alsjeblieft niet het fitnesscentrum!

Alex glimlachte flauwtjes. Ze was een stuk jonger, zat nog op de universiteit. Maar nee, geen seks. We brachten alleen veel tijd door met elkaar en er was een soort stilzwijgende afspraak dat we, wanneer alles voorbij was, na een redelijke wachttijd...

Een week of twee, zei Cleaver.

Alsjeblieft pa, wat maakt het uit. Dat we na een tijdje samen zouden beginnen.

Cleaver stond op het punt op te merken dat zijn zoon altijd vrouwen had gevonden die de dingen op de lange baan schoven, maar hij hield zich in. Ga door, zei hij.

Maar ik heb je nog steeds niet gezegd waarom ik je dit allemaal vertel. Je hebt geen idee.

Ga dan door. Ik luister.

Oké. Als Letty aan de beterende hand is, maar nog niet echt beter, en ik me inmiddels realiseer dat ze nooit meer dezelfde zal zijn, begin ik naar bed te gaan met een ander meisje.

Naam, alsjeblieft, vroeg Cleaver.

Marilyn. Alex sprak de naam snel uit maar heel voorzichtig, alsof het glasscherven in zijn mond waren. Toen begreep Cleaver het. Even werd hij door medelijden overmand. Hij wist hoe het verhaal ging eindigen.

Alex begon sneller te praten en op een vlakkere toon.

Oké, we gingen met elkaar naar bed. Het was allemaal zo intens en prikkelend en gelukkig. Ze smeekte me dat ik Letty zou verlaten, en ik zei: hoe kan ik dat doen, in de situatie waarin ik me bevind? We vrijden op haar studentenkamer, of in de auto, of soms in een hotel. Ik zei dan tegen Letty dat ik naar Londen ging om jou en mama op te zoeken, en in plaats daarvan nam ik Marilyn mee naar het Lake District, of zelfs naar Blackpool, het deed er niet toe. Dat was meer dan een jaar aan de gang toen ze afstudeerde. Ze zou terug naar huis in Portsmouth gaan. Toen stortte ik in. Ik zei dat ik Letty zou verlaten en met haar wilde samenwonen. Maar Marilyn zei nee. Misschien had het in het begin wat kunnen worden, zei ze, maar nu niet meer. Ze maakte het uit.

Ik werd gek, zei Alex. Ik was totaal de kluts kwijt. Ik stond midden in de nacht op haar deur te bonken. Dat soort dingen. Letty moet geraden hebben wat er aan de hand was. Haar moeder zeker. Maar niemand zei iets. Toen was ze op een dag ineens verdwenen. Marilyn. Ze was vertrokken uit het studentenhuis, had haar e-mail en mobiele telefoonnummer veranderd. Van het ene op het andere moment verdwijnt die vrouw die ik elke dag heb gezien totaal uit mijn leven. Spoorloos.

Priya, dacht Cleaver. Dat spijt me voor je, Alex, zei hij. Dat spijt me echt voor je.

En toen ben ik aan *In zijn schaduw* begonnen.

Alex keek zijn vader aan. Het was een uitdagende blik.

Aanvankelijk was het bedoeld als een soort therapie. Ik dacht dat het me zou afleiden. Ik heb zelfs met zelfmoordplannen rondgelopen. Banaal. Ik heb er nooit de moed voor kunnen opbrengen. Maar hoe meer ik erin kwam, in dat boek, hoe meer alles in mijn hoofd door elkaar begon te lopen. De echte drijfveer erachter was mijn woede, op Letty's moeder, op Letty, op Marilyn, op mezelf. Maar tegelijkertijd was het ook jouw schuld. Je hebt me altijd heel duidelijk gemaakt dat ik niet degene met talent was. Dat was Angela. De genialiteit was gestorven met Angela en zo. Het was alsof ik die nul was geworden die jij altijd in me hebt gezien. Ik begon me er kwaad over te maken. Dat cynisme. Al die flauwe grapjes over ontrouw, al die beroemde gasten. Het was verschrikkelijk. En ik realiseerde me dat ik deels met Letty was getrouwd als reactie op jouw cynisme. Ik wilde anders zijn, beter. Ik was in een val gelopen die jij voor me had opgezet.

Alex zweeg. Zijn stem had uitdagend geklonken. Cleaver zat met zijn hoofd in zijn handen. Hij wilde niet antwoorden.

Het boek is eigenlijk vrij accuraat, als je het wilt weten. En ik heb helemaal geen spijt dat ik het heb geschreven. Je hebt onze levens soms zo onaangenaam gemaakt, en vooral zo verwarrend. Heb je daar enig idee van? Een minuut geleden vroeg je me waarom ik niet met je ben komen praten. Omdat je, al die keren dat ik dat vroeger wel heb gedaan, altijd meer geïnteresseerd was in je eigen knappe analyse van psychologische situaties dan in mij. Elke situatie die je tegenkomt is een soort fitnesscentrum voor je talenten, een mogelijke documentaire. Dat geldt ook voor de mensen hier. Je geeft geen moer om die Frau Stolberg en die Rosl of hoe ze ook mogen heten. Je vindt het gewoon leuk om je af te vragen of er niet ergens een incestgeurtje hangt.

Cleaver zweeg. De hele portrettering van Angela was een leugen, dacht hij. Een welbewuste leugen. Maar het is niet het moment om daarover te beginnen.

Hoe dan ook, nu ik er toch ben vond ik dat je moest weten –

Alex glimlachte plotseling wel erg vrolijk – dat de woede in dat boek niet alleen met jou te maken had. Ik bedoel, wat destijds voor míj belangrijk was, was de staat waarin ik verkeerde na Marilyn.

Weer keken de twee mannen elkaar aan. Cleaver schudde zijn hoofd snel en ritmisch, in een soort trance.

Alex wachtte, alsof hij zeker wilde weten dat hij zijn vader genoeg zijn vet had gegeven. Cleaver zei niets.

Toen ontspande de jonge man. Hij liet zich achteroverzakken. Nou, zoals je ziet begrijpt die Alex van je heel goed dat het leven ingewikkeld kan zijn, en dat boek was alleen maar een boek, pa, één mogelijke opname, op een moment dat ik gevangen zat in een duistere geestestoestand. Misschien heb ik het hier en daar wat overdreven.

Alex, zei Cleaver ten slotte. Ik voel me totaal uitgeput. En ik moet plassen.

Cleaver hobbelde naar buiten de koude middag in en ging in de sneeuw staan. Hij rilde zonder jas. Je hebt geluk dat ik niet op jou gepist heb, schreeuwde hij naar de trol. Mijn zoon is flink van de kaart, dacht hij. Of misschien ook niet. Misschien moest hij alleen zijn verhaal kwijt. Het was vanwege Angela, had hij gezegd.

Weer binnen ging Cleaver de trap op om een paar kleren te verzamelen. Alex zat in het vuur te staren. En hoe ziet de situatie er nu uit? riep Cleaver van boven. Hij duwde broeken en sokken en hemden in zijn koffer.

Wat?

Wat ga je nu doen? Hij zou niet naar de kleerkast van de oude nazi gaan voor zijn hemd en stropdas. Alleen je bergkleding, besloot Cleaver.

O, ik ga terug naar Luttach. Met de Klöckler.

Nee, ik bedoel met je leven.

Ik weet het niet. Het bleef even stil. Na publicatie van het boek hebben ze me een baan aangeboden bij een of andere radioshow van een Londense zender. Een soort avant-gardistisch kunstprogramma.

Doen, riep Cleaver. Normaal gesproken zou ik zeggen: blijf uit de buurt van kunstprogramma's en zenders in het algemeen, maar doe het toch maar. Verhuis. Misschien kan je scheiden. Hij zocht zijn ondergoed bij elkaar, voegde er toen aan toe: nu zie je hoe verstandig het is niet te trouwen.

Alex gaf geen antwoord. Even later riep hij: als jij was getrouwd, had je nu kunnen scheiden. Denk eens aan de opluchting.

Daar zit iets in! Cleaver kwam naar beneden. Of je zou hier kunnen blijven, bij mij, zei hij.

Hier?

In Rosenkranzhof, voor een tijdje.

Alex glimlachte. Pa, niemand kan volledig zonder alles leven, en dat probeer jij te doen. Ik moet een oplossing zien te vinden.

Cleaver zuchtte. Er zijn wel plaatsen in de marge, zei hij, buitenposten. Je kan er even tussenuit.

En vraag je echt of ik wil blijven?

Waarom niet? Voor een tijdje. Leven op de richel. Zintuigen aanscherpen.

We zouden elkaar vermoorden.

Hoogstwaarschijnlijk. Cleaver lachte. Ik durf te wedden dat je moeder hier binnen een week voor de deur staat, als je zou blijven. Dan zijn we weer de heilige familie.

Alex keek niet-begrijpend.

Jij en ik moesten ruziemaken, zei Cleaver. Ze wilde dat ik je voor de rechter zou slepen over dat boek, weet je. Dat wilde ze voor elkaar krijgen, toen ze je vroeg om hierheen te gaan. Dat we zouden vechten. Ze zou jaloers zijn als ze wist dat we met elkaar overweg konden, en zij daar in haar eentje zat. Ze zou binnen vierentwintig uur in een vliegtuig zitten.

Nee, dat is niet eerlijk, zei Alex. En vertel haar alsjeblieft niet wat ik je heb verteld. Het zou haar alleen maar van streek maken.

Ineens was Cleaver ontroerd. Hij liep naar zijn zoon en spreidde zijn armen. Alex stond op en ze omhelsden elkaar, gezichten tegen elkaars schouders gedrukt.

Vrienden, zei Cleaver.

Vrienden.

Alex – Cleaver sprak met zachte stem – Alex, zoek een leuk vriendinnetje en maak me grootvader. Dan kom ik terug. Beloofd.

Pa...

Sorry, geintje.

Pa, nee, er is nog iets geks dat ik je niet heb verteld. De jongen lachte nerveus.

Kom maar op. Cleaver gaf zijn zoon een kneepje in zijn schouder. Hij keek naar het vuur.

Op een dag toen ik, nou... ik weet niet waarom, maar toen ik echt geflipt was, ben ik voor het eerst met haar moeder naar bed gegaan.

Cleaver maakte zich los van het vuur. Wát heb je gedaan?

Alex bracht een hand naar zijn mond. Met Letty's moeder. Ze is momenteel in Bruneck.

Ze is nu in Bruneck? De moeder van je vrouw?

Alex knikte. Ze heet Clara. We gaan een beetje skiën. Er lag een luchthartige grijns op zijn gezicht, maar zijn ogen stonden bezorgd. Ze is een fan van je, moet je weten. Ze zegt dat ze je graag zou ontmoeten.

Nee, zei Cleaver. Hij schudde zijn hoofd. Nee, nee en nog eens nee.

Pa...

En jij moet weg daar, Alex. Als de bliksem.

Maar, pa, ze is...

Ik bekritiseer je niet, ik zeg gewoon, kap ermee. Ga zelfs niet terug naar Bruneck.

Ik wist dat je het niet zou begrijpen, zei Alex. Hij probeerde te glimlachen. Clara is een fantastisch mens.

Zonder op Hermann te wachten sloten ze het huis af. Ze waren de open plek al overgestoken en bezig de koffer over het karrenspoor te slepen, toen een gerinkel van tuigage de aankomst van het paard aankondigde. Hermann moest de rem gebruiken op de steile helling, en Rosl, met rode wollen muts en handschoenen aan, liep achter hem op sneeuwschoenen. Uli blafte opgewonden en sprong van de slee in de sneeuw. Je moet meekomen met ons en de Klöckler doen, begon Hermann meteen. Ja, Engelsman? Cleaver had hem wel een dreun kunnen verkopen. Nee, wacht, zei Hermann, die Ziehharmonika. Hij haastte zich naar het huis om de accordeon te halen.

Cleaver zette zijn koffer op de slee en ging zitten met Uli's grote poten op zijn schoot. Zijn hoofd was leeg. Hermann liep voorop, en praatte de hele tijd en maakte klokkende geluidjes tegen de dikke haflinger, terwijl Rosl en Alex achterop liepen in de sneeuw. Cleaver luisterde niet naar hun gesprek. Hij aaide de hond. Het schepsel leek dankbaar. Wanneer de anderen iets tegen hem zeiden, gaf Cleaver geen antwoord.

Later zei hij dat hij te moe was om mee naar Luttach te gaan en op de deuren te kloppen. Ik ben te moe om lol te maken. Mijn voet doet pijn. Mijn vingers. Hij grimaste. De stille droefheid van de lange winternachten doet me goed. Ik zou niet willen dat er iemand kwam aankloppen.

Rosl lachte. Hermann en Jürgen hadden zich verkleed in fraaie zwarte wijde broeken, blauwe kielen en zwarte vilthoeden met rode linten rond de bol. Nu de maskers! kondigde Hermann aan. Hij had een grotesk groot, wit, hondachtig masker bedekt met schapenwol, maar met een rode neus. Het ding was duidelijk jaren geleden gemaakt en stonk. Jürgens masker was donkerblauw. Hij zette het op en brulde en roffelde met zijn herdersstaf op de houten panelen aan de muur.

Ga jij maar, zei Cleaver tegen zijn zoon. De koeien waren gemolken. De mannen waren gehaast om nog voor het donker te vertrekken. Er waren verschillende boerderijen waar ze moesten gaan kloppen op weg naar beneden. Ga jij maar, herhaalde Cleaver. En wil je aan je moeder vragen, zei hij tegen Rosl, of ik hier mag blijven slapen en helpen met de melk morgenochtend? Dan kan Jürgen in Luttach blijven. Ik help graag. Je zei dat ze een man nodig had. Rosl sprak langer dan nodig leek met Frau Stolberg. De oude vrouw aarzelde, knikte toen stijfjes.

Vlak voor de deur nam Alex afscheid.

Denk aan wat ik heb gezegd, zei Cleaver. Neem de benen.

Ik zal erover denken.

O, en zeg maar tegen Amanda dat ik het leuk vind als ze me komt opzoeken. Echt waar. Dan kunnen we samen in Rosenkranzhof wonen. Zeg maar dat ik eindelijk een doe-het-zelver ben geworden. En dat ze haar plantenrek kan krijgen.

Alex lachte: je klampt je vast aan een strohalm, pa. En ik dacht trouwens dat ik geen boodschap moest overbrengen. Hij lijkt vrolijk, dacht Cleaver. Misschien ben ik de eerste mens aan wie hij het verteld heeft. Hij voelt zich opgelucht. Dat zou niet blijven duren.

Zeg haar dat als ze bij mij in Rosenkranzhof komt wonen, ik met haar zal trouwen. Beloofd. Woord van eer, voegde hij er grinnikend aan toe.

Alex lachte nog harder. Hij giechelde haast. Rosl keek naar hem met een toegeeflijke glimlach.

Hij heeft al gedronken, zei Cleaver tegen haar. Zorg dat hij niet al te veel drinkt vanavond. Het is een delicate jongen.

O, ik let wel op hem, zei Rosl.

Het gezelschap vertrok toen het begon te schemeren. Hermann stond op de slee om te remmen en bij te sturen op de tocht naar beneden. Hij had de teugels in een hand en een fles schnaps in de andere. Of misschien was het Gebirgsgeist. Hij floot. Rosl en Alex zaten achterin, een deken over hun schoot. Jürgen liep naast hen met de accordeon over zijn schouders gehangen. Hij perste er een paar noten uit. Pas op het laatste moment, toen hij Rosls lichtblauwe koffer op de slee zag staan, besefte Cleaver dat ze niet mee terug zou komen. Ze nam de vlucht naar Bozen. Hij hinkte naar buiten en haastte zich op zijn sokken over het bevroren karrenspoor. Rosl! Ze draaide zich om. Ik moet werken morgen, zei ze. Mijn auto staat in het dorp. Cleaver gaf haar een hand. Auf wiedersehen, zei hij.

In de woonkamer diende Frau Stolberg soep op. De stokoude moeder doopte haar brood erin. De baby jengelde. Seffa liep ermee heen en weer. Het meisje zag er kalm en bedachtzaam uit. Ze is toch wel intelligent, besloot Cleaver. Terwijl hij at werd er een onsamenhangend en totaal onbegrijpelijk gesprek gevoerd. Er was geitenvlees in een stoofpot. Het smaakte goed. De oude radio's mogen wel eens afgestoft worden, merkte Cleaver. Ze hebben zo lang gezwegen. Toen bedacht hij dat hij Alex niets had gevraagd over Irak, over Blair of de Britse politiek. Het vuur knetterde. Af en toe ontmoette zijn blik die van Frau Stolberg. Haar ogen glinsteren van terughoudenheid, dacht hij. Dat mag ik wel. Ich bin sehr müde, zei Cleaver. Ich will schlafen.

Ze nam een zaklamp mee en liet hem een met houtpanelen betimmerde kamer zien, twee deuren voorbij de kamer waar zich afgelopen nacht het drama had afgespeeld. Ze zullen Jürgen iets op de mouw hebben gespeld over de vader, dacht Cleaver. Ze zullen een of andere toerist op doorreis hebben uitgevonden. Frau Stolberg stak de lamp aan en vertrok meteen. Gute Nacht, zei ze.

Cleaver ging op het hoge bed zitten. Er was een haard die in geen jaren was gebruikt en hij vermoedde meteen dat de lakens wel vochtig zouden zijn. Hij bestudeerde een bloemstuk van gedroogde bloemen op de commode. Hij was moe. Deze mensen houden van gedroogde bloemen. Een madonna keek neer op het bed. Misschien was het wel beter in een ongeval te sterven, dacht hij, in het volle leven, na een onstuimig applaus te hebben gekregen op het podium, dan eindeloos te moeten lijden aan een slepende ziekte. Schrale troost. Hij deed een kast open en vond extra dekens. Of misschien zijn alle levens dezelfde levens: de stokoude vrouw die haar seniliteit versliep bij het vuur en de oorlogszuchtige president die aan zijn tweede termijn begon. Zwak hoorde hij Seffa tegen haar baby zingen. En in dat geval had het geen zin om bij oud zeer te blijven hangen, of duistere verhalen te bedenken.

In zijn pyjama liep Cleaver naar het raam. Er was geen maan, alleen de sneeuw gaf een heel zwak licht. Ik blijf hier en doe de Stube van de oude nazi weer open, zei hij hardop. Ja. Hij rilde. Het was helemaal niet aan het dooien. Misschien kunnen we een paar Engelse gasten lokken. Een advertentie in *The Spectator* zou volstaan. Een paar chique jongedames. Dan zou ik Seffa een paar woordjes kunnen leren zodat ze bier kan serveren en Knödel en schnaps. Je klampt je vast aan een strohalm, had Alex gelachen. Het was vanwege Angela, zei hij. Hoe moest ik daarop reageren? Hoe moest mijn zoon reageren op mijn suggestie dat ik met Amanda zou trouwen als ze bij me kwam wonen in Rosenkranzhof? Het raam was nu beslagen. Ze zal nooit komen en dat wil ik ook niet. Onze spelletjes zijn gespeeld, mompelde Cleaver. Hij wreef met de mouw van zijn pyjama over het glas en tuurde de nacht in. Wat als ik nu een teken zou zien? Even dacht hij aan het plezierige gevoel om dat kleine kind in zijn armen te hebben. Een vallende ster, bijvoor-

beeld. Maar keek hij nu naar het noorden, zuiden, oosten of westen? Cleaver fronste zijn wenkbrauwen en ging de badkamer opzoeken.

Lees ook van Tim Parks:

Bestemming

Drie maanden na zijn terugkeer naar Engeland krijgt Christopher Burton, staande bij de balie van een hotel, het bericht dat zijn zoon zelfmoord heeft gepleegd. Het eerste wat Burton op dit gruwelijke moment door het hoofd schiet, is dat hij nu zijn vrouw moet verlaten. Maar waarom nu, na dertig jaar huwelijk? Waarom kan hij zich niet concentreren op zijn verdriet? Burton heeft zijn leven in Italië en zijn carrière als vooraanstaand journalist te danken aan zijn vrouw, die uit een zeer goede Italiaanse familie komt. Zij heeft zijn leven echter ook tot een hel gemaakt. Is hun zoon wellicht het slachtoffer geworden van de explosieve mengeling van liefde en haat die hun huwelijk is? Burton brengt uren door in wachtkamers, vertrekhallen, ziekenhuizen. Waarop hij wacht, waar hij echt naar op weg is, hij weet het niet. Maar zijn geest raast koortsachtig voort.

Parks laat ons in *Bestemming* blikken in een geest die bruist van de tegenstellingen, die tegelijk romantisch en nietsontziend is, briljant en stekeblind. Het boek is een beangstigende afdaling in de ziel van een man die balanceert op de rand van de waanzin.

* Parks heeft voor [*Bestemming*] goed gekeken naar Joyce. Met een vergelijkbare overtuigingskracht schetst hij de overspannen geest van zijn hoofdpersoon. – Pieter Steinz in NRC *Handelsblad*
* Een excellente roman. – *Anita Brookner*
* Een uitmuntende roman, fijnzinnig, ambitieus en deel uit makend van een Europese kosmopolitische traditie. Een roman met evenveel respect voor het hoofd als voor het hart. – *The Sunday Times*

Rechter Savage

Als Daniel Savage tot rechter wordt benoemd heeft hij het gebruikelijke parcours afgelegd van de upper-middleclass Engelsman: eerst naar een dure kostschool, vervolgens naar Oxford, en dan een carrière in de rechtszaal. Alleen: Daniel Savage ís geen doorsneerepresentant van de upper-middleclass – als baby werd hij geadopteerd, hij is zwart.

Bij zijn benoeming besluit hij dat hij een rustig bestaan moet gaat leiden. Omdat hij recht gaat spreken over anderen moet hij immers zelf een onbeschreven blad zijn. Maar waarom weigert zijn tienerdochter mee te verhuizen naar de fraaie nieuwe woning? En waarom wordt hij steeds gebeld door een Koreaanse vrouw die hem om hulp smeekt?

De zaken die Savage in de rechtszaal behandelt zijn complex en hebben een grote impact op zijn persoonlijke leven: het zijn misdrijven met een duidelijke samenhang tussen ras, sekse en sociale klasse. Terwijl hij de ene na de andere strafzaak ontrafelt, komt zijn eigen leven terecht in een spiraal van bedreigingen en geweld. Zijn gevecht om enige greep op zijn leven te houden roept een haast ondraaglijke spanning op die de lezer aan het boek kluistert.

* *Rechter Savage* is een verpletterende mix van een thriller, een komedie en een familiekroniek. De roman is virtuoos, een ware tour de force, en bijzonder aanstekelijk want de karakters zijn levendig en geestig. – *The Spectator*
* De wereld die Parks oproept is gelaagd, het is een lappendeken van herinneringen, verlangens en uitspraken, en daarin weet hij op een briljante manier aan te tonen hoe complex het geweten is. – *The Sunday Times*
* Parks schrijft met een meedogenloze helderheid [...] Een aangrijpend portret van een man in crisis. – *Metro*
* [...] Het resultaat is een briljante, zelfs polemische roman, vol rauwe humor en met een onmiskenbare kracht. – *Evening Standard*